Diogenes Taschenbuch 21734

Friedrich Glauser
Sämtliche Kriminalromane
Band 2

Friedrich Glauser

Die Fieberkurve

Roman

Diogenes

Erstdruck ab 3. Dezember 1937
in der ›Zürcher Illustrierten‹
Diese Ausgabe bringt den vollständigen Text
der 1938 im Morgarten-Verlag AG Zürich erschienenen
Erstausgabe; sie wurde um ein Inhaltsverzeichnis ergänzt
Umschlagillustration:
Heinrich Gretler als Wachtmeister Studer,
Anne-Marie Blanc als Sonja Witschi
im Film ›Wachtmeister Studer‹
der Praesens-Film AG Zürich aus dem Jahr 1939,
Regie Leopold Lindtberg
Abdruck mit freundlicher Genehmigung
der Rialto-Film AG Zürich

Veröffentlicht als Diogenes Taschenbuch, 1989

www.diogenes.ch
20/02/8/7
ISBN 3 257 21734 X

Für Berthe

Inhalt

Die Geschichte vom Hellseherkorporal

Da lies!« sagte Studer und hielt seinem Freunde Madelin ein Telegramm unter die Nase. Vor dem Justizpalast war es finster, die Seine rieb sich glucksend an den Quaimauern, und die nächste Laterne war einige Meter weit entfernt.

»das junge jakobli läßt den alten jakob grüßen hedy«, entzifferte der Kommissär, als er unter dem flackernden Gaslicht stand. Obwohl Madelin vor Jahren an der Straßburger Sûreté gearbeitet hatte und ihm darum das Deutsche nicht ganz fremd war, machte es ihm doch Mühe, den Sinn des Satzes zu verstehen. So fragte er:

»Was soll das heißen, Stüdère?«

»Ich bin Großvater«, antwortete Studer mürrisch. »Meine Tochter hat einen Sohn bekommen.«

»Das muß man feiern!« beschloß Madelin. »Und außerdem trifft es sich günstig. Denn heute hat mich ein Mann besucht, der mit dem Halbelf-Uhr-Zug in die Schweiz reist und mich gebeten hat, ihn an einen dortigen Kollegen zu empfehlen. Ich hab' ihn auf neun Uhr in eine kleine Wirtschaft bei den ›Hallen‹ bestellt ... Jetzt ist es ...«, mit seinen Händen, die in Wollhandschuhen steckten, knöpfte Madelin seinen Überzieher auf, dessen Kragen sich von seinem Halse abwölbte, zog eine alte Silberuhr aus seiner Westentasche und stellte fest, daß es acht Uhr sei. »Wir haben Zeit«, meinte er befriedigt. Und während ihm die Bise seine ungeschützten Lippen zerriß, tat er einen tiefsinnigen Ausspruch: »Wenn man alt wird, hat man immer Zeit. Sonderbar! Geht's dir auch so, Stüdère?«

Studer brummte. Doch wandte er sich brüsk um, denn eine hohe, krächzende Stimme sagte:

»Und ich darf doch auch Glück wünschen? Oder? Unserem verehrten Inspektor? Herzlich Glück wünschen?«

Madelin, groß, hager, und Studer, ebenso groß, nur massiger, mit breiteren Schultern, wandten sich um. Hinter den beiden hüpfte ein winziges Wesen – zuerst wußte man nicht, war es eine Frau oder ein Mann: der lange Mantel fiel bis zu den Knöcheln, das Béret war bis zu den Augenbrauen gezogen, der Wollschal verhüllte die Nase – so daß nur die Augen freiblieben, und auch diese versteckten sich hinter den Gläsern einer riesigen Hornbrille.

»Paß auf, Godofrey!« sagte der Kommissär Madelin. »Daß du dich nicht erkältest! Ich brauch' dich morgen. Die Sache mit Koller ist nicht klar. Aber ich hab' die Papiere erst heute abend bekommen. Morgen mußt du sie untersuchen! Es stimmt etwas nicht mit den Papieren des Koller...«

»Danke, Godofrey«, sagte Studer. »Aber *ich* lade euch beide ein. Schließlich, wenn man Großvater ist, darf man sich nicht lumpen lassen...« Und er seufzte.

Das junge Jakobli läßt den alten Jakob grüßen, dachte er. Nun ist man Großvater und hat die Tochter also endgültig verloren. Wenn man Großvater ist, dann ist man alt – altes Eisen. Aber es ist doch eine Glanzidee gewesen, daß man die Flucht ergriffen hat vor der leeren Wohnung auf dem Kirchenfeld und dem unaufgewaschenen Geschirr im

Schüttstein. Besonders aber vor dem grünen Kachelofen im Wohnzimmer, den nur die Frau richtig anheizen kann: versucht man es selbst, so raucht und qualmt der Donner wie eine schlechtgewickelte Brissago – und geht aus. Hier in Paris ist man vor solchen Katastrophen sicher. Man wohnt beim Kommissär Madelin, wird mit Achtung behandelt und ist nicht ein »Wachtmeister«, sondern ein »Inspektor«. Tagelang kann man bei Godofrey hocken, ganz oben, im Laboratorium unterm Dach des Justizpalastes und darf dem Kleinen zusehen, wie er Staub analysiert, Dokumente durchleuchtet. Der Bunsenbrenner pfeift leise, der Dampf in den Heizkörpern lauter, es riecht angenehm nach Chemikalien und nicht nach Bodenöl, wie im Amtshaus z'Bärn...

Die Marmortische in der Beize waren rechteckig und mit gerillten Papierservietten gedeckt. Ein schwarzer Ofen stand in der Mitte des Raumes, seine Platte glühte. Die große Kaffeemaschine summte auf dem Schanktisch und der Beizer – Arme hatte er, dick wie die Oberschenkel eines normalen Menschen – servierte eigenhändig.

Man begann mit Austern, und Kommissär Madelin ergab sich seiner Lieblingsbeschäftigung. Er hatte, ohne Studer zu fragen, einen 26er Vouvray bestellt, drei Flaschen auf einmal, und er trank ein Glas nach dem andern. Dazwischen schlürfte er schnell drei Austern und kaute sie, bevor er sie schluckte. Godofrey nippte an seinem Glase wie ein schüchternes Mädchen; seine Hände waren klein, weiß, unbehaart.

Studer dachte an seine Frau, die nach Frauenfeld gefahren war, um der Tochter beizustehen. Er war schweigsam und ließ Godofrey plappern. Und auch Madelin schwieg. Zwei riesige Hunde – eine magere Dogge und ein zottiger Neufundländer – lassen ruhig und unberührt das Gekläff eines winzigen Foxterriers über sich ergehen ...

Der Beizer stellte eine braune Terrine mit Kutteln auf den Tisch. Dann gab es bitteren Salat, drei volle Flaschen standen wieder vor den Dreien und waren plötzlich leer, zu gleicher Zeit wie die Platte mit dem zerfließenden Camembert – er hatte gestunken, aber er war gut gewesen. – Dann öffnete Kommissär Madelin seinen Mund zu einer Rede, wenigstens schien es so. Aber aus der Rede wurde nichts, denn die Tür ging auf und den Raum betrat ein Mann, der so sonderbar gekleidet war, daß Studer sich fragte, ob man in Paris Fastnacht vor Neujahr feiere ...

Der Mann trug eine schneeweiße Mönchskutte und auf dem Kopfe eine Mütze, die aussah wie ein riesiger, roter Blumentopf, den ein ungeschickter Töpfer verpfuscht hat. An den Füßen – sie waren nackt, wahr und wahrhaftig blutt – trug er offene Sandalen; die Zehen konnte man sehen, den Rist; die Ferse war bedeckt.

Und Studer traute seinen Augen nicht. Kommissär Madelin, der Pfaffenfresser, stand auf, ging dem Manne entgegen, kam mit ihm zum Tisch zurück, stellte ihn vor: »Pater Matthias vom Orden der Weißen Väter ...« – nannte Studers Namen: dies also sei der Inspektor der Schweizerischen Sicherheitspolizei.

Weißer Vater? Père blanc? – Dem Wachtmeister war es, als träume er einen jener merkwürdigen Träume, die uns nach einer schweren Krankheit besuchen kommen. Luftig und lustig zugleich sind sie und führen uns in die Kinderzeit zurück, da man Märchen erlebt...

Denn Pater Matthias sah genau so aus wie das Schneiderlein, das »Sieben auf einen Streich« erlegt hat. Ein spärliches graues Bärtchen wuchs ihm am Kinn und am Schnurrbart konnte man alle Haare zählen. Mager war das Gesicht! Nur die Farbe der Augen, der großen, grauen Augen erinnerte an das Meer, über das Wolken hinziehen – und manchmal blitzt kurz ein Sonnenstrahl über die Wasserfläche, die so harmlos den großen Abgrund verbirgt...

Wieder drei Flaschen...

Der Pater war hungrig. Schweigsam verzehrte er einen Teller voll Kutteln, dann noch einen... Er trank ausgiebig, stieß mit den anderen an. Er sprach das Französische mit einem leichten Akzent, der Studer an die Heimat erinnerte. Und richtig, kaum hatte sich der Weißbekuttete am Essen erlabt, sagte er und klopfte dem Berner Wachtmeister auf den Unterarm:

»Ich bin ein Landsmann von Ihnen, ein Berner...«

»A bah!« meinte Studer, dem der Wein ein wenig in den Kopf gestiegen war.

»Aber ich bin schon lange im Ausland«, fuhr der Schneider fort – eh, was Schneider! das war ja ein Mönch! Nein, kein Mönch... Ein... ein Pater! Ganz richtig! Ein weißer Vater! Ein Vater, der keine Kinder hatte – oder besser, alle Menschen waren seine Kinder. Aber man selbst war Großvater... Sollte man dies dem Landsmann, dem Auslandschweizer erzählen? Unnötig! Kommissär Madelin tat es:

»Wir feiern unseren Inspektor. Er hat von seiner Frau ein Telegramm erhalten, daß er Großvater geworden ist.«

Der Mönch schien sich zu freuen. Er hob sein Glas, trank dem Wachtmeister zu, Studer stieß an ... Kam nicht bald der Kaffee? Doch, er kam, und mit ihm eine Flasche Rum. Und Studer, dem es merkwürdig zumute war – dieser Vouvray! ein hinterlistiger Wein! – hörte den Kommissär Madelin zum Beizer sagen, er solle die Flasche nur auf dem Tisch stehen lassen ...

Neben dem Wachtmeister saß Godofrey, der, wie viele kleine Menschen, übertrieben elegant gekleidet war. Aber das störte Studer nicht weiter. Im Gegenteil, die Nähe des Zwergleins, das eine wandelnde Enzyklopädie der kriminalistischen Wissenschaft war, wirkte tröstend und beruhigend. Der weiße Vater hatte seinen Platz an der anderen Seite des Tisches, neben Madelin ...

Und dann war Pater Matthias mit Essen fertig. Er faltete die Hände vor seinem Teller, bewegte lautlos die Lippen – seine Augen waren geschlossen; er öffnete sie wieder, schob seinen Stuhl ein wenig vom Tisch ab, schlug das linke Bein über das rechte – zwei sehnige, behaarte Waden kamen unter der Kutte zum Vorschein. Er sagte: »Ich muß notwendig in die Schweiz, Herr Inspektor. Ich habe zwei Schwägerinnen dort, die eine in Basel, die andere in Bern. Und es ist gut möglich, daß ich in Schwierigkeiten gerate und die Hilfe der Polizei brauche. Würden Sie dann so freundlich sein und mir beistehen?«

Studer schlürfte seinen Kaffee und fluchte innerlich über Madelin, der das heiße Getränk allzu ausgiebig mit Rum gewürzt hatte; dann blickte er auf und erwiderte (auch er bediente sich der französischen Sprache):

»Die Schweizer Polizei beschäftigt sich sonst nicht mit

Familienangelegenheiten. Um Ihnen helfen zu können, müßte ich wissen, worum es sich handelt.«

»Das ist eine lange Geschichte«, sagte Pater Matthias, »und ich wage kaum, sie zu erzählen, denn Sie alle«, seine Hand machte eine kreisförmige Bewegung, »werden mich auslachen.«

Godofrey protestierte höflich mit seiner Papageienstimme. Er nannte den Mönch »Mein Vater« – »mon père«, was Studer aus unerfindlichen Gründen äußerst komisch fand. Er lachte in seinen Schnurrbart hinein, prustete weiter, während er die wieder gefüllte Tasse zum Munde führte, und ließ das Prusten, um nicht Anstoß zu erregen, in ein Blasen übergehen – so als ob er den heißen Kaffee abkühlen wollte ...

»Haben Sie sich je«, fragte Pater Matthias, »mit Hellsehen beschäftigt?«

»Kartenlegen? Kristallsehen? Telepathie? Kryptomnesie?« Godofrey leierte die Fragen ab wie eine Litanei.

»Ich sehe, Sie sind auf dem laufenden. Haben Sie sich viel mit diesen Dingen beschäftigt?«

Godofrey nickte. Madelin schüttelte sein Haupt und Studer sagte kurz: »Schwindel.«

Pater Matthias überhörte das Wort. Seine Augen waren in die Ferne gerichtet – aber die Ferne, hier in der kleinen Beize, war der Schanktisch mit seinem glänzenden Perkolator. Der Patron saß dahinter, die Hände über dem Bauch gefaltet und schnarchte. Die vier am Tisch waren seine einzigen Gäste. Das Leben in seiner Beize begann erst gegen zwei Uhr, wenn die ersten Karren mit Treibgemüse eintrafen ...

»Ich möchte«, sagte der Weiße Vater, »Ihnen die Geschichte eines kleinen Propheten erzählen, eines Hellsehers, wenn Sie ihn so nennen wollen, denn dieser Hellseher ist daran schuld, daß ich mich hier befinde, anstatt die kleinen Posten im Süden von Marokko abzuklopfen, um dort für die verlorenen Schäflein der Fremdenlegion Messen zu lesen ...

Wissen Sie, wo Géryville liegt? Vier Stunden hinterm Mond, genauer gesagt in Algerien, auf einem Hochplateau, siebzehnhundert Meter über dem Meeresspiegel, wie es die Inschrift auf einem Stein verkündet, der inmitten des Kasernenhofes steht. Hundertvierzig Kilometer von der nächsten Bahnstation entfernt. Die Luft ist gesund, darum hat mich der Prior dort hinauf geschickt im September vorigen Jahres, denn ich habe schwache Lungen. Es ist eine kleine Stadt, dieses Géryville, wenig Franzosen bewohnen sie, die Bevölkerung besteht zum größten Teil aus Arabern und Spaniolen. Mit den Arabern ist nicht viel anzufangen, sie lassen sich nicht gerne bekehren. Sie schicken ihre Kinder zu mir – das heißt, sie erlauben, daß die Kleinen zu mir kommen ... Auch ein Bataillon der Fremdenlegion lag dort oben. Die Legionäre besuchten mich manchmal; mein Vorgänger hatte eine Bibliothek angelegt – und da kamen sie denn: Korporäle, Sergeanten, hin und wieder auch ein Gemeiner, schleppten Bücher fort oder rauchten meinen Tabak. Manchmal empfand einer meiner Besucher das Bedürfnis zu beichten ... Es gehen seltsame Dinge vor in den Seelen dieser Menschen, ergreifende Bekehrungen, von denen jene keine Ahnung haben, welche die Legion für den Abschaum der Menschheit halten.

Gut... Kommt da eines Abends ein Korporal zu mir, der kleiner ist als ich; sein Gesicht gleicht dem eines verkrüppelten Kindes, traurig und alt ist es... Er heiße Collani, stockt und beginnt dann fieberhaft zu sprechen. Es ist keine regelrechte kirchliche Beichte, die der Mann ablegt. Einen Monolog hält er eher, ein Selbstgespräch. Allerlei muß er sich von der Seele reden, was nicht zu meiner Geschichte gehört. Er spricht ziemlich lang, eine halbe Stunde etwa. Es ist Abend und eine grünliche Dämmerung füllt das Zimmer; sie kommt vom dortigen Herbsthimmel, der hat manchmal so merkwürdige Farben...«

Studer hatte die Wange auf die Hand gestützt und so gespannt lauschte er der Erzählung, daß er gar nicht merkte, wie er sein linkes Auge arg verzog: schief sah es aus und geschlitzt, wie das eines Chinesen...

Das Hochplateau! ... Die weiten Ebenen! ... Das grüne Abendlicht!... Der Soldat, der beichtet!...

Es war doch etwas ganz anderes als das, was man tagtäglich sah! Fremdenlegion! Der Wachtmeister erinnerte sich, daß auch er einmal hatte engagieren wollen, zwanzig Jahre war er damals alt gewesen, wegen eines Streites mit seinem Vater... Aber dann war er – um die Mutter nicht zu betrüben – in der Schweiz geblieben, hatte Karriere gemacht und es bis zum Kommissär an der Berner Stadtpolizei gebracht. Später war jene Bankgeschichte passiert, die ihm das Genick gebrochen hatte. Und auch damals war wieder der Wunsch in ihm aufgestiegen, alles stehen und liegen zu lassen... Doch da war seine Frau, seine

Tochter – und so gab er den Plan auf, fing wieder von vorne an, geduldig und bescheiden … Nur die Sehnsucht schlummerte weiter in ihm: nach den Ebenen, nach der Wüste, nach den Kämpfen. Da kam ein Pater und weckte alles wieder.

»Er spricht also ziemlich lange, der Korporal Collani. In seiner resedagrünen Capotte sieht er aus wie ein erholungsbedürftiges Chamäleon. Er schweigt eine Weile, ich will schon aufstehen und ihn mit ein paar tröstenden Worten entlassen, da beginnt er plötzlich mit ganz veränderter Stimme, rauh und tief klingt sie, so, als ob ein anderer aus ihm rede, und die Stimme kommt mir sonderbar bekannt vor:

›Warum nimmt Mamadou das Leintuch vom Bett und versteckt es unter seiner Capotte? Ah, er will es in der Stadt verkaufen, der gemeine Hund! Und ich bin für die Wäsche verantwortlich. Jetzt geht er die Treppen hinunter, quer über den Hof zum Gitter. Natürlich, er wagt sich nicht an der Wache vorbei! Und am Gitter wartet Bielle auf ihn, nimmt ihm das Leintuch ab. Wohin will Bielle? Aha! Er läuft zum Juden in der kleinen Straße … Er verkauft das Leintuch für einen Duro …‹«

»Ein Duro«, erklärte Madelin, »ist ein Fünffrankenstück aus Silber …«

»Danke«, sagte Pater Matthias und schwieg. Er griff unter den Tisch, beschäftigte sich mit seiner Kutte, die irgendwo eine tiefe Tasche haben mußte, und förderte aus ihr zutage: ein Nastuch, ein Vergrößerungsglas, einen Rosenkranz, eine aus roten Lederstreifen geflochtene Brieftasche und endlich eine Schnupftabaksdose. Aus dieser nahm er eine gehörige Prise. Dann schneuzte er sich laut und trompetend, der Beizer hinter dem Schanktisch schreckte auf, der Weiße Vater aber fuhr fort:

»Ich sage zu dem Mann: ›Collani! Wachen Sie auf, Korporal! Sie träumen ja!‹ – Aber er plappert weiter: ›Ich will euch lehren, militärisches Eigentum zu verquanten! Morgen sollt ihr Collani kennenlernen!‹ – Da packe ich den Korporal an der Schulter und schüttle ihn gehörig, denn es wird mir doch unheimlich zumute. Er wacht wirklich auf und sieht sich erstaunt um. ›Wissen Sie, was Sie mir erzählt haben?‹ frage ich. – ›Doch‹, erwidert Collani. Und wiederholt mir, was er in der Trance – so nennt man doch diesen Zustand? ...«

»Sicherlich!« schob Godofrey eifrig ein.

»... was er mir in der Trance erzählt hat. Darauf verabschiedet er sich. Am nächsten Morgen um acht Uhr – sehr klar war der Septembermorgen, man sah die Schotts, die großen Salzseen, in der Ferne funkeln – tret' ich aus dem Haus und stoße mit Collani zusammen, der vom Fourier und vom Hauptmann begleitet ist. Hauptmann Pouette erzählt mir, Collani habe ihm gemeldet, daß seit einiger Zeit Leintücher verschwänden. Und Collani kenne sowohl die Diebe als auch den Hehler. Die Diebe seien schon eingesperrt, nun komme der Hehler an die Reihe. – Collani sah aus wie ein Quellensucher ohne Wünschelrute. Seine Augen blickten starr, doch war er bei vollem Bewußtsein. Nur drängte er vorwärts ...

Ich will Sie nicht weiter langweilen. Bei einem Juden, der Zwiebeln, Feigen und Datteln in einem winzigen Lädlein feilhielt, fanden wir vier Leintücher auf dem Grunde einer

Orangenkiste... Mamadou war ein Neger aus der vierten Kompagnie des Bataillons, er gestand den Diebstahl ein. Bielle, ein rothaariger Belgier, verlegte sich zuerst aufs Leugnen, dann gestand auch er...

Von dieser Stunde an nannte man Collani nur noch den Hellseherkorporal, und der Bataillonsarzt, Anatole Cantacuzène, veranstaltete Séancen mit ihm: Tischrücken, automatisches Schreiben – kurz all der gottsträfliche Unsinn wurde mit ihm versucht, den hierzulande die Spiritisten betreiben, ohne eine Ahnung von der Gefahr zu haben, in die sie sich begeben.

Sie werden sich fragen, meine Herren, warum ich Ihnen diese lange Geschichte erzählt habe... Nur um Ihnen zu beweisen, daß ich nicht gleichgültig bleiben konnte, als Collani mir eine Woche später Dinge erzählte, die mich, *mich* persönlich angingen...

Es war der 28. September. Ein Dienstag.«

Pater Matthias schwieg, bedeckte seine Augen mit der Hand und fuhr fort:

»Collani kommt. Ich spreche zu ihm, wie es meine Pflicht ist als Priester, beschwöre ihn, die teuflischen Experimente zu lassen. Er bleibt trotzig. Und plötzlich wird sein Blick wieder leer, die Oberlider verdecken halb die Augen, ein unangenehm höhnisches Lächeln zerrt seine Lippen auseinander, so daß ich seine breiten, gelben Zähne sehe, und dann sagt er mit jener Stimme, die mir so bekannt vorkommt: ›Hallo, Matthias, wie geht's dir?‹ – Es war die Stimme meines Bruders, meines Bruders, der vor fünfzehn Jahren den Tod gefunden hatte!«

Die drei Männer um den Tisch in der kleinen Beize bei

den Pariser Markthallen nahmen diese Mitteilung schweigsam entgegen. Kommissär Madelin lächelte schwach, wie man nach einem schlechten Witz lächelt. Studers Schnurrbart zitterte, und die Ursache dieses Zitterns war nicht recht festzustellen ... Nur Godofrey bemühte sich, die peinliche Unwahrscheinlichkeit der Erzählung etwas zu mildern. Er sagte:

»Immer wieder zwingt uns das Leben, mit Gespenstern Umgang zu pflegen ...«

Das konnte tiefsinnig sein. Pater Matthias sagte sehr leise:

»Die fremde und doch so vertraute Stimme redete aus dem Munde des Hellseherkorporals zu mir ...«

Studers Schnurrbart hörte auf zu zittern, er beugte sich über den Tisch ... Die Betonung des letzten Satzes! Sie klang unecht, übertrieben, gespielt! Der Berner Wachtmeister blickte zu Madelin hinüber. Das knochige Gesicht des Franzosen war ein wenig verzerrt. Also hatte auch der Kommissär den Mißton empfunden! Er hob die Hand, legte sie sanft auf den Tisch: »Reden lassen! Nicht unterbrechen!« Und Studer nickte. Er hatte verstanden ...

»›Hallo, Matthias! Kennst du mich noch? Hast du gemeint, ich sei tot? Springlebendig bin ich ...‹ Und da bemerkte ich zum ersten Male, daß Collani Deutsch redete! – ›Matthias, beeil dich, wenn du die alten Frauen retten willst. Sonst komm' ich sie holen. Sie werden in ...‹ Da ging die Stimme, die doch nicht Collanis Stimme war, in ein Flüstern über, so daß ich die nächsten Worte nicht verstand. Und dann wieder, laut und deutlich vernehmbar: ›Hörst du es pfeifen? Es pfeift und dies Pfeifen bedeutet den Tod.

Fünfzehn Jahre hab' ich gewartet! Zuerst die in Basel, dann die in Bern! Die eine war klug, sie hat mich durchschaut, die spar' ich mir auf. Die andere hat meine Tochter schlecht erzogen. Dafür muß sie gestraft werden.‹ Ein Lachen und dann schwieg die Stimme. Diesmal war Collanis Schlaf so tief, daß ich Mühe hatte, den Mann zu wecken ...

Endlich klappen seine Lider ganz auf, er sieht mich an, erstaunt. Da frage ich den Hellseherkorporal: ›Weißt du, was du mir erzählt hast, mein Sohn?‹ – Zuerst schüttelt Collani den Kopf, dann erwidert er: ›Ich sah einen Mann, den ich in Fez gepflegt hatte vor fünfzehn Jahren. Er ist gestorben, damals, an einem bösen Fieber ... Im Jahre siebenzehn, während des Weltkrieges ... Dann sah ich zwei Frauen. Die eine hatte eine Warze neben dem linken Nasenflügel ... Der Mann damals in Fez – wie hieß er? wie hieß er nur?‹ – Collani reibt sich die Stirne, er findet den Namen nicht, ich helfe ihm auch nicht – ›der Mann in Fez hat mir einen Brief gegeben. Den soll ich abschicken, nach fünfzehn Jahren. Ich hab' ihn abgeschickt. An seinem Todestag. Am 20. Juli. Der Brief ist fort, ja er ist fort!‹ schreit er plötzlich. ›Ich will mit der Sache nichts mehr zu tun haben! Es ist unerträglich. Jawohl!‹ schreit er noch lauter, als antworte er dem Vorwurf eines Unsichtbaren. ›Ich habe eine Kopie behalten. Was soll ich mit der Kopie tun?‹ – Der Hellseherkorporal ringt die Hände. Ich beruhige ihn: ›Bring mir die Abschrift des Briefes, mein Sohn. Dann wird dein Gewissen entlastet sein. Geh! Jetzt gleich!‹ – ›Ja, mein Vater‹, sagt Collani, steht auf und geht zur Türe. Ich höre noch die Nägel seiner Sohlen auf dem Stein vor meiner Haustüre kreischen ...

Und dann hab' ich ihn nie mehr gesehen! Er verschwand aus Géryville. Man nahm an, Collani sei desertiert. Der Fall wurde auf Befehl des Bataillonskommandanten untersucht. Man fand heraus, daß am gleichen Abend ein Fremder in einem Auto nach Géryville gekommen und in der gleichen Nacht wieder abgefahren war. Vielleicht hat er den Hellseherkorporal mitgenommen...«

Pater Matthias schwieg. Im kleinen Raum war einzig das Schnarchen des dicken Wirtes zu hören und dazwischen, ganz leise, das Ticken einer Wanduhr...

Der Weiße Vater nahm die Hand vom Gesicht. Seine Augen waren leicht gerötet, und noch immer gemahnte ihre Farbe an das Meer – aber nun lagen Nebelschwaden über den Wassern und verbargen die Sonne. Der alte Mann, der aussah wie der Schneider Meckmeck, musterte seine Zuhörer.

Es war ein schwieriges Unterfangen, drei mit allen Wassern gewaschenen Kriminalisten eine Gespenstergeschichte zu erzählen. Sie ließen ein langes Schweigen walten, dann klopfte der eine, Madelin, mit der flachen Hand auf den Tisch. Der Wirt fuhr auf.

»Vier Gläser!« befahl der Kommissär. Er füllte sie mit Rum, sagte trocken: »Eine kleine Stärkung wird Ihnen guttun, mein Vater.« Und Pater Matthias leerte gehorsam sein Glas. Studer zog ein längliches Lederetui aus der Busentasche, stellte betrübt fest, daß ihm nur noch eine Brissago verblieb, zündete sie umständlich an und gab auch Madelin Feuer, der eine Pfeife gestopft hatte. Mit dieser gab der Kommissär seinem Schweizer Kollegen einen Wink, eine kleine Aufforderung, mit dem fälligen Verhör zu beginnen.

Studer rückte nun ebenfalls vom Tisch ab, legte die Ellbogen auf die Schenkel, faltete die Hände und begann zu fragen, langsam und bedächtig, während seine Augen gesenkt blieben.

»Zwei Frauen? Ihr Bruder hat sich wohl nicht der Bigamie schuldig gemacht?«

»Nein«, sagte Pater Matthias. »Er ließ sich scheiden von der ersten Frau und heiratete dann ihre Schwester Josepha.«

»So so. Scheiden?« wiederholte Studer. »Ich dachte, das gäbe es nicht in der katholischen Religion.« Er hob die Augen und sah, daß Pater Matthias rot geworden war. Von der sehr hohen Stirne rollte eine Blutwelle über das braungebrannte Gesicht – nachher blieb die Haut merkwürdig grau gefleckt.

»Ich bin mit achtzehn Jahren zur katholischen Religion übergetreten«, sagte Pater Matthias leise. »Daraufhin wurde ich von meiner Familie verstoßen.«

»Was war Ihr Bruder?« fragte Studer weiter.

»Geologe. Er schürfte im Süden von Marokko nach Erzen: Blei, Silber, Kupfer. Für die französische Regierung. Und dann ist er in Fez gestorben.«

»Sie haben den Totenschein gesehen?«

»Er ist der zweiten Frau nach Basel geschickt worden. Meine Nichte hat ihn gesehen.«

»Sie kennen Ihre Nichte?«

»Ja; sie wohnt in Paris. Sie war hier bei dem Sekretär meines verstorbenen Bruders angestellt.«

»Nun«, meinte Studer und zog sein Notizbüchlein aus der Tasche – es war ein neues Ringbuch, das stark nach Juchten roch, ein Weihnachtsgeschenk seiner Frau, die sich immer über seine billigen Wachstuchbüchli geärgert hatte. Studer schlug es auf.

»Geben Sie mir die Adressen Ihrer beiden Schwägerinnen«, bat er höflich.

»Josepha Cleman-Hornuss, Spalenberg 12, Basel. – Sophie Hornuss, Gerechtigkeitsgasse 44, Bern.« Der Pater sprach ein wenig atemlos.

»Und Sie meinen wirklich, mein Vater, daß den alten Frauen Gefahr droht?«

»Ja ... wirklich ... ich glaube es ... bei meiner Seele Seligkeit!« Wieder hätte Studer dem Männlein mit dem Schneiderbart am liebsten gesagt: »Reden Sie weniger geschwollen!« Aber das ging nicht an. Er sagte nur:

»Ich werde hier in Paris noch Silvester feiern, dann den Nachtzug nehmen und am Neujahrsmorgen in Basel ankommen. Wann fahren Sie in die Schweiz?«

»Heut' ... Heut' nacht!«

»Dann«, sagte Godofreys Papageienstimme, »dann haben Sie gerade noch Zeit, ein Taxi zu nehmen.«

»Mein Gott, ja, Sie haben recht ... Aber wo ...?«

Kommissär Madelin tauchte ein Stück Zucker in seinen Rum und während er an diesem »Canard« lutschte, rief er dem schnarchenden Beizer ein Wort zu.

Dieser sprang auf, stürzte zur Tür, steckte zwei Finger zwischen die Zähne. So gellend war der Pfiff, daß sich Pater Matthias die Ohren zuhielt.

Und dann war der Geschichtenerzähler verschwunden.

Kommissär Madelin brummte: »Ich möcht' nur eines wissen. Hält uns der Mann für kleine Kinder? – Stüdère, es tut mir leid. Ich dachte, er hätte Wichtigeres zu erzählen.

Und dann war er mir empfohlen worden. Er hat Protektionen, hohe Protektionen! ... Aber nicht einmal eine Runde hat er bezahlt! Wirklich, er ist ein Kind!«

»Verzeihung, Chef«, entgegnete Godofrey. »Das stimmt nicht. Kinder stehen mit den Engeln auf du und du. Aber unser Pater duzt die Engel nicht ...«

»Hä?« Madelin riß die Augen auf und auch Studer betrachtete erstaunt das überelegante Zwerglein.

Godofrey ließ sich nicht aus der Ruhe bringen.

»Die Engel duzt man nur«, sagte er, »wenn man ein lauteres Gemüt hat. Unser Pater ist voller Ränke. Sie werden noch von ihm hören! Aber jetzt«, er winkte dem Wirt, »jetzt trinken wir Champagner auf das Wohl des Enkelkindes unseres Inspektors.« Und er wiederholte die deutschen Worte des Telegramms: »Das junge Schakobli läßt den alten Schakob grissen ...« Studer lachte, daß ihm die Tränen in die Augen traten und dann tat er seinen Begleitern Bescheid.

Übrigens war es gut, daß Kommissär Madelin seinen Polizeiausweis bei sich trug. Denn sonst wären die drei Männer um zwei Uhr morgens sicher wegen Nachtlärm arretiert worden. Studer hatte es sich in den Kopf gesetzt, seinen beiden Begleitern das Lied vom »Brienzer Buurli« beizubringen, und ein uniformierter Polizist fand einen Pariser Boulevard ungeeignet für eine Gesangsstunde. Er beruhigte sich jedoch, als er den Beruf der drei Männer festgestellt hatte. Und so konnte Wachtmeister Studer fortfahren, seinen Kollegen von der Pariser Sicherheitspolizei bernisches Kulturgut zu vermitteln. Er lehrte sie: »Niene geit's so schön und luschtig ...«, worauf ihm das

Wort »Emmental« Gelegenheit gab, den Unterschied zwischen Greyerzer- und Emmentalerkäse zu erläutern. Denn in Frankreich herrscht die ketzerische Ansicht, jeder Schweizerkäse stamme aus dem Greyerzerlande …

Gas

Nachdem Wachtmeister Studer seinen ramponierten Schweinslederkoffer in einem Abteil des Nachtschnellzuges Paris–Basel verstaut hatte, ließ er im Gang das Fenster herab und nahm Abschied von seinen Freunden. Kommissär Madelin zog mit Ächzen und Stöhnen eine in Zeitungspapier verpackte Flasche aus der Manteltasche, Godofrey reichte ein Päcklein zum Waggonfenster hinauf, das ohne Zweifel eine Terrine Gansleberpastete enthielt, und lispelte: »Pour madame!« Dann fuhr der Zug aus der Halle des Ostbahnhofes und Studer kehrte in sein Drittklaß-Abteil zurück.

Seinem Eckplatz gegenüber hatte ein Fräulein Platz genommen. Pelzjackett, graue Wildlederschuhe, grauseidene Strümpfe. Das Fräulein zündete eine Zigarette an – ausgesprochen männliche Raucherware, französische Régie-Zigaretten: Gauloises. Sie streckte Studer das blaue Päcklein hin und der Wachtmeister bediente sich. Das Fräulein erzählte, es sei Baslerin und wolle seine Mutter besuchen. Über Neujahr. – Wo wohne die Mutter? – Auf dem Spalenberg. – So so? Auf dem Spalenberg? – Ja ...

Studer begnügte sich mit dieser Auskunft. Das junge Meitschi war zwei-, höchstens dreiundzwanzigjährig und es gefiel dem Wachtmeister ausnehmend. Es gefiel ihm – in allen Ehren. Schließlich hatte man nicht das Recht als Großvater, als solider Mann... Äbe!... Und es war angenehm, mit dem Meitschi z'brichte...

Dann wurde Studer müde, entschuldigte sein Gähnen, er sei sehr beschäftigt gewesen in Paris – das Meitschi lächelte, unverschämt ein wenig, – was tat das? Der Wachtmeister lehnte den schweren Kopf in die Ecke auf seinen grauen Regenmantel und schlummerte ein. Als er erwachte, saß ihm gegenüber immer noch das Meitschi, es schien sich kaum bewegt zu haben. Nur das blaue Päckli mit den Zigaretten, das in Paris noch voll gewesen war, lag als leeres Papier, zusammengeknäuelt, in einer Ecke. Und Studer hatte Kopfweh, weil das Kupee blau von Rauch war...

Er trug seinen Koffer und den seiner Mitreisenden bis an den Zoll, verabschiedete sich dann und stieß mit einem Manne zusammen, der auf dem Kopfe eine Kappe trug, die aussah wie ein von einem Töpfer verpfuschter Blumentopf; eine weiße Mönchskutte hüllte seinen mageren Körper ein und die Füße, die blutten, steckten in offenen Sandalen...

Wachtmeister Studer erwartete eine herzliche Begrüßung. Sie erfolgte nicht. Das Gesicht, mit dem Schneiderbärtlein am Kinn, sah ängstlich aus und traurig, der Mund – wie bleich waren die Lippen! – murmelte: »Ah, Inspektor! Wie geht's?« Und ohne eine Antwort abzuwarten, wandte sich Pater Matthias dem jungen Mädchen zu, das mit Studer gereist war, und nahm ihm den Koffer ab. Vor dem Bahnhof stiegen die beiden in ein Taxi und fuhren davon.

Der Wachtmeister hob die mächtigen Achseln. Die Prophezeiungen des Hellseherkorporals, die ein Weißer Vater drei Kriminalisten in einer Beize bei den Pariser Markthallen aufgetischt hatte, schienen jeder Bestätigung zu entbehren. Denn hätte der Pater ihnen Glauben geschenkt, so wäre es seine Pflicht gewesen, Wache zu halten bei der... der... wie hieß sie nur? einerlei! ... bei der Frau auf dem Spalenberg, um sie zu schützen gegen einen Tod, der irgend etwas mit Pfeifen zu tun hatte... Pfeifen... Was pfiff? Ein Pfeil... Der Bolzen eines Blasrohres... Was noch? Eine Schlange?... Das waren alles Erinnerungen aus den Detektivgeschichten des Herrn Conan Doyle, der unter die Spiritisten gegangen war. – Es gab da eine Geschichte... Wie hieß sie? Das getupfte... getupfte... Ja, das getupfte Band! Da wickelte sich eine Schlange um eine Klingelschnur. Nun, Herr Conan Doyle besaß Phantasie, aber Studer hatte keine Brissagos mehr. So liebenswürdig und gastfreundlich die Franzosen auch waren, Brissagos kannten sie nicht... Und darum ließ sich der Wachtmeister sein längliches Lederetui am Bahnhofkiosk frisch füllen. Aber er versagte sich den Genuß, sogleich einen dieser Stengel anzuzünden, sondern begab sich zuerst ins Buffet, allwo er z'Morgen aß, ausgiebig und friedlich. Und dann beschloß er, einen Freund aufzusuchen, der in der Missionsstraße wohnte.

Unterwegs, zuerst in der Freien Straße, denn es war noch früh am Morgen und Studer machte einen Umweg, um seinen Freund nicht zu früh aufzustören, schüttelte er den Kopf. Das schadete wenig, denn es gab keine Passanten, die sich über dies Kopfschütteln und das nachherige Selbstgespräch hätten aufhalten können. Wachtmeister Studer schüttelte also seinen Kopf und murmelte: »Er duzt die Engel nicht.« Und Pater Matthias schien ein Mann zu sein, der voller Ränke war.

Auf dem Marktplatz schüttelte er noch einmal den Kopf

und murmelte dann: »Das junge Jakobli läßt den alten Jakob grüßen.« Das Hedy war doch ein merkwürdiges Frauenzimmer! ... Nun war es nah an den Fünfzig, Großmutter dazu, aber es liebte eine originelle Ausdrucksweise. Früher hätte sich Studer darüber geärgert. Aber nach siebenundzwanzigjähriger Ehe wird man nicht mehr taub ... s'Hedy! ... Die Frau hatte es nicht immer leicht gehabt. Aber ein tapferer Kerl war sie ... Und nun: eine tapfere Großmutter ...

Großmutter ... Studer blickte auf, blieb stehen, denn es ging bergauf. Richtig: der Spalenberg! Und eine Nummer leuchtete ihm entgegen ...

Da flog das Haustor auf, ein Mädchen stürzte heraus, und da der Wachtmeister der einzige Mensch auf der Straße war, packte es natürlich ihn am Ärmel und keuchte:

»Kommen Sie mit! ... Die Mutter! ... Es riecht nach Gas! ...«

Und Wachtmeister Studer von der Berner Fahndungspolizei folgte seinem Schicksal: diesmal hatte es die Gestalt eines jungen Meitschis angenommen, das gerne starke französische Zigaretten rauchte und ein Pelzjackett, graue Wildlederschuhe und graue Seidenstrümpfe trug.

»Blyb uf dr Loube!« sagte Studer, nachdem er keuchend drei Stockwerke erstiegen hatte. Ohne Zweifel, der Gasgeruch war deutlich! Keine Klinke, kein Schlüssel an der Türe ... Tannenholz – und ein schwaches Schloß ...

Studer nahm sechs Schritte Anlauf, keinen einzigen mehr. Aber eine simple Tannenholztüre vermag dem Anprall eines Doppelzentners nicht standzuhalten. So gab die Türe gehorsam nach – nicht das Holz, sondern das Schloß –

und eine Wolke von Gas strömte Studer entgegen. Zum Glück war sein Nastuch groß. Er knotete es im Nacken fest, so daß es Mund und Nase bedeckte.

»Blyb dusse, Meitschi!« rief Studer noch. Zwei Schritte – und die winzige Küche war durchquert; eine Türe wurde aufgestoßen. Das Wohnzimmer war quadratisch, weißgekalkt. Der Wachtmeister riß das Fenster auf und lehnte sich hinaus... Und das Nastuch ließ sich wie eine Fastnachtsmaske abstreifen...

Ein Gewirr von Dächern... Kamine stießen friedlich ihren Rauch in die kalte Winterluft. Reif glänzte auf den dunklen Ziegeln. Und über den höchsten First kroch langsam eine bleiche Wintersonne. Der eindringende Luftzug nahm das giftige Gas mit sich.

Studer wandte sich um und sah einen flachen Schreibtisch, eine Couch, drei Stühle; an der Wand das Telephon. Er durchquerte den Raum, gelangte in die korridorartige Küche. Die beiden Hähne des Réchauds waren geöffnet, das Gas pfiff aus den Brennern. Gedankenlos schloß Studer diese Hähne. Es war nicht sehr einfach, denn ein Lehnstuhl stand im Wege, mit grünem Sammet überzogen. In ihm saß eine alte Frau, sonderbar friedlich, gelöst und schien zu schlafen. Die eine Hand ruhte auf der Armlehne, der Wachtmeister ergriff sie, tastete nach dem Puls, schüttelte den Kopf und legte die kalte Hand vorsichtig auf das geschnitzte Holz zurück.

Winzig war die Küche wirklich. Anderthalb Meter auf zwei, ein Korridor eher. Über dem Gasréchaud hing an der Wand ein Holzgestell. Blechdosen – ehemals weiß emailliert, jetzt gebräunt, die Glasur abgestoßen: »Kaffee«,

»Mehl«, »Salz« ... Alles war ärmlich. Und durch den leichten Gasgeruch, der noch zurückblieb, stach deutlich ein anderer: Kampfer...

Es roch nach alter Frau, nach einsamer, alter Frau ...

Es war ein ganz bestimmter Geruch, den Studer kannte; er kannte ihn aus den winzigen Wohnungen in der Metzgergasse, wo es hin und wieder einer alten Frau zu langweilig wurde oder zu einsam und sie dann den Gashahn aufdrehte. Manchmal aber war es weder Einsamkeit noch Langeweile; sondern Not...

Studer trat vor die Wohnungstür. Links am Türpfosten, unter dem weißen Klingelknopf, ein Schild:

Josepha Cleman-Hornuss
Witwe

Witwe!... Als ob Witwe ein Beruf wäre!...

Er rief dem Meitschi, das am Geländer der Laube lehnte – g'späßig war das Haus gebaut: die Laube ging auf ein Gärtlein, obwohl die Wohnung im dritten Stockwerk lag, und das Gärtlein war von einer Mauer umgeben, in die eine Türe eingelassen war; wohin führte die Tür? ... wohl auf eine Nebengasse – er rief dem Meitschi und es kam näher.

Es war natürlich und selbstverständlich, daß der Wachtmeister das Meitschi sanft zu dem Lehnstuhl führte, in dem eine alte Frau friedlich schlummerte.

Aber während die Tochter ihr winziges Nastuch zog und sich die Tränen trocknete, fiel dem Wachtmeister etwas auf:

Die alte Frau im Lehnstuhl trug einen roten Schlafrock, der mit Kaffeeflecken übersät war. Aber an den Füßen trug sie hohe Schnürstiefel, Ausgehschuhe – nein! keinerlei Pantoffeln!

Dann suchte Studer nach dem Gaszähler: Er hockte oben an der Wand, gleich neben der Wohnungstür, auf einem Brett und sah mit seinen Zifferblättern aus wie ein grünes und feistes und grimassierendes Gesicht.

Aber der Haupthahn stand schief!...

Er stand schief. Er bildete, wollte man genau sein, einen Winkel von fünfundvierzig Grad...

Warum war er nur halb geöffnet? Warum nicht ganz?

Im Grunde ging einen der ganze Fall ja nichts an. Man war Wachtmeister bei der Berner Fahndungspolizei, da sollten die Basler sehen, wie sie zu Schlag kamen. Übrigens, es schien ein Selbstmord zu sein, ein Selbstmord durch Leuchtgas – nichts Ungewöhnliches. Und nichts Ungewohntes...

Studer ging in den Wohnraum, der zugleich Schlafzimmer war – die Couch in der Ecke! – und suchte nun nach dem Telephonbuch. Es lag auf dem Schreibtisch, neben einem ausgebreiteten Kartenspiel. Während er nach der Nummer der Sanitätspolizei suchte, dachte der Wachtmeister verschwommen, wie ungewöhnlich es eigentlich war, daß eine Selbstmörderin vor dem Freitode noch Patiencen legte... Da fiel ein Blatt Papier aus dem Telephonbuch zu Boden, Studer hob es auf, legte es neben das ausgebreitete Kartenspiel – merkwürdig, oben in der Ecke links, die Karten waren in vier Reihen ausgelegt, lag der Piquebub, der Schuflebuur... Studer stellte die Nummer ein. Es summte, summte. Der Sanitätspolizist hatte wohl ausgiebig Silvester gefeiert. Endlich meldete sich eine teigige Stimme. Studer gab Auskunft: Spalenberg 12, dritter Stock, Josepha Cleman-Hornuss. Selbstmord ... Dann hängte er an.

Er hielt das Papier noch in der Hand, das aus dem Telephonbuch zu Boden geflattert war. Es war vergilbt, zusammengefaltet, die unbeschriebene Seite nach außen. Studer öffnete es. – Eine Fieberkurve ...

HÔPITAL MILITAIRE DE FEZ.
Nom: Cleman, Victor Alois. Profession: Géologue.
Nationalité: Suisse. Entrée: 12/7/1917. – Paludisme.

Ins Deutsche übertragen hieß dies, daß es sich um einen gewissen Cleman Victor Alois handelte; sein Beruf: Geologe; sein Heimatland: die Schweiz; das Datum seines Eintrittes: zwölfter Juli neunzehnhundertsiebenzehn. Und erkrankt war der Mann an Sumpffieber, an Malaria.

Die Fieberkurve hatte steile Spitzen, sie lief vom 12. bis zum 30. Juli. Und hinter dem 30. Juli hatte ein Blaustift ein Kreuz gezeichnet. Am 30. Juli war also der Cleman Alois Victor, Geologe, Schweizer, gestorben.

Cleman? ... Cleman-Hornuss? ... Spalenberg 12? ...

Studer zog sein Ringbuch. Da stand es, auf der ersten Seite des Weihnachtsgeschenkes! ...

»Meitschi!« rief Studer; das Fräulein im Pelzjackett schien über die Anrede nicht übermäßig erstaunt zu sein.

»Los, Meitschi«, sagte Studer. Und es solle abhocken. Er hatte sein Ringbuch auf den Tisch gelegt und machte sich Notizen, während er das Mädchen ausfragte.

Und es sah wirklich aus, als habe Wachtmeister Studer einen neuen Fall übernommen.

»War das dein Vater?« fragte Studer und zeigte auf den Namen oben auf der Fieberkurve.

Nicken.

»Wie heißest?«

»Marie ... Marie Cleman.«

»Also, ich bin der Wachtmeister Studer von Bern. Und der Mann, der dich heut morgen abgeholt hat, der hat mich um Schutz gebeten – falls etwas passiere in der Schweiz. Er hat mir ein Märli erzählt, aber an dem Märli ist eins wahr: deine Mutter ist tot.«

Studer stockte. Er dachte an das Pfeifen. Kein Pfeil. Kein Bolzen. Kein getupftes Band ... Gas! ... Gas pfiff auch, wenn es aus den Brennern strömte ... Item! ... Und vertiefte sich in die Fieberkurve.

Am 18. hatte die Abend- und am 19. Juli die Morgentemperatur 37,25 betragen. Über diesem Strich war vermerkt: »Sulfate de quinine 2 km.«

Seit wann gab man Chinin kilometerweise? Ein Schreibfehler? Wahrscheinlich handelte es sich um eine Einspritzung und statt 2 ccm, was die Abkürzung für Kubikzentimeter gewesen wäre, hatte irgendein Stoffel »km« geschrieben.

Mira ...

»Dein Vater«, sagte Studer, »ist in Marokko gestorben. In Fez. Er hat dort, wie ich gehört habe, nach Erzen geschürft. Für die französische Regierung ... Apropos, wer war der Mann, der dich heut am Bahnhof abgeholt hat?«

»Mein Onkel Matthias«, sagte Marie erstaunt.

»Stimmt«, sagte Studer. »Ich hab' ihn in Paris kennengelernt.«

Schweigen. Der Wachtmeister saß hinter dem flachen Schreibtisch, bequem zurückgelehnt. Marie Cleman stand vor ihm und spielte mit ihrem Nastuch. In das Schweigen schrillte die Klingel des Telephons; Marie wollte aufstehen, aber Studer winkte ihr zu: sie solle nur sitzenbleiben. Er nahm den Hörer ab, sagte, wie er es von seinem Bureau im Amtshaus gewöhnt war: »Ja?«

»Ist Frau Cleman da?«

Eine unangenehme Stimme, schrill und laut.

»Im Augenblick nicht, soll ich etwas ausrichten?« fragte Studer.

»Nein! Nein! Übrigens weiß ich ja, daß Frau Cleman tot ist. Mich erwischen Sie nicht. Sie sind wohl von der Polizei, Mann? Hahahaha...« Ein richtiges Schauspielerlachen! Der Mann *sprach* die »Ha«. – Und dann knackte es im Hörer.

»Wer war's?« fragte Marie ängstlich.

»Ein Löli!« sagte Studer trocken. Und fragte gleich darauf – war es die Stimme, die ihn auf den Gedanken gebracht hatte –: »Wo ist dein Onkel Matthias?«

»Die katholischen Priester«, meinte Marie müde, »müssen jeden Morgen ihre Messe lesen... Wo sie auch sind.... Sonst brauchen sie, glaub' ich, einen Dispens... Vom Papst – oder vom Bischof – ich weiß nicht...« Sie seufzte, zog die Fieberkurve zu sich heran und begann sie eifrig zu studieren.

»Was ist das?« fragte sie plötzlich und deutete auf das blaue Kreuz.

»Das?« Studer stand hinter dem Mädchen. »Das wird wohl der Todestag deines Vaters sein.«

»Nein!« Marie schrie das Wort. Dann fuhr sie ruhiger fort: »Mein Vater ist am 20. Juli gestorben. Ich hab' selbst den Totenschein gesehen und den Brief vom General! Am 20. Juli 1917 ist mein Vater gestorben.«

Sie schwieg und auch Studer hielt den Mund.

Nach einer Weile sprach Marie weiter: Die Mutter habe es oft genug erzählt. Am einundzwanzigsten Juli sei ein Telegramm gekommen, das Telegramm müsse noch bei den Andenken sein, dort im Schreibtisch, in der zweituntersten Schublade. Und dann, etwa vierzehn Tage später, habe der Briefträger die große gelbe Enveloppe gebracht. Nicht viel habe sie enthalten. Den Paß des Vaters, viertausend Franken in Noten der algerischen Staatsbank und den Beileidsbrief eines französischen Generals. Lyautey habe der Mann geheißen. Ein sehr schmeichelhafter Brief: Wie gut Herr Cleman die Interessen Frankreichs vertreten habe, wie dankbar das Land Herrn Cleman sei, daß er zwei deutsche Spione entlarvt habe...

»Zwei Spione?« fragte Studer. Er saß auf einem Stuhl in der Ecke beim offenen Fenster, hatte die Ellbogen auf die Schenkel gestützt und die Hände gefaltet. Er starrte zu Boden. »Zwei Spione?« wiederholte er.

Marie schloß das Fenster. Sie blickte auf den Hof, ihre Finger trommelten einen eintönigen Marsch gegen die Scheiben und ihr Atem ließ auf dem Glase einen trüben Fleck entstehen: Tröpflein bildeten sich, kollerten herab, bis der Fensterrahmen sie aufhielt.

»Ja, zwei Spione.« Maries Stimme war eintönig. »Die Gebrüder Mannesmann... Mit dem Brief aber war es so: Wir wohnten damals an der Rheinschanze und hatten eine große Wohnung. Dann kam eines Tages der Brief. Ich hatte Ferien ... Der Briefträger brachte die große Enveloppe, sie war rekommandiert, und die Mutter mußte unterschreiben. Es fielen zwei Tränen in das Büchlein des Briefträgers und die Schrift des Tintenbleistifts lief auseinander. Der Vater hinterließ nicht viel, und nach seinem Tode ging es uns schlecht. Die Mutter wunderte sich später oft, daß so wenig Geld zurückgeblieben war. Die Tante in Bern, die besaß ein Vermögen ...«

Studer blätterte in seinem Notizbuch. Die erste Frau! ... Hatte der Mönch, der Weiße Vater, nicht von ihr gesprochen? Da: »Sophie Hornuss, Gerechtigkeitsgasse 44, Bern.«

»Wie ist der Vater mit den zwei Spionen – mit den ... wie hast du sie genannt? ... ah ja! ... mit den Gebrüdern Mannesmann ausgekommen?«

»Gut. Ganz gut zuerst. Ich weiß das alles nur von der Mutter. Sie hatten Schürfungen gemacht, wie ich Ihnen erzählte. Besonders im Süden von Marokko. Das heißt, der Vater hatte das Vorkommen der Erze entdeckt. Die Brüder Mannesmann gaben sich als Schweizer aus; und dann, während dem Krieg, haben sie einigen Deutschen aus der Fremdenlegion zur Rückkehr in die Heimat verholfen. Das hat der Vater erfahren und dem General mitgeteilt. Und dann wurden die beiden ganz einfach an die Wand gestellt. Zum Dank für den Ver ... für die Benachrichtigung ist der Vater bald nachher von der französischen Regierung angestellt worden ...«

– So syg das gsy, nickte Studer. Er stand auf, beugte sich wieder über den Schreibtisch. Die ausgelegten Karten hatten es ihm angetan.

– Und was habe es für eine Bewandtnis mit den Karten?

Marie Cleman stützte die Hände auf das Fensterbrett und saß leicht auf dem vorspringenden Absatz, während ihre Fußspitzen den Rand des abgeschabten Teppichs berührten. Dünne Fesseln hatte das Mädchen!...

– Die Karten! Das sei eben das Elend gewesen! Darum sei sie von der Mutter fort! erklärte Marie. »Ach!« seufzte sie, »es ist nicht mehr zum Aushalten gewesen, der ganze Schwindel! Die Dienstmädchen, die zehn Franken zahlten, um zu wissen, ob der Schatz ihnen treu sei; die Kaufleute, die Rat wollten für eine Spekulation; die Politiker, denen die Mutter bestätigen mußte, daß sie wieder gewählt würden... Und zum Schluß kam noch der Bankdirektor. Aber dieser Herr kam wegen mir. Und wissen Sie, Onkel Studer, ich glaub', die Mutter schien nicht einmal etwas dagegen zu haben, daß ich mit dem Bankdirektor... Da bin ich eines Tages abgereist...«

Studer war aufgefahren. Er stand dem Meitschi gegenüber. Wie hatte ihn die Marie genannt? Onkel Studer? Das verschlug ihm den Atem... Aber, b'hüetis, was war dabei? Er hatte das Meitschi geduzt, nach alter Berner Manier. Hatte da die Marie nicht ebenfalls das Recht auf eine gewisse Familiarität? Onkel Studer! Es wärmte... Exakt wie Bätziwasser.

»Wenn du schon«, sagte Studer, und seine Stimme klang ein wenig heiser, »Onkel sagst, dann sag wenigstens: Vetter Jakob. Onkel! Das sagen die Schwaben...«

Marie war rot geworden. Sie blickte dem Wachtmeister ins Gesicht und sie hatte eine besondere Art, die Leute anzusehen: nicht eigentlich prüfend, mehr erstaunt – ruhig erstaunt, hätte man es nennen können. Studer fand, diese Art des Anschauens passe zu dem Mädchen. Aber er konnte sich vorstellen, daß sie anderen Leuten auf die Nerven fiel.

»Gut! Also!« sagte Marie. »Vetter Jakob!« Und gab dem Wachtmeister die Hand. Die Hand war klein, kräftig. Studer räusperte sich.

»Du bist abgereist... schön. Nach Paris hat mir dein Onkel erzählt. Mit wem?«

»Mit dem ehemaligen Sekretär meines Vaters. Koller hieß er. Er kam uns einmal besuchen und erzählte, er habe sich selbständig gemacht und brauche jemanden, zu dem er Vertrauen haben könne. Ob ich ihn begleiten wolle, als Stenotypistin? Ich hatte die Handelsschule besucht und sagte ja...«

Pelzjackett, seidene Strümpfe, Wildlederschuhe... Langte das Salär einer Sekretärin für so teure Anschaffungen? Studer vergrub die Hände in den Hosensäcken. Ihm war ein wenig traurig zumute; darum rundete er den Rücken und fragte:

»Warum bist du jetzt auf einmal zur Mutter gefahren?«

Wieder der merkwürdig prüfende Blick.

»Warum?« wiederholte Marie. »Weil der Koller plötzlich verschwunden ist. Von einem Tag auf den anderen. Vor drei Monaten, dreieinhalb. Genau: am fünfzehnten September. Viertausend Franzosenfranken hat er mir zurückgelassen, und mit dem Geld hab' ich gelangt – bis Ende Dezember. Da hab' ich grad noch genug gehabt, um nach Basel zu fahren.«

»Warum bist du nicht mit deinem Onkel gefahren?«

»Er hat allein fahren wollen.«

»Hast du das Verschwinden angezeigt?«

»Ja. Auf der Polizei. Sie hat die Papiere beschlagnahmt... Ein gewisser Madelin hat sich um die Sache gekümmert. Einmal hat er mich vorgeladen...«

Ein Satz!... Ein Satz!... War er nicht zu erwischen, der Satz, den Kommissär Madelin gesprochen hatte, an jenem Abend, da Studer ihm das Telegramm vom neuen Jakobli gezeigt hatte? Was hatte Madelin da zum lebendigen Konversationslexikon Godofrey gesprochen:

»...Es stimmt etwas nicht mit den Papieren des Koller...« Das war es. Handelte es sich um den gleichen Koller?

Studer fragte:

»Wo hat deine Mutter die Andenken an deinen Vater aufbewahrt?«

»Im Schreibtisch«, erwiderte Marie und wandte dem Raume wieder den Rücken zu. »In der zweituntersten Schublade.«

In der zweituntersten Schublade...

Sie war leer. Doch das allein wäre nicht allzu auffällig gewesen.

Auffällig aber war, daß der Einbrecher, der sie aufgebrochen hatte, sorgsam ein abgesplittertes Stück Holz wieder eingesetzt hatte. Studer schob die leere Schublade zu, dann folgte er dem Beispiel seines Vorgängers und paßte das Holzstückchen genau an seinen Platz. Er richtete sich auf, zog sein Nastuch aus der Tasche, beugte sich noch einmal zur Schublade herab und rieb dort alles sauber. Dazu murmelte er: »Man kann nie wissen...«

»Finden Sie etwas, Vetter Jakob?« fragte Marie, ohne sich umzuwenden.

»Die Mutter hat's wohl an einem andern Ort verräumt...«, brummte Studer. Und lauter fügte er hinzu: »Die erste Frau deines Vaters wohnt also in Bern und heißt...« Studer schlug sein Notizbuch auf, aber Marie kam ihm zuvor:

»Hornuss heißt sie, Sophie Hornuss, Gerechtigkeitsgasse 44. Sie war die ältere Schwester meiner Mutter und eigentlich meine Tante, wenn Sie so wollen...«

»G'späßige Familienverhältnisse«, stellte Studer trocken fest.

Marie lächelte. Dann verschwand das Lächeln und ihre Augen wurden dunkel und traurig. – Das habe sie manchmal auch gefunden, meinte sie, und Studer schalt sich einen Dubel, weil seine dumme Bemerkung dem Meitschi sicher Kummer gemacht hatte...

Im Flur kamen Schritte näher. Die aufgesprengte Tür kreischte in ihren Angeln und eine Stimme erkundigte sich, ob hier jemand Selbstmord begangen habe. – Es müsse wohl hier sein, sagte eine zweite Stimme, es stehe ja am Türpfosten! Cleman! Und fügte hinzu: »Äbe joo«, und da habe man die Bescherung.

Studer kehrte in die kleine Küche zurück und stieß dort mit einem Uniformierten zusammen. Der Stoß war weich, denn der Sanitätspolizist war dick, rosig und glatt wie ein Säugling. Er schien ständig ein Gähnen unterdrücken zu müssen, überschüttete den Wachtmeister mit einem Schwall von Fragen, die tapfer mit »Jä« und »Joo« gewürzt waren. Außerdem gurgelte der Mann mit den »R« wie mit

Mundwasser, anstatt sie ordentlich, wie sonstige Schweizer Christenmenschen, mit der Zunge gegen den Vordergaumen zu rollen. Der Herr Gerichtsarzt war alt und sein Schnauz vom vielen Zigarettenrauchen gelb.

Studer stellte sich vor, stellte Marie vor.

Die Tote in ihrem Lehnstuhl schien zu lächeln. Der Wachtmeister blickte ihr noch einmal ins Gesicht. Neben dem linken Nasenflügel saß eine Warze...

Die Leiche wurde fortgebracht, und zwar durch das Türlein in der Mauer. Es dauerte lange, bis man den Schlüssel zu diesem Mauertor aufgetrieben hatte – in der Wohnung der Toten war kein einziger Schlüssel zu entdecken. Ein Mieter, vom Lärm herbeigelockt, half aus.

Studer war müde. Er hatte keine Lust, seinem Kollegen von der Sanitätspolizei die Merkwürdigkeiten des Falles aufzuzählen: den schiefen Hebel am Gaszähler, die Ausgehstiefel der alten Frau im Schlafrock... Der Wachtmeister stand und starrte auf das Messingschild: »Josepha Cleman-Hornuss. Witwe.«

Dann lud er Marie zu einem Kaffee ein. Das schien ihm das Vernünftigste...

Die erste Frau

Bald nach Olten begann es zu schneien. Studer saß im Speisewagen und sah durch die Scheiben. Die Hügel, die vorbeiglitten, waren weich hinter dem weißen Vorhang, der so regelmäßig-ununterbrochen fiel, daß er bewegungslos schien …

Vor dem Wachtmeister stand blaues Kaffeegeschirr und daneben in Reichweite eine Karaffe mit Kirsch. Studer wandte die Blicke vom Fenster ab und dem neuen Ringbuch zu, das aufgeschlagen vor ihm lag. Er hielt den Bleistift zwischen Zeige- und Mittelfinger und schrieb in seiner winzigen Schrift, deren Buchstaben selbständig nebeneinander standen, wie beim Griechischen:

»Cleman-Hornuss Josepha, Witwe, 55 Jahre alt. Gasvergiftung. Selbstmord? Dagegen sprechen: schiefe Stellung des Haupthahns am Gasmesser. Fehlen der Schlüssel zur Wohnungstür und zum Gartentor, aufgesprengte Schublade am Schreibtisch … Und der Telephonanruf.«

Der Telephonanruf! Studer auf seinem Platz im Speisewagen des Schnellzuges Basel–Bern hörte die Stimme wieder – und wie damals im Wohnraum der Witwe Cleman-Hornuss kam sie ihm bekannt vor. Sie erinnerte ihn an eine andere Stimme, die er vor wenigen Tagen gehört hatte, in einer kleinen Beize bei den Pariser Markthallen – das heißt der *Ton* der Stimme war der gleiche, die Stimmlage ähnlich …

Und betrunken hatte die Stimme getönt. Atemlos, wie bei einem Mann, der hintereinander ein paar Gläser Kognak hinuntergeschüttet hat. Erste Frage: Was hatte dieser Betrunkene mit seinem Anruf bezweckt? Und die zweite: Wo hatte sich Pater Matthias vom Orden der Weißen Väter in dieser Zeit aufgehalten? In welcher Kirche hatte er seine Morgenmesse gelesen? In jener Zementkirche, die von den Baslern das »Seelensilo« getauft worden war?

Studer starrte gedankenverloren zum Fenster hinaus, streckte die Hand aus, erwischte statt des Kaffeekännlis die Karaffe mit dem Kirsch, goß seine Tasse voll, führte sie zum Mund und merkte den Irrtum erst, als er die Tasse schon geleert hatte. Er sah auf, begegnete dem Grinsen des Kellners, grinste freundlich zurück, zuckte mit den Achseln, hob die Karaffe noch einmal, z'Trotz, leerte den Rest des Schnapses in seine Tasse und begann eifrig zu schreiben.

»Cleman Alois Victor. Geologe im Dienste der Gebrüder Mannesmann. Schürfungen nach Blei, Silber, Kupfer. Seine Brotherren werden 1915 in Casablanca standrechtlich erschossen, weil sie einigen Deutschen zur Desertation aus der Fremdenlegion verholfen haben. *Cleman als Denunziant*! Cleman kehrt 1916 nach der Schweiz zurück, reist aber im gleichen Jahre im Auftrag der französischen Regierung wieder nach Marokko. Inspiziert die von den Gebrüdern Mannesmann im Süden des Landes erstellten Bleiöfen. Wird im Juli 1917 schwer erkrankt mit einem Flugzeug nach Fez gebracht. Stirbt nach Aussagen der Tochter, die sich auf ein unauffindbares Telegramm stützen, am 20. Juli alldort. Hinterläßt geringe Erbschaft. War zweimal verheiratet. Erste Frau lebt in Bern, siehe Angaben des Paters. Scheint Vermögen zu besitzen. Ist Schwester der in Basel verstorbenen Josepha Cleman.«

... Herzogenbuchsee ... Es hatte aufgehört zu schneien. Die trockene Hitze im Wagen machte schläfrig und Studer träumte vor sich hin ...

Fremdenlegion! Marokko! Die Sehnsucht nach den fernen Ländern und ihrer Buntheit, die, schüchtern nur, sich gemeldet hatte, damals, bei Pater Matthias' Erzählung, sie wuchs in Studers Brust. Ja, in der Brust! Es war ein sonderbar ziehendes Gefühl, die unbekannten Welten lockten und Bilder stiegen auf – ganz wach träumte man sie. Unendlich breit war die Wüste, Kamele trabten durch ihren goldgelben Sand, Menschen, braunhäutige, in wallenden Gewändern, schritten majestätisch durch blendendweiße Städte. Von einer Räuberbande wurde Marie geraubt – wie gelangte Marie plötzlich in den Traum? – sie wurde geraubt und man durfte sie befreien. »Danke, Vetter Jakob!« sagte sie. Das war Glück! Das war etwas anderes als das ewige Rapportschreiben im Amtshaus z'Bärn, im kleinen Bureau, das nach Staub und Bodenöl roch ... Dort unten gab es andere Gerüche – fremde, unbekannte. Und in des Wachtmeisters Kopf stiegen Erinnerungen auf: an das »Hohe Lied Salomonis«, an die Märchen aus Tausendundeiner Nacht ...

Vielleicht, vielleicht war dies wirklich der große Fall ...

Vielleicht, vielleicht wurde man offiziös nach Marokko entsandt ...

Auf alle Fälle empfahl es sich, gleich morgen zu frühester Stunde in die Gerechtigkeitsgasse Nr. 44 zu gehen, um die geschiedene Frau des Geologen auszufragen ...

... Burgdorf ... Studer leerte den Rest des kalten Kaffees

in seine Tasse, trank das Gemisch, fand seinen Geschmack abscheulich und rief: »Zahlen!« Der Kellner grinste wieder vertraulich. Aber Studer war es nicht mehr ums Lachen zu tun. Er konnte Marie nicht vergessen, die mit dem Sekretär Koller nach Paris gereist war, – Pelzjackett, seidene Strümpfe, Wildlederschuhe! – Es war nicht zu leugnen, daß er Marie liebgewonnen hatte ... Es war ihm, als habe er eine Tochter wiedergefunden. Denn seine Tochter hatte vor einem Jahr einen Landjäger aus dem Thurgau geheiratet – nun war sie Mutter, und dem Wachtmeister war es, als habe er sie endgültig verloren. All diese unklaren Empfindungen waren wohl schuld, daß er dem vertraulichen Kellner nur zwanzig Rappen Trinkgeld gab.

Seine Laune besserte sich auch nicht, als er in Bern ausstieg. Die Wohnung auf dem Kirchenfeld war leer – Studer hatte keine Lust, den Ofen zu heizen. Er ging ins Café, um dort Billard zu spielen, besuchte hernach ein Kino und ärgerte sich über den Film ... Später trank er irgendwo ein paar große Helle, aber auch die bekamen ihm nicht. So legte er sich denn gegen elf Uhr mit einem zünftigen Kopfweh zu Bett. Er konnte lange nicht einschlafen.

Die alte Frau mit der Warze neben dem linken Nasenflügel, die so ruhig und gelöst in ihrem grünen Lehnstuhl saß, neben dem zweiflammigen Gasréchaud, kam in der Dunkelheit zu Besuch ... Marie tauchte auf, verschwand. Dann war der Silvesterabend da, Kommissär Madelin und das Lexikon Godofrey ... Besonders dieser Godofrey, der mit seiner Hornbrille einer noch nicht flüggen Eule glich, ließ sich nicht vertreiben ... »Pour madame!« sagte Godofrey und reichte eine Gansleberterrine durchs Waggonfenster... Aber da wurde die Terrine riesig groß, grün und fest und grimassierend hockte sie oben auf einem Wandbrett und war ein Gaszähler – ein Kopf war dieser verdammte Gaszähler, ein Traumungetüm, das mit seinem einzigen Arm signalisierte... Senkrecht, waagrecht, schief stand der Arm... Marie ging mit dem Pater Matthias Arm in Arm – aber es war nicht Pater Matthias, sondern der Sekretär Koller, der aussah wie des Wachtmeisters Doppelgänger...

Im Halbschlaf hörte sich Studer laut sagen:

»Das isch einewäg Chabis!«

Seine Stimme dröhnte durch die leere Wohnung, verzweifelt tastete Studer das Bett neben dem seinen ab. Aber das Hedy war noch immer im Thurgau, um das neue Jakobli zu pflegen... Ächzend zog er den Arm zurück, denn ihn fror. Und dann schlief er plötzlich ein...

– Ob es in Paris schön gewesen sei, fragte am nächsten Morgen um neun Uhr Fahnderkorporal Murmann, der mit Studer das Bureau teilte. Der Wachtmeister war noch immer schlechter Laune; er grunzte etwas Unverständliches und bearbeitete weiter die Tasten seiner Schreibmaschine. Im Raume roch es nach kaltem Rauch, Staub und Bodenöl. Vor den Fenstern pfiff die Bise, und der Dampf knackte in den Heizkörpern.

Murmann setzte sich seinem Freunde Studer gegenüber, zog den »Bund« aus der Tasche und begann zu lesen. Seine mächtigen Armmuskeln hatten die Ärmel seiner Kutte aus der Façon gebracht.

»Köbu!« rief er nach einer Weile. »Los einisch!«

»Jaaa«, sagte Studer ungeduldig. Er mußte einen Rapport

über einen vor undenklichen Zeiten passierten Mansardendiebstahl schreiben, den der Untersuchungsrichter 1 mit viel Geschrei am Telephon verlangt hatte.

»In Basel«, fuhr Murmann gemütlich fort, »hat sich eine mit Gas vergiftet...«

– Das wisse er schon lange, sagte Studer gereizt.

Murmann ließ sich nicht aus der Ruhe bringen.

– Selbstmord mit Gas sei ansteckend, meinte er. Heut' morgen habe man ihn um sechs Uhr in die Gerechtigkeitsgasse geholt, sie hätten gegenwärtig keine Leute auf der Stadtpolizei, alles sei noch in den Ferien... Ja... Und in der Gerechtigkeitsgasse habe sich auch eine Frau mit Gas vergiftet.

»In der Gerechtigkeitsgasse? Welche Nummer?« fragte Studer.

»Vierevierzig«, murmelte Murmann, kaute an seinem Stumpen, kratzte sich den Nacken, schüttelte den »Bund« zurecht und las den Leitartikel weiter.

Plötzlich schrak er auf, ein Stuhl war umgefallen. Studer beugte sich über den Tisch, sein Atem ging schwer. – Wie die Frau heiße?... Sein sonst bleiches Gesicht war gerötet.

»Köbu«, meinte Murmann gemütlich, »hescht Stimme?«

Nein, Studer hatte keine Gehörshalluzinationen, er verwahrte sich mit heftigem Kopfschütteln gegen derartige Zumutungen, aber er wollte den Namen der Toten wissen.

»E G'schydni, e Charteschlägere...« sagte Murmann. »Hornuss, Hornuss Sophie«, und betonte den Vornamen auf der ersten Silbe. Die Leiche sei schon im Gerichtsmedizinischen...

»So«, sagte Studer nur, klapperte noch einen Satz, riß den Bogen von der Walze, malte seine Unterschrift, ging zum Kleiderhaken, zog den Raglan an und schmetterte die Türe hinter sich ins Schloß ...

»Ja, ja, der Köbu!« nickte Murmann und zündete den Stumpen wieder an; dann las er schmunzelnd den Leitartikel zu Ende, der vom Anwachsen der roten Gefahr handelte. Denn Murmann war freisinnig und glaubte an diese Gefahr ...

Gerechtigkeitsgasse 44. Neben der Haustür das Schild einer Tanzschule. Hölzerne Stiegen. Sehr sauber, nicht wie in jenem anderen Haus – am Spalenberg. Im dritten Stock, auf einer gelb gestrichenen Tür, die offenstand, eine Visitenkarte:

Sophie Hornuss

Diese Frau war also nicht von Beruf Witwe gewesen! Studer trat ein.

Auf dem Boden lag das Schloß, das beim Aufsprengen der Tür herabgefallen war.

Stille ...

Das Vorzimmer geräumig und dunkel. Links ging eine Glastüre in die Küche. Studer schnupperte: auch hier wieder der Gasgeruch. Das Küchenfenster stand offen, die Lampe, die von der Decke hing, trug über dem Porzellanschirm ein Stück quadratischen Seidenstoffes von violetter Farbe, an dessen Ecken braune Holzkugeln hingen. Sie pendelte hin und her.

Nahe dem Fenster ein solider Gasherd mit vier Brennern,

Backröhre, Grill. Und neben dem Gasherd ein bequemer lederner Klubsessel, der sich merkwürdig genug in der Küche ausnahm. Wer hatte ihn aus dem Wohnzimmer in die Küche geschleppt? Die alte Frau?

Auf dem mit Wachstuch überzogenen Küchentisch lagen Spielkarten, vier Reihen zu acht Karten. Die erste Karte der obersten Reihe war der Schaufelbauer, der Pique-Bube.

Studer hatte die Hände auf den Rücken gelegt und ging in der Küche auf und ab, öffnete den Schaft, schloß ihn wieder, nahm eine Pfanne von der Wand, lupfte einen Deckel...

Im Schüttstein stand eine Tasse mit schwarzem Satz auf dem Grunde... Studer roch daran: ein schwacher Anisgeruch. Er kostete.

Der bittere Nachgeschmack, der lange an der Zunge haftete... Der Geruch! – Es war ein Zufall, daß Studer beides kannte. Vor zwei Jahren hatte ihm der Arzt gegen Schlaflosigkeit Somnifen verschrieben.

Somnifen!... Der gallenbittere Geschmack, der Anisgeruch... Hatte die alte Frau auch an Schlaflosigkeit gelitten?

Aber warum, zum Tüüfu, hatte sie ein Schlafmittel genommen, hernach einen Klubfauteuil in die Küche geschleppt und schließlich die Hähne des Gasherdes aufgedreht? Warum?

Eine tote Frau in Basel, eine tote Frau in Bern... Als Verbindungsglied zwischen den beiden der Mann: Cleman Alois Victor, Geologe und Schweizer, gestorben im Militärhospital zu Fez während des Weltkrieges. Warum begingen die beiden Frauen des Mannes Cleman fünfzehn Jahre später Selbstmord? Die eine heute, die andere gestern? Begingen Selbstmord auf eine, gelinde gesagt, merkwürdige Manier?

War dies vielleicht der »Große Fall«, von dem jeder Kriminalist träumt, auch wenn er nur ein einfacher Fahnder ist?

»Einfach!« ... Das Wort paßte eigentlich nicht auf den Wachtmeister. Wäre Studer »einfach« gewesen, so hätten seine Kollegen, vom Polizeihauptmann bis zum simplen Gefreiten, nicht behauptet, er »spinne mängisch«.

An dieser Behauptung war zum Teil die große Bankgeschichte schuld, die ihm das Genick gebrochen hatte, damals, als er wohlbestallter Kommissär bei der Stadtpolizei gewesen war. Er hatte den Abschied nehmen und bei der Kantonspolizei als einfacher Fahnder wieder anfangen müssen. In kurzer Zeit war er zum Wachtmeister aufgestiegen; denn er sprach fließend drei Sprachen: Französisch, Italienisch, Deutsch. Er las Englisch. Er hatte bei Groß in Graz und bei Locard in Lyon gearbeitet. Er besaß gute Bekannte in Berlin, London, Wien – vor allem in Paris. An kriminologische Kongresse wurde gewöhnlich *er* delegiert. Wenn seine Kollegen behaupteten, er spinne, so meinten sie vielleicht damit, daß er für einen Berner allzuviel Phantasie besaß. Aber auch dies stimmte nicht ganz. Er sah vielleicht nur etwas weiter als seine Nase, die lang, spitz und dünn aus seinem hageren Gesicht stach und so gar nicht zu seinem massiven Körper passen wollte.

Studer erinnerte sich, daß er einen Assistenten am Gerichtsmedizinischen von einem früheren Fall her kannte. Er ging durch die Wohnung und suchte das Telephon. Im Wohnzimmer – rote Plüschfauteuils mit Deckchen, verschnörkelter Tisch, Säulchenschreibtisch – war das Telephon an der Wand angebracht.

Studer hob den Hörer ab, stellte die Nummer ein.

»Ich möchte Dr. Malapelle sprechen ... Ja? ... Sind Sie's, Dottore? Haben Sie die Sektion schon gemacht? ... Jawohl, von der Gasleiche, wie Sie sagen ... Senti, Dottore! ...« Und Studer sprach weiter Italienisch, erzählte von seinem Verdacht auf Somnifen ... Der Arzt versprach das Protokoll auf den Nachmittag.

Dann blätterte der Wachtmeister weiter im Telephonbuch. Nein, hier war keine Fiebertabelle versteckt. Das Zimmer sah nicht aus, als sei es durchsucht worden. Studer probierte die Schubladen am Schreibtisch, sie waren verschlossen.

Das Schlafzimmer ... Ein riesiges Bett darin und vor dem einzigen Fenster rote Plüschvorhänge. Sie verdunkelten den Raum. Studer zog die Vorhänge auf.

Über dem Bett hing das Bild eines Mannes.

In Bern eine einsame Frau, in Basel eine einsame Frau. – Die Frau in Bern hatte es ein wenig schöner gehabt, Zweizimmerwohnung mit Küche, während die Josepha in Basel den Durchgangskorridor zum Wohn- und Schlafzimmer als Küche benutzt hatte. Aber einsam waren sie beide gewesen. Studer ertappte sich darauf, die alten Frauen bei ihrem Vornamen zu nennen. Die Josepha in Basel und die Sophie in Bern, beide schlurften in Finken in ihren Wohnungen herum, wahrscheinlich gingen sie auch in Finken über die Straße »go poschte« ...

Merkwürdig, daß in der Wohnung der Josepha in Basel kein Bild des verstorbenen Geologen hing. Josepha war doch die rechtmäßige Gattin gewesen, während die Sophie nur eine »G'schydni« war...

Aber über dem Bett der Geschiedenen hing, mit dicken Holzleisten eingerahmt, die vergrößerte Photographie des Cleman Alois Victor. Denn nur um diesen konnte es sich handeln.

Er trug auf dem Bilde einen dunklen, gekräuselten Bart, der den hohen Westenausschnitt so vollständig verdeckte, daß die Form der Krawatte nicht festzustellen war. Ein Bart! Zeichen der Männlichkeit vor dem Krieg!

Der Bart mußte dem Geologen und Schweizer heiß gegeben haben, dort unten in Marokko, beim Silber-, Blei- und Kupferschürfen!... Dazu trug der Mann eine Brille, deren ovale Gläser die Augen verbargen. Verbargen? Es war nicht das richtige Wort! ... Sie ließen nur den Blick sonderbar matt und unbeteiligt erscheinen – unpersönlich. Und dadurch wurde auch das ganze Gesicht ausdruckslos.

Ein schöner Mann! Wenigstens das, was man in jenen vorsintflutlichen Zeiten unter einem schönen Mann verstanden hatte...

Studer starrte auf das Bild; er schien zu hoffen, daß ihm der Ehemann von zwei Frauen etwas erzählen werde. Aber der weitgereiste Geologe blickte so gleichgültig drein, wie nur ein Wissenschaftler gleichgültig dreinblicken kann. Und der Wachtmeister kehrte ihm endlich verärgert den Rücken zu.

Als er wieder die Küche betrat, war der lederne Klubsessel nicht mehr leer.

Ein Mann saß darin, der ein merkwürdiges Spiel spielte: er hatte seine Mütze, die aussah wie ein vom Töpfer verpfuschter Blumentopf, über den Zeigefinger seiner Rechten gestülpt. Mit seiner Linken gab er dem vertätschten Gebilde kleine Stöße und brachte es zu einem langsamen Kreisen.

Der Mann, der eine weiße Kutte trug, blickte auf:

»Bonjour, inspecteur!« sagte er. Und dann fügte er in einem fremdländisch klingenden Schweizerdeutsch hinzu: »Es guets Neus!«

»Glychfalls!« antwortete Studer, blieb unter der Tür stehen und lehnte sich an den Pfosten.

Pater Matthias

»Der Gründer unseres Ordens, Kardinal Lavigerie«, sagte Pater Matthias und fuhr fort, seinem verpfuschten Blumentopf, den sie drüben in Afrika Scheschia nannten, kleine Stöße zu geben, »unser großer Kardinal soll einmal geäußert haben: ›Ein wahrer Christ kommt nie zu spät.‹ Ganz sicher ist dieser Ausspruch nur in übertragener Bedeutung richtig, denn auf unser Erdenleben angewandt, kann er nicht stimmen. Dieses ist abhängig von menschlichen Einrichtungen, als da sind: Eisenbahnzüge, Dampfboote, Automobile... Meine Nichte Marie, die ich gestern abend noch traf, erzählte mir, was in Basel vorgefallen ist. Ich habe darum schleunigst ein Taxi gemietet und bin nach Bern gefahren, denn es fuhr kein Zug mehr. Unterwegs hatten wir eine Panne – auch das kommt vor. Und so bin ich erst jetzt hier angekommen, die Tür war aufgebrochen, das Schloß lag am Boden – es roch noch ganz leicht nach Gas... Und dann hörte ich Schritte in der Wohnung. ›Ist vielleicht‹, dachte ich bei mir selbst, ›jener sympathische Inspektor anwesend, dessen Bekanntschaft zu machen ich in Paris die Ehre und das Vergnügen hatte? Das wäre eine wahrhaft göttliche Fügung!‹ Es stimmte...«

Zuerst hatte Studer überhaupt nicht zugehört, sondern mehr dem Klange der Rede gelauscht und ihn mit dem Tonfall jener anderen Stimme verglichen, die ihn am Telephon ausgelacht hatte. Der Pater sprach ein ausgezeichnetes Hochdeutsch, nur hin und wieder, bei Worten wie »gedacht« und »leicht« klang das »ch« gaumig-schweizerisch... Die Stimme war eine richtige Kanzelstimme, tief, orgelnd, und sie paßte eigentlich nicht recht zu dem dürftigen Körper. Aber Stimmen kann man verstellen, nicht wahr? In der kleinen Pariser Beize hatte die Stimme etwas anders geklungen, ein wenig höher vielleicht. War die französische Sprache, die der Pater damals gebraucht hatte, an dieser Verschiedenheit schuld?

Studer bückte sich plötzlich und hob das Schloß vom Boden auf. Er betrachtete es aufmerksam, sah dann in die Höhe und seine Blicke suchten nach dem Gaszähler. Er war nicht in der Küche. Gerade über der Flurtür hockte er und sah genau so grün und feist und grimassierend aus wie sein Bruder in Basel...

Und der Hebel, der als Haupthahn funktionierte, stand schief. Er stand schief und bildete einen Winkel von fünfundvierzig Grad...

Studer betrachtete wieder das Schloß in seiner Hand. Da hörte er die Kanzelstimme sagen:

»Falls Sie eine Lupe brauchen sollten, Inspektor, so kann ich mit einer solchen dienen. Ich beschäftige mich nämlich mit Botanik und Geologie und trage darum immer ein Vergrößerungsglas in der Tasche...«

Der Wachtmeister blickte nicht auf, er hörte die Federn des Klubsessels ächzen, dann wurde ihm etwas in die Hand geschoben – er hielt das Glas vors Auge...

Kein Zweifel, rund um das Schlüsselloch waren graue Fäserchen zu sehen, besonders am vorstehenden, oberen

Rand, so, als habe sich ein Schnürlein an der scharfen Kante gewetzt.

... Und der Haupthahn bildete einen Winkel von fünfundvierzig Grad! ...

Verrückt! ... Angenommen, die alte Frau hatte ein Schlafmittel genommen und war darauf in ihrem ledernen Klubsessel eingenickt – wäre es da für den mutmaßlichen Mörder nicht einfacher gewesen, im Vorbeigehen den Haupthahn zu öffnen und sich dann still zu entfernen? ... Wenn nämlich ein Mord vorlag ...

Warum unnötig komplizieren? Eine Schnur am Haupthahn anbringen, sie oben über die Gasröhre führen, das Ende der Schnur durchs Schlüsselloch stecken und dann von außen ziehen, ziehen, bis die Schlinge vom eisernen Hebelschlüssel abrutschte und man die Schnur hinausziehen konnte? ...

»Alte Frauen haben einen leisen Schlaf ...«, sagte Pater Matthias. Lächelte er? Es war schwer festzustellen, trotz der spärlichen Schnurrbarthaare, die über seinen Mund fielen wie ein feingehäkelter Spitzenvorhang. Aber er hielt den Kopf gesenkt und ließ seine rote Mütze kreisen. Ein Sonnenstrahl fiel durchs Küchenfenster und um die Tonsur am Hinterkopf glitzerten die kurzen Haare wie Eis ...

»Danke«, sagte Studer und gab die Lupe zurück. Der Pater ließ sie in seiner grundlosen Kuttentasche verschwinden, zog die Tabaksdose hervor, schnupfte ausgiebig und sagte dann:

»Damals, in Paris, als mir die Ehre zuteil wurde, Ihre Bekanntschaft zu machen, mußte ich so plötzlich aufbrechen, daß es mir versagt geblieben ist, Ihnen andere wichtige Details zu erzählen ...« Stocken ... »... über meinen Bruder, meinen zu Fez verstorbenen Bruder.«

»Wichtiges?« fragte Studer und hielt den angebrannten Strohhalm unter die Brissago.

»Wie man's nimmt.« Der Pater schwieg, spielte mit seiner Scheschia, schien plötzlich einen Entschluß gefaßt zu haben, denn er stand auf, die vertätschte Kappe ließ er auf dem Stuhl liegen und sagte:

»Ich werde Ihnen einen Kaffee brauen ...«

»Mira ...«, murmelte Studer. Er saß auf einem weißgescheuerten Küchenhockerli neben der Tür und hatte die Augen bis auf einen schmalen Spalt geschlossen. Nur die Verwunderung verbergen, dachte er, und besonders die Neugierde! Der Mann dort hatte es darauf abgesehen, ihn zu verwirren. Denn: Tatsache war, daß in dieser Küche vor nicht langer Zeit eine alte Frau ums Leben gekommen war. Aber der Pater schien nicht einen Augenblick an diese Tatsache zu denken, er nahm eine Pfanne, füllte sie am Wasserhahn, stellte sie auf einen Brenner. Dann scheuchte er den Wachtmeister von seinem Hockerli auf, bestieg den Schemel, um den Haupthahn ganz aufzudrehen, nun stand er senkrecht, kletterte herab und sagte zerstreut: »Wo mag wohl der Kaffee sein?«

Und Studer sah das Holzgestell über dem Gasréchaud in der Küche am Spalenberg und die Blechdosen mit der abgestoßenen Emailglasur: »Kaffee«, »Salz«, »Mehl«. Hier gab es nichts dergleichen. Im Küchenschaft ein roter Papiersack mit Kaffeepulver.

Ein leiser Knall – der Pater hatte die Flamme unter der Pfanne angezündet. Nun ging er mit weitausholenden

Schritten in der Küche auf und ab, die Falten an seiner Kutte zersplitterten, formten sich wieder, und bisweilen, sekundenlang nur, traf den weißen Stoff ein Sonnenstrahl: dann leuchtete die Stelle wie ein frischgeprägter Silberling...

»Er hat es prophezeit, mein Hellseherkorporal«, sagte Pater Matthias. »Er hat es gewußt... Zuerst die in Basel, dann die in Bern. Und wir beide haben die beiden alten Frauen nicht mehr retten können. Ich nicht, weil ich jedesmal zu spät gekommen bin. Sie nicht, Inspektor, weil Sie ungläubig waren.«

Schweigen. Die Gasflamme schlug zurück, es pfiff sonderbar dumpf und höhnisch; Pater Matthias behob die Störung.

»Ich hatte den beiden Frauen geschrieben, sie möchten sich in acht nehmen, es drohe ihnen Gefahr. Ich habe Josepha in Basel besucht, gleich nach meiner Ankunft, das war vorgestern – vorgestern morgen. Am Abend wollte ich noch einmal zu ihr, aber es war spät geworden. Um elf Uhr läutete ich an ihrer Wohnung. Alles war dunkel, niemand öffnete mir.«

»Roch es nicht nach Gas?« fragte Studer und auch er sprach Schriftdeutsch.

»Nein.« Pater Matthias beschäftigte sich mit der Pfanne auf dem Herd. Er hatte dem Wachtmeister den Rücken zugekehrt. Das Wasser kochte. Pater Matthias schüttete das Kaffeepulver darein, ließ die Mischung aufkochen, drehte das Gas ab und schüttete mit einer Kelle ein wenig kaltes Wasser in die Brühe. Dann nahm er Tassen aus dem Schaft, murmelte: »Wo hat die alte Frau ihren Schnaps verwahrt? Wo? – Im untern Küchenschrank! – Wollen Sie wetten, Inspektor, daß er im untern Küchenschrank steht? ... Sehen Sie!«

Er füllte die Tassen, tat geschäftig mit: »Bleiben Sie nur sitzen! Lassen Sie sich nicht stören!« Und brachte den Kaffee, den er tapfer mit Kirsch verdünnt hatte, dem Wachtmeister. Es war gespenstisch, fand Studer, das Kaffeetrinken um zehn Uhr morgens in der leeren Wohnung. Es kam ihm vor, als hocke die alte Frau, deren Gesichtszüge ihm unbekannt waren, in dem ledernen Klubsessel und sage: »Servieret-ech ungscheniert, Wachtmeischter, aber denn suechet myn Mörder!«

Und es war wie ein Weiterspinnen dieser Vision, als Studer fragte:

»Wie sah sie eigentlich aus, die Sophie Hornuss?«

Pater Matthias, der wieder seine Wanderung durch die Küche aufgenommen hatte, blieb stehen. Seine Hand fuhr in die unergründliche Tasche seiner Kutte und brachte ein kleines Ding aus rotem Leder zum Vorschein, das wie ein Taschenspiegel aussah. Aber statt des Spiegels sah man beim Aufklappen zwei Photographien.

Studer betrachtete die Bilder. Das eine stellte die Josepha dar: denn nicht zu verkennen war die Warze neben dem linken Nasenflügel. Nur war das Bild aufgenommen worden, als die Frau noch jung war. Viel Güte lag um den Mund, um die Augen ...

Das andere Bild – Studer wußte gar nicht, daß er sich räusperte, daß er auf die Photographie starrte und starrte ...

Die Augen vor allem: verschlagene, stechende Augen. Ein schmaler Mund – nur ein Strich waren die Lippen in dem jugendlichen Gesicht. Jugendlich? Warum nicht gar!

Gewiß, die Photographie stellte eine Frau dar, Mitte der Zwanzigerjahre, aber es war eines jener Gesichter, die nie altern – oder nie jung sind. Beides war richtig. Und noch etwas ließ sich aus dem Bild begreifen: daß der Schweizer Geologe Cleman Alois Victor die Scheidung verlangt hatte. Mit solch einer Frau war nicht gut zusammenspannen!... – Eine hochgeschlossene Bluse, ein Stehkragen mit Stäbli, der das spitze Kinn trug... Und Studer konnte es nicht verhindern, daß ihm ein Frösteln über den Rücken lief...

Die Augen! Sie waren geladen mit Hohn, mit höhnischem Wissen. Sie schrieen es dem Beschauer entgegen: »Ich weiß, ich weiß viel! Aber ich sage nichts!«

Was wußte die Frau?

»Wann hat sich Ihr Bruder scheiden lassen?« fragte Studer und seine Stimme war ein wenig heiser.

»1908. Und im nächsten Jahr heiratete er wieder. 1910 wurde Marie geboren...«

»Und 1917 ist Ihr Bruder gestorben?«

»Ja.«

Pause.

Pater Matthias blieb stehen, blickte zu Boden – und dann begann er seine Wanderung aufs neue.

»Es ist da eine Merkwürdigkeit, die ich vergessen habe, Ihnen mitzuteilen. Mein Hellseherkorporal Collani hat sich 1920 in Oran anwerben lassen – schon das ist sonderbar, daß er auf afrikanischem Boden engagiert hat – und während des großen Krieges soll er sich, Angaben zufolge, die bei seinen Personalakten lagen, als Krankenpfleger in Marokko betätigt haben – in Fez. In Fez ist mein Bruder gestorben, das wissen Sie wohl, Inspektor. Ich war damals auch im Land, ich zog in der Gegend von Rabat herum und wußte nichts davon, daß Victor im Sterben lag...«

Er gibt also zu, im Lande gewesen zu sein, dachte Studer. Auch er trägt einen Bart. Gekräuselt kann man ihn zwar nicht nennen, es ist ein Schneiderbart. Aber eine Ähnlichkeit mit der Photographie über dem Bette der Sophie ist unverkennbar – wie komm' ich nur auf so verrückte Gedanken? Der Geologe und der Pater ein und dieselbe Person? – Er starrte wieder auf die beiden Frauenbilder, die auf seinem Knie lagen.

»Nicht einmal zum Leichenbegängnis meines Bruders habe ich kommen können... Als ich nach einem Monat Fez erreichte, war Victor schon unter der Erde. Nicht einmal sein Grab habe ich besuchen können. Man hatte ihn ins Massengrab geworfen, sagte man mir, eine Blatternepidemie wütete damals gerade...«

Studer zog sein Ringbuch, um dem Absatz über »Cleman Alois Victor« einen Nachtrag zu geben – da flatterte ein zusammengefaltetes Blatt Papier zu Boden. Der Pater war flinker, er hob es auf und gab es dem Wachtmeister zurück – einen kurzen Augenblick behielt er es in der Hand und betrachtete es aufmerksam... »Danke«, sagte Studer und beobachtete zwischen den Wimpern den Weißen Vater. Er trug, gerade jetzt, seinen Namen nicht mit vollem Recht. Denn seine Gesichtshaut, von der Sonne gebräunt, war grau gefleckt. Und der Wachtmeister hätte jede Wette eingegangen, daß der Mann mit dem Schneiderbärtchen bleich geworden war...

Warum? Studer steckte das gefaltete Blatt scheinbar achtlos in seine Busentasche. Wie dick sich das Papier anfühlte! Das war ihm in Basel nicht aufgefallen, als er vor der Nase des rosigen Sanitätspolizisten die Fieberkurve kaltblütig eingesackt hatte...

Pater Matthias hatte also die Fieberkurve wiedererkannt? Wo hatte er sie gesehen? Bei seinem »Hellseherkorporal«?

Und zum ersten Male stieg in Wachtmeister Studer die Vermutung auf, daß die Geschichte vom Hellseherkorporal, die er als Märchen abgetan hatte, eine Bedeutung haben könne – keine okkulte, keine metaphysische, keine hellseherische, nein! Die Geschichte vom Hellseherkorporal mußte man werten wie einen scheinbar dummen Schachzug, den ein kluger Gegner gemacht hat. Man tut den Zug mit einem Achselzucken ab – aber siehe da: nach sechs, sieben Zügen merkt man, daß man in eine Falle geraten ist...

Es empfahl sich, alles, was mit dieser Hellsehergeschichte zusammenhing, genau und sorgfältig zu prüfen. Das würde schwierig sein, von hier, von Bern aus. Aber wozu hatte man gute Bekannte in Paris? Madelin, den Divisionskommissär, der von einem Dutzend Inspektoren »Patron« genannt wurde? Wozu hatte man Godofreys, des wandelnden Lexikons, Bekanntschaft gemacht? Zwar auf ein Erblassen allein ließ sich keine Theorie aufbauen. Überhaupt Theorien! Zuerst und vor allem hatte man sich in die g'spässigen Verhältnisse der Familie Cleman einzuleben. Ja! *Einzuleben*! Dann konnte man weiter sehen.

Und Studer schrieb unter den Absatz, der von Cleman, Victor Alois, handelte, das Wort: »Massengrab« und unterstrich es doppelt.

Der Pater stand am Fenster und blickte in den Hof.

»Eine Blatternepidemie«, sagte er. »Ich verlangte, die Krankengeschichte meines Bruders zu sehen. Alle Krankengeschichten des Jahres 1917 waren vorhanden, selbst die eines namenlosen Negerleins, auf dessen Blatte stand: ›Mulatte, fünfjährig, eingeliefert – Exitus –.‹ Die Krankengeschichte meines Bruders fehlte. Jawohl Inspektor, sie fehlte. ›Wir wissen nicht...‹ ›Wir bedauern...‹ Drei Monate nach seinem Tod war die Krankengeschichte nicht mehr zu finden...

Unwahrscheinlich, nicht wahr?

Und vierzehn Jahre später sagt mir ein hellseherisch veranlagtes Individuum, nachdem ich es aus der Trance geweckt hatte: ›Der Tote wird die Frauen in den Tod holen. Er will Rache nehmen. Der Tote wird die Frauen in den Tod holen...‹ Dies wiederholt der Hellseherkorporal, dann beschreibt er meinen Bruder, seinen gekräuselten Bart, seine Brille... Ich weiß, Sie können sich nicht vorstellen, wie das auf mich gewirkt hat, dazu müßten Sie Géryville kennen. Sie müßten mein Zimmer gesehen haben, angefüllt mit grüner Abenddämmerung, das Städtchen rund um mein Haus, den Bled... Bled – das heißt Land auf arabisch. Aber man braucht das Wort auch für die Ebenen, die endlosen, auf denen das dürre Alfagras wächst; nie ist es saftig, es wächst schon als Heu... Und still ist es auf dem Hochplateau! Still! ... Ich bin die Stille gewohnt; denn ich habe lange genug in der großen Stummheit der Wüste gelebt... Aber Géryville ist anders. In der Nähe des Städtchens liegt das Grabmal eines Heiligen, eines Marabut, die Hirtenstämme wallfahren zu ihm – schweigend. Sogar die Rufe der Hörner, wenn in der Kaserne die Wache aufzieht, schluckt die große Stille.

Die Trommeln dröhnen nicht, sie murmeln nur dumpf unter den Schlegeln... Und nun stellen Sie sich vor, in meinem grünlich erleuchteten Zimmer beschreibt ein unbekannter Mensch meinen Bruder, spricht mit seiner Stimme...« Pater Matthias ließ das letzte Wort ausklingen. Plötzlich wandte er sich um – drei weitausholende Schritte – und er stand vor dem Wachtmeister. Dringend fragte er und sein Atem ging schwer:

»Was glauben Sie, Inspektor? Meinen Sie, mein Bruder sei noch am Leben? Glauben Sie, er stecke hinter diesen beiden düsteren Mordfällen – denn daß es sich um Morde handelt, werden auch Sie nicht mehr leugnen wollen. Sagen Sie mir ehrlich, was denken Sie?«

Studer saß da und hatte die Unterarme auf die Schenkel gelegt, die Hände gefaltet. Seine Gestalt wirkte massig, schwer und hart wie einer jener Felsblöcke, die man auf Alpwiesen sieht.

»Gar nüt!«

Nach dem langen Redeschwall des Paters wirkten die beiden Worte, gesprochen wie ein einziges, als Punkt.

Und dann stand der Wachtmeister auf. Er hielt seine leere Kaffeetasse in der Hand und ging zum Schüttstein, um sie dort abzustellen. Da packte ihn ein Hustenanfall, der in der kleinen Küche so laut tönte, als habe man in ihr einen Rudel Dorfköter losgelassen. Studer zog sein Nastuch – aber dem Schüttstein hatte er den Rücken zugewandt – und als er das weiße Tuch wieder in der Seitentasche seines Raglan verschwinden ließ, enthielt es einen harten Gegenstand.

Es enthielt die Tasse, auf deren Grund er einen mit Somnifen vermischten Kaffeerest festgestellt hatte. Aber die Tasse – war ausgespült worden...

Von wem? Das Inspizieren der Wohnung hatte kaum zehn Minuten gedauert – und hernach saß Pater Matthias im Klubsessel und spielte das Scheschiaspiel...

Zehn Minuten... Zeit genug, um eine Tasse auszuspülen.

Aber vielleicht ließen sich auf der Tasse Fingerabdrücke feststellen?...

»Geht's besser, Inspektor?« fragte Pater Matthias. »Sie sollten etwas gegen Ihren Husten tun!«

Studer nickte; sein Gesicht war rot und in seinen Augen glitzerten Tränen. Er winkte ab, schien etwas sagen zu wollen, aber das erwies sich als unnötig, denn es klopfte an der Wohnungstür...

Der kleine Mann im blauen Regenmantel und der andere

Es stand aber vor der Tür eine Dame, die sehr dünn war und deren kleiner Vogelkopf eine Pagenfrisur trug. Sie stellte sich vor als Leiterin der im gleichen Hause einquartierten Tanzschule und tat dies mit so ausgesprochen englischem Akzent, daß es dem Wachtmeister schien, als komme in diesem Falle, auch wenn es der von jedem Kriminalisten erhoffte »Große Fall« war, sein Berndeutsch zu kurz: Bald mußte man Französisch reden, bald Schriftdeutsch, dann gurgelten die Basler – und nun war also Englisch an der Reihe... Die ganze Geschichte ist hochgradig unschweizerisch, dachte Studer dunkel, obwohl alle Handelnden Schweizer sind – mit Ausnahme immerhin des Hellseherkorporals, über dessen Nationalität sich der Pater nicht geäußert hat... Unschweizerisch – genauer: auslandschweizerisch, ein langes und nicht gerade wohltönendes Wort...

»Ich habe eine Beobachtung mitzuteilen«, sagte die Dame, und dazu wand und drehte sie ihren schlanken Körper – unwillkürlich hielt man Ausschau nach der Flöte des indischen Fakirs, deren Töne diese Kobra zum Tanzen brachten. »Ich wohne unten...« Schlängelnder Arm, der Zeigefinger deutete auf den Fußboden. Und dann schwieg die Dame plötzlich, denn sie beobachtete erstaunt den

Pater: dieser saß wieder im Klubsessel und spielte das Scheschiaspiel.

Der Wachtmeister aber stand da, stocksteif, die Hände unter dem Raglan in die Seiten gestemmt: so ähnelte er einer Schildkröte, die auf den Hinterpfoten steht – in Bilderbüchern sieht man die Tiere bisweilen in dieser Haltung abgebildet. Studers schmaler Kopf und magerer Hals unterstrich noch diese Ähnlichkeit.

»Also?« fragte er ungeduldig.

»Gestern abend wurde bei uns geläutet«, sagte die dünne Dame, das heißt sie sagte: ›Göstiörn‹ und ›göloouitöt‹. »Ein kleiner Mann stand vor der Tür, gekleidet in einen blauen Regenmantel. Er sprach mit undeutlicher Stimme, denn er trug ein Cache-nez ... Ein Foulard ... Wie sagen Sie? Ah ja! ... Eine wollene Binde um den Hals geschlungen, die auch den unteren Teil des Gesichtes verbarg ...«

Räuspern, trockenes Räuspern. Dann:

»Den Hut ...«, ›den Hiut‹, »... hatte er tief in die Stirne gezogen. Er fragte nach Frau Hornuss ... ›Im Stock oben‹, antwortete ich. Der Mann dankte und ging. Es war ganz still im Haus. So hörte ich ihn an der Wohnungstür hier läuten ...«

»Um wieviel Uhr war das?«

»Um ... um ... elf Uhr ... Ein wenig später, vielleicht. Ich hatte eine Tanzstunde gegeben, die war fertig um fünf Minuten vor elf Uhr. Und dann nahm ich eine Dusche ...«

»Ah«, sagte Pater Matthias und rutschte noch tiefer in seinen Klubsessel. »Sie nahmen eine Dusche! ... Hm!«

»Das interessiert mich nicht!« unterbrach Studer.

Die Dame schien die Unhöflichkeit der beiden Männer

nicht zu bemerken, denn sie starrte wie verhext auf die Scheschia des Paters, die ihre Drehungen vollführte – bald langsamer, bald schneller...

»Und dann? Haben Sie sonst noch etwas gehört?« fragte Studer ungeduldig.

»Ja... Warten Sie... Ich hörte also läuten, unsere Wohnung liegt gerade unter dieser. Ich hatte unsere Türe nicht geschlossen, ich wollte wissen, ob Frau Hornuss öffnen würde, vielleicht war sie schon zu Bett gegangen... Aber sie schien den Besuch erwartet zu haben. Der Mann hatte kaum geklingelt, da hörte ich schon die Stimme der alten Frau: ›Ah! Endlich!‹ Es klang wie erlöst. ›Nur herein!‹ Und dann fiel die Tür wieder ins Schloß.«

»Wir in der Schweiz«, unterbrach Studer, »sagen nicht ›Nur herein!‹ Wir sagen entweder: ›Chömmet iche!‹ oder ›Chumm iche!‹ Können Sie sich nicht erinnern, Frau... Frau...«

»Frau Tschumi.«

Auch das noch! dachte Studer. Eine Engländerin mit einem Berner Geschlechtsnamen! Laut:

»Also, Frau Tschumi: Können Sie mir nicht sagen, welche Form der Anrede die Frau gebraucht hat? Ob sie den späten Besucher geihrzt oder geduzt hat?«

»Wir in England«, es klang wie: ›Ouirninglend‹, »sagen allen Leuten ›Sie‹. Darum, ich denke, die Frau hat gesagt: ›Sie‹.«

»Aber sicher sind Sie nicht, Frau Tschumi?«

»Mein Gott! Sicher! Sie müssen bedenken, ich war müde. Sie sind von der Polizei?« fragte die dünne Dame plötzlich.

»Ja ... Wachtmeister Studer ... – Und sonst haben Sie nichts gehört?«

»Oh, doch«, sagte die Dame lächelnd, »eine ganze Menge ... Aber verzeihen Sie, Herr ... Herr ... Studer ...« Nun, dagegen war nichts zu machen: die Franzosen nannten einen »Ssstüdère« und die englische Dame sagte ein Wort, das klang wie »Stiudaa« – fast wie der Gesang eines zufriedenen Maudis ..., »könnte jener Herr dort nicht aufhören mit seiner Kappe zu spielen, es macht mich nervös ...«

Pater Matthias errötete wie ein ertappter Schulbube, stülpte rasch die Scheschia über seinen Schädel und steckte die Hände in die Kuttenärmel.

»Ich habe gehört«, sagte die Dame und wand sich wieder wie eine Schlange, »Schritte in der Küche. Dann das Schleifen eines schweren Dinges durch die ganze Wohnung. Dann Stimmengemurmel, lange, sehr lange, fast über eine Stunde. Ich sage zu meinem Manne: ›Du, was ist das, die alte Lady, sie hat nie Besuch bekommen, so spät, was ist los dort oben ...‹ – Sie verstehen, Inspektor«, das ›S‹ sprach sie scharf aus, das letzte ›R‹ verschluckte sie, »wir haben die alte Lady gern gehabt. Sie war ganz allein, manchmal wir haben ihr einen Besuch ... abgestattet, manchmal ist sie gekommen zu uns. Sie immer war traurig ...«

»Jaja«, sagte Studer ungeduldig, »weiter!«

»Plötzlich ist es still geworden in der Küche. Jemand ist leise durch die Wohnung gegangen, so leise, als ob jemand seine Schritte bewußt dämpfen wolle. Bei uns unten hören wir sehr deutlich, was in der oberen Wohnung geschieht; der Boden ist wohl hohl ... Dann ist aufgegangen die Wohnungstür, ich habe die unsrige auch geöffnet ... Wissen Sie, Inspektor, die Neugierde! Dann ist der Schlüssel umgedreht worden im Schloß von die Wohnungstür. Und Stille ... Verstehen Sie wohl, keine Schritte, die sich entfernen, sondern absolute Stille! Ich sage zu meinem Mann, der neben mir steht: ›Was macht der Besucher dort oben?‹ Und kaum bin ich fertig mit Flüstern, so höre ich Schritte, die schleichen sich fort. Das Stiegenhaus ist dunkel, der Mann zündet nicht an das Licht, vielleicht weiß er nicht, wo der Schalter ist ... Er schleicht im Dunkel die Treppe herab, auf unsere zu – und da sieht er den hellen Spalt. Er bleibt stehen, wartet. Und dann nimmt er ein paar große Schritte, ganz plötzlich, läuft vorbei, nein, es ist kein Laufen ... er springt ...«

Eine richtige dramatische Erzählung! Warum doch die Weiber immer schauspielern mußten! ... Studer erkundigte sich trocken: »Schien er erschreckt?«

»Ja ... sehr, sehr erschreckt. Er läßt etwas fallen. Es macht kein Geräusch, wie es berührt den Boden. Ich sehe es nur im Licht, das dringt aus unserer Tür ... Ich höre, wie der Mann in großen Sätzen die Treppe hinunterhaset ...« (»Haset!« ... Wo hatte die Dame das Wort aufgeschnappt?) »Und dann ist das Haustor zugefallen.«

»Wird es nicht um zehn geschlossen?« fragte Studer.

»Nein, erst um elf, wegen meiner Schule, und oft wird es vergessen. Es gibt einen Mann, er wohnt im Parterre. Immer vergißt er den Schlüssel und wohnt allein und kommt spät heim, und wenn das Haustor verschlossen ist, läutet er bei uns ... Darum wir lassen gewöhnlich geöffnet das Tor ...«

»Hmmmm …« brummte Studer. »Und was hat er fallen lassen, Madame?«

»Dies hier«, sagte die dünne Dame und streckte Studer die offene Hand hin. Auf ihrer Fläche lag ein Schnürli, dünn, in Form einer Acht zusammengerollt und in der Mitte verknotet. Studer warf einen Blick auf den Weißen Vater, bevor er das Dargereichte in die Finger nahm, und auch nachher sah er wieder auf die Gestalt mit den nackten, sehnigen Waden … Um des Paters Mund lag ein Lächeln und es war schwer zu deuten. Hintergründig … vielleicht höhnisch? Nein, nicht höhnisch – dem widersprach der Ausdruck der Augen, die groß waren und traurig: graues Meer, über dem die Wolken lagern – und selten, ganz selten nur, spielte ein Sonnenstrahl über die glatte Fläche …

Studer hatte die Schnur aufgeknotet: ihr eines Ende bildete eine Schlaufe. Der Wachtmeister stieg auf das Hokkerli, legte die Schlaufe um den Haupthahn, den er zuerst waagrecht gestellt hatte, rückte dann das Hockerli weiter, um die Schnur über die Gasröhre oben an der Eingangstür zu führen. Ein Ende der Schnur ließ er herabhängen … Dies fädelte er durch das Loch in der Holztüre, welches für das Schlüsselloch gebohrt worden war, trat auf den Flur hinaus, und während er die Tür mit der Linken zuhielt, begann er mit der Rechten ganz sanft an dem Schnurende zu ziehen. Nach einer Weile fühlte er keinen Widerstand mehr, er zog weiter, die ganze Schnur kam nach – und endlich die Schlaufe, die er so sorgfältig um den Eisenhebel gelegt hatte. Nun erst kehrte er in die Küche zurück.

Der Haupthahn des Gaszählers bildete einen Winkel von fünfundvierzig Grad.

»Was zu beweisen war!« sagte der Pater. »Wissen Sie noch, in den Geometriebüchern, aus denen wir in der Sekundarschule lernten, standen die Worte immer hinter den Lehrsätzen – hinter dem pythagoreischen zum Beispiel... Nur ist die Art, wie dieser Mord hier begangen worden ist, leichter zu beweisen als besagter pythagoreischer Lehrsatz. Denn dieser Lehrsatz, Inspektor, müssen Sie wissen, ist nicht nur für die Schüler und Schülerinnen...«

›Der Mann redet, um zu reden. Leerlauf könnte man sagen, nicht Lehrsatz!...‹ dachte Studer. Ihn fröstelte wieder, trotz des Mantels. Er knöpfte den Raglan zu und stellte den Kragen auf. Pater Matthias plapperte weiter. Vom pythagoreischen Lehrsatz gelangte er zu den Knabenspielen, genannt »Räuberlis«, und von diesen Jugenderinnerungen zu den marokkanischen Dschischs – so hießen, erklärte er, die Räuberbanden an den Grenzen der großen Wüste – und auch er sei einmal von einer solchen überfallen worden... Die Worte rauschten wie ein Bach, der als Kaskade in ein Felsenbecken fällt. Tief und orgelnd blieb die Stimme.

»Sie können gehen«, unterbrach Studer den Pater und wandte sich der Dame zu. »Ihre Aussage war aufschlußreich. Vielleicht wird sie uns von Nutzen sein... Ich danke Ihnen, Madame... Good bye!« fügte er hinzu, um zu zeigen, daß ihm das Englische geläufig war.

Aber dieser Abschiedsgruß schien der Dame ob seiner Familiarität zu mißfallen. Sie zog die Haut neben der Nase in die Höhe und verließ wortlos die Wohnung. Unten hörte man sie mit schrillem Gekeif etwas erzählen – dazwischen sprach eine tiefe Stimme beruhigende Worte.

»Es stimmt schon: man kann in der einen Wohnung ganz gut hören, was in der anderen vor sich geht. Meinen Sie nicht auch, Pater Matthias?«

Der Pater stand auf. Die Scheschia saß schief auf seinem kleinen Schädel. Seine Augen waren auf Studers breite Brust gerichtet, so, als wollten sie einen stummen Appell an jenes Organ richten, das allgemein als Sitz der Gefühle angesehen wird ... Aber des Wachtmeisters Herz verstand nicht den Sinn dieses lautlosen Rufes.

»Ich bin gleich wieder da, dann können wir gehen«, sagte Studer und ließ den Pater stehen. Als er wiederkam, begleitet von der Tanzlehrerin, stand Pater Matthias immer noch mitten in der Küche und der Ausdruck seines Gesichts war ein geduldig-leidender.

Studer deutete mit einer Kopfbewegung auf den Mann in der weißen Kutte und fragte: »Ja?«

»Yes!« sagte die Dame und verscheuchte mit angeekelter Miene den blauen Rauchwimpel, der an des Wachtmeisters Brissago flatterte. »Die Augen«, fügte die Dame hinzu. »Ich glaube, die Augen stimmen ...«

»Määrci ...« sagte Studer breit und die Dame verschwand.

Das Schweigen in der hellen Küche wurde drückend, aber keiner der beiden Männer schien Lust zu haben, es zu brechen. Umständlich zog Studer seine Handschuhe an – dicke, grauwollene Handschuhe – die Brissago saß ihm im Mundwinkel und sie war wohl daran schuld, daß die folgenden Worte ziemlich gequetscht klangen:

»Wissen Sie, Pater, daß Sie verdächtig sind? Die Dame glaubt, Sie wiederzuerkennen. Die Gestalt stimme, sagt sie ... Und auch die Augen ... Sie werden mir genau beweisen müssen, wann Sie gestern Basel verlassen haben – wann Sie in Bern angekommen sind ... Und dann muß ich Sie bitten, mir Ihre Papiere zu zeigen.«

Wahrhaftig! In die Augen des alten Mannes traten Tränen! Sie liefen ihm über die Backen, blieben im grauen Schneiderbärtchen hängen, neue kamen, ein feuchtes Aufschlucken, das ganz wie Schluchzen klang, noch eins ... Und die Rechte fuhr in die tiefe Tasche, während die Linke den Kuttenzipfel festhielt. Ein Nastuch kam zum Vorschein, dessen Gebrauch sich als notwendig erwies, die Lupe, die Schnupftabaksdose – und endlich, endlich der Paß.

»Määrci ...« sagte Studer, genau so breit wie vor einer kleinen Weile. Aber die Betonung war eine andere. Es schwang eine Entschuldigung in dem Wort mit.

»Passeport Pass Passaporto ... pour ... für ... per ...«

»Was ... was ... bedeutet denn das?« fragte Studer.

Denn hinter den drei Verhältniswörtern stand:

»Koller Max Wilhelm.«

Da streifte Wachtmeister Studer seine grauwollenen Handschuhe wieder ab, stopfte sie in die Tasche, setzte sich auf das Hockerli, zog sein neues Ringbuch aus der Busentasche, und während er, ohne aufzublicken, den Paß mit angefeuchtetem Zeigefinger durchblätterte – mit Bewegungen, wie sie jedem Polizeibeamten, von Kapstadt bis zum Nordpol und von Bordeaux bis San Franzisko, rund um die Erde, eigen sind – sagte er:

»Hocked ab ...«

Er blickte nicht auf, sondern hörte nur die Federn des

Klubsessels ächzen – jenes Klubsessels, in dem die alte Frau für ewig eingeschlafen war...

Aber das nun fällige Verhör sollte nicht ganz ungestört vonstatten gehen; denn unter der Küchentür stand ein ältlicher Mann, der sich auf Bärndütsch erkundigte, ob hier ein Fahnder sei, er habe etwas zu erzählen...

Er sprach viel und lange, der ältliche Mann, aber was er zu sagen hatte, ließ sich in ein paar Sätzen zusammenfassen:

Er hatte, als er spät am Abend heimgekehrt war – er wohne im Parterre, teilte er mit, und somit war es nicht schwer zu erraten, daß es sich um den Herrn handelte, der immer seinen Schlüssel vergaß – vor dem Hause ein wartendes Auto vorgefunden. Auf dem Trottoir sei ein großer Mann auf- und abgegangen. Der Erzähler habe sich bei dem großen Mann erkundigt, ob er auf jemanden warte, sei jedoch mit einer brummigen Antwort abgespeist worden. Gleich darauf sei ein kleiner Mann in einem blauen Regenmantel aus der Haustüre gestürzt – »usecheibet« – habe den Großen am Arm gepackt, ihn ins Auto gestoßen, den Schlag zugeworfen – und fort... Er, der Erzähler – Rüfenacht, Rüfenacht Ernscht – habe gemeint, das könne die Tschuggerei – äksküseeh: die Polizei – interessieren, die magere Geiß – äksküseeh: die Tanzlehrerin, im ersten Stock, habe ihm geraten, seine Beobachtungen mitzuteilen. Das tue er hiermit...

»Märci!« sagte Studer zum dritten Male – sehr trocken. Aber da er gewissenhaft war, schrieb er den Namen des »Rüfenacht Ernst, Gerechtigkeitsgasse 44« in sein Notizbuch, denn der Mann kam, wie Frau Tschumi, als Zeuge in Betracht.

Und dann blieb der Wachtmeister, abwesenden Geistes, auf seinem Hockerli vor dem mit Wachstuch überzogenen Küchentisch sitzen. Es wuchs der Aschenkegel an seiner Brissago – drückend und schwer lastete die Stille über dem Raum. Manchmal wurde sie durchbrochen von einem schüchternen Schneuzen. Dann schielte Studer unter gesenkten Augendeckeln hinüber zu Pater Matthias, der in seinem Passe »Koller Max Wilhelm« hieß und dennoch behauptete, der Bruder eines verstorbenen Geologen zu sein. Aber der Name des Toten war »Cleman« gewesen, »Cleman« – und nicht »Koller«... »Wie reimt sich Stroh auf Weizen...« Und wie reimte sich Koller auf Cleman?...

Zwei Männer, ein kleiner, in einem blauen Regenmantel; ein großer, der vor der Haustür wartet... Eine alte Frau legt Patiencen in ihrer einsamen Wohnung – oder spielt sie ein weniger harmloses Spiel? Schlägt sie ihrem Besucher die Karten? Oder sich selbst? Dieser Besucher!... Klein soll er sein – wie der Weiße Vater! Und Augen soll er haben – wie der Weiße Vater!... Wenigstens hatte Frau Tschumi dies behauptet.

Das Chacheli mit dem Kaffeesatz und dem Rest Somnifen war ausgespült worden. Wann?... Der Wachtmeister war durch die Wohnung gegangen und bei seiner Rückkehr in die Küche hatte der Pater im Lederfauteuil gehockt... Merkwürdig übrigens, wie gut Pater Matthias Bescheid wußte... Hier der Kaffee! – da der Kirsch!... War er erstaunt gewesen, daß am Schlüsselloch des herausgebrochenen Schlosses Fasern klebten? – Kes Bitzli! Aber plötzlich war er in Tränen ausgebrochen, wie ein Kind, als man ihn des Mordes beschuldigt und um seine Papiere gebeten hatte...

Zwiespältigkeit! Das einzig richtige Wort!...

Es war nicht zu leugnen, der Mann in der weißen Kutte flößte dem Wachtmeister Mißtrauen ein und dann wieder Vertrauen. Zwiespältigkeit: Wenn er Vorträge hielt – über den Kardinal Lavigerie oder über den pythagoreischen Lehrsatz, – war etwas Kindliches in seiner Art zu spre chen; aber wenn er schwieg, lag in seiner Stummheit etwas Schlaues, Verschlagenes... Das Kindliche, Weltfremde ließ sich leicht erklären: nicht umsonst war der Missionar jahrelang durch die weiten Steppen gewandert, um in verlorenen Posten Messen zu lesen, Beichten zu hören... Und das Verschlagene? Konnte man diese Art sich zu geben einfach Verschlagenheit nennen? War es nicht eher etwas wie Verlegenheit: dieses übertrieben-sichere Gebaren in einem Raum, der immerhin der Schauplatz eines Mordes gewesen war. Verlegenheit: die unwahrscheinliche Geschichte vom Hellseherkorporal Collani in Géryville...

Und während das Schweigen weiter über der Küche lastete, schrieb Wachtmeister Studer in sein neues Ringbüchlein:

»Madelin in Géryville anfragen lassen, ob Korporal Collani wirklich verschwunden ist!«

Er räusperte sich, streifte die Asche von der erkalteten Brissago, zündete sie von neuem an und fragte ohne aufzublicken:

»Warum heißet Ihr anders als Euer Bruder?« Die Worte verhallten in der Küche und dann fiel es Studer auf, daß er zum Weißen Vater »Ihr« gesagt hatte, wie zu einem gewöhnlichen Angeklagten ...

»Er war ...« – Schlucken – »er war mein Stiefbruder ... aus der ... aus der ... ersten Ehe meiner Mutter ...«

Studer blickte auf und konnte ein Lächeln nicht unterdrücken. Pater Matthias hatte wieder seine Scheschia über den Zeigefinger seiner Rechten gestülpt und brachte sie durch kleine Stöße der Linken zum Kreisen. Die Tränen trockneten von selbst. Aber nach dieser einen Antwort blieb der Mund des Paters verschlossen und Studer gab das Verhör auf.

Zwei Stunden später – es war inzwischen halb eins geworden – ereignete sich folgender peinlicher Vorgang: Ein Wachtmeister der Berner Kantonspolizei ging mit einem weißbekutteten Pater, dessen nackte Zehen aus offenen Sandalen hervorsahen, unter den Lauben der Stadt Bern spazieren. In diesen zwei Stunden war allerhand Arbeit geleistet worden – und daß diese Arbeit nicht resultatlos verlaufen war, hatte Studer einerseits seinem Glück, andererseits seinen guten Beziehungen zu einem Manne zu verdanken, der statt Briefmarken Fingerabdrücke sammelte – und zwar Fingerabdrücke von allen Schweizer Verbrechern. Wohlgemerkt: Verbrechern ... Um mindere Gesetzesübertreter kümmerte sich der alte Herr Rosenzweig nicht. Die Wände seines Arbeitszimmers waren mit Bildern behangen – unter Glas und Rahmen! –, die aussahen wie Reproduktionen surrealistischer Gemälde. Es waren – Vergrößerungen von: Daumen, Zeigefingern, Handballen. Zehnfache, zwanzigfache Vergrößerungen ... Zwischen

Wellenlinien, Spiralen und Einbuchtungen schwammen winzige Inseln: die Schweißporen ...

Bevor Studer den Pater in der einsamen Wohnung der Sophie Hornuss zurückließ, sprach er folgende Worte:

»Meinetwegen und wenn Ihr Lust dazu habt, könnt Ihr davonlaufen. Ich rat' es Euch nicht, denn wir würden Euch bald wieder haben. Ich muß notwendig einen Bekannten besuchen. Ihr seid mir von meinem Freunde Madelin empfohlen worden, darum möcht' ich Euch nicht einfach ins Amtshaus mitnehmen und Euch dort einsperren. Laßt mich meinen Besuch machen, dann wird sich vielleicht einiges klären; ich komm' Euch wieder abholen und dann können wir weiter sehen ...« Dabei dachte Studer: ›Das klingt ganz schön: weiter sehen ... Aber was wird schon das Weitere sein?‹

Der alte Herr Rosenzweig, der die Photographien von Fingerabdrücken so eifrig sammelte wie ein Kunstliebhaber Negerplastiken, wohnte an der Bellevuestraße. Und Studer nahm den Bus.

Ein großer, knochiger Mann, der eine Brille mit Goldfassung auf der Nasenspitze trug, öffnete ihm die Tür. Glattrasiert, das Haar kurzgeschoren – und die Hände waren klein und gepolstert.

»Ah, der Studer!« Herrn Rosenzweigs Begrüßung war herzlich, und dann fragte er im selben Atemzug, ob die Polizei wieder einmal am Hag sei? Das komme so oft vor in der letzten Zeit, fast alle Tage erhalte er Besuch, ob es nicht einfacher wäre, wenn die löbliche Polizeidirektion selbst einmal eine Sammlung von Fingerabdrücken anlegen würde? Hä? ...

»Die Kredite!« sagte Studer entschuldigend. Und: »Die Krise!«

Der alte Herr kolderte los: Ja, da habe man immer die Ausrede mit Krediten! Kredite! Krise! ... Die Krise habe einen breiten Buckel! Was der Wachtmeister Schönes bringe?

Studer packte die Tasse aus, sehr sorgfältig, um nur ja ihre Außenwand nicht zu berühren. Der alte Herr griff selbst nach einer Streubüchse, die ständig auf seinem Schreibtisch stand, wie bei andern Leuten ein Anzünder oder ein Aschenbecher. Herr Rosenzweig rauchte nie.

Die Tasse war hell, sorgfältig wurde das Graphitpulver auf die Flächen verteilt, fortgeblasen: zwei deutliche Fingerabdrücke ...

»Daumen und Zeigefinger«, sagte Herr Rosenzweig. Er nahm eine Lupe zur Hand, betrachtete lange die beiden Abdrücke, schüttelte den Kopf, blickte Studer an, fragte schließlich gereizt: »Woher habt Ihr das, Wachtmeister?«

Studer erzählte seine Geschichte. Der alte Herr stand auf, murmelte etwas von Narbe ... Narbe ... holte einen Briefordner von einem Wandgestell (Studer sah die Jahreszahl 1903), blätterte darin und hielt dem Wachtmeister ein Blatt unter die Nase. Dazu sagte er:

»Es ist natürlich Pfusch ... Aber es könnte stimmen. Wollten wir anständig arbeiten, so müßten wir die Abdrücke auf der Tasse photographieren ... Das können wir später tun. Aber ›à première vue‹, wie der welsche Nachbar sagt, auf den ersten Blick, scheint es sich um das gleiche Individuum zu handeln ... Schauen Sie selbst, Wachtmeister ...«

Studer verglich. Eine schwere Arbeit! ... Viel leichter war es, an einem Schlüsselloch Fasern festzustellen. Aber der Daumenabdruck auf der Tasse hatte eine gewisse Ähnlichkeit mit dem Daumenabdruck auf der Photographie. Über der Photographie stand:

»Unbekannt.«

»Was war das für ein Fall?« fragte Studer.

Herr Rosenzweig lehnte sich in seinem Schreibtischstuhl zurück, nahm eine Pfefferminzpastille aus einer kleinen Bonbonnière, bot dem Wachtmeister an, der dankend ablehnte, und sagte dann:

»Neunzehnhundertdrei ... Der Beginn der Daktyloskopie ... Wachtmeister Studer, dies ist eine Rarität, die erste in der Schweiz verfertigte Photographie eines Fingerabdrucks ... Sie werden sie nirgends finden – ich meine die Reproduktion dieses Daumenabdrucks. Locard hat einmal eine Stunde lang gebettelt – er ist direkt von Lyon gekommen, Reiß in Lausanne hat mir den Gottswille angehängt – ich habe nein gesagt. Ich bin standhaft geblieben ... Warum? Wenn ich tot bin, wird meine Sammlung an den Kanton Bern übergehen – ich habe ihn als Erben eingesetzt, und dann wird der Vetter irgendeines Rates zum Hüter dieses Schatzes ernannt werden. Er wird sich nicht viel um die Sammlung kümmern, sondern statt dessen jassen gehen, und wenn einmal ein Besucher kommt, wird die Ausstellung geschlossen sein ... Ja! Aber ich soll erzählen ... Gut ...«

Die Geschichte vom ersten Daumenabdruck

Freiburg ... Sie kennen Freiburg, Wachtmeister? ... Ein hübsches altes Städtchen. Dort wurde am 1. Juli 1903 ein Mädchen vergiftet aufgefunden. Man dachte zuerst an Selbstmord. Auf dem Nachttischli, neben dem Bett, stand ein Glas – es enthielt Blausäure, genauer: KCN, Cyankalium.

Wo hatte sich das Mädchen das Gift verschafft? Rätselhaft ... Um acht Uhr morgens fanden die Eltern die Tote in ihrem Bett; darauf riefen sie die Polizei. Damals amtete in Freiburg ein Kommissär, dem einiges von den neuen Methoden der Kriminalistik zu Ohren gekommen war. Er bemerkte auf dem Glase – es war ein glattwandiges Glas, wie man es gewöhnlich zum Zähneputzen gebraucht – einen deutlichen Fingerabdruck. Darum verpackte er das Glas in Seidenpapier und, da es damals in der Schweiz nur einen Mann gab, der auf dem ganz neuen Gebiete des Fingerabdruckes Bescheid wußte, telephonierte er mir ...

Ich hatte gerade Zeit – im Juli gibt es für einen Fürsprech nicht viel zu tun. So fuhr ich nach Freiburg, nahm meinen Photographenapparat mit, pulverisiertes Bleikarbonat und pulverisiertes Graphit.

Ich will Sie nicht langweilen. Ich brachte den Fingerabdruck sauber auf die Platte, entwickelte sie, nahm die Fingerabdrücke der Toten, nahm die Fingerabdrücke der Eltern, des Polizeikommissärs – und verglich ...

Es war eine mühsame Arbeit, dieses Vergleichen der Fingerabdrücke. Bald aber war ich sicher, daß irgendein Fremder in das Zimmer eingedrungen war und das Glas mit dem Cyankali auf das Nachttischli des Mädchens gestellt hatte ... Und der Fremde war der Mörder ...«

Herr Rosenzweig, der trotz seines Namens gar nicht jüdisch aussah, nahm ein Wattebäuschlein, um es in seinem Ohr zu versorgen ...

»Die Zähne ...«, sagte er entschuldigend. »Die Zähne schmerzen mich. Es ist das Alter, was wollen Sie, Wachtmeister!«

Sein Berndeutsch war gar nicht urchig. Seine Sprache war jenes Bundesschweizerdeutsch, das heutzutage jeder Gebildete in der Schweiz spricht ...

»Ja ... Ein Fremder hatte also das Glas mit dem Cyankalium auf den Nachttisch des Mädchens gestellt. Als nach der Obduktion auch noch bekannt wurde, das Mädchen habe ein Kind erwartet, schien es auf der Hand zu liegen, daß die Tochter einem Mörder zum Opfer gefallen war – einem sehr geschickten Mörder, denn als einzige Spur von ihm war ein Daumenabdruck auf einem Wasserglas zurückgeblieben ...

Sie müssen sich das recht lebhaft vorstellen, Wachtmeister; damals waren die Verbrecher nicht so geschult wie heute; sie wußten nicht, daß sie der Abdruck eines Fingers verraten könne. Sie arbeiteten noch nicht mit Chirurgenhandschuhen. Und es war Zufall, purer Zufall, daß der damalige Freiburger Polizeikommissär an mich gedacht und mich gerufen hatte. Und Zufall, daß ich gerade Zeit hatte...

So bin ich zu dieser Photographie gekommen, und ich habe sie oft angeschaut, – ich habe sie vergrößert, aber die Vergrößerungen sind mir mißraten. Die Photographie verglich ich mit jedem neuen Fingerabdruck, den ich meiner Sammlung einverleibte. Denn immer hoffte und hoffte ich, daß ich einmal auf den Besitzer jenes Daumens stoßen würde.

Denn dies muß ich meiner Geschichte hinzufügen, die Untersuchung, die damals eingeleitet wurde, verlief im Sand. Das Mädchen genoß viel Freiheit – nach damaligen Begriffen. Zweimal in der Woche fuhr es nach Bern – es nahm hier Klavierstunden. Manchmal blieb es auch über Nacht in unserer Stadt, bei einer Freundin hieß es.

Der Kommissär von Freiburg setzte sich mit der Berner Polizei in Verbindung. Es gelang festzustellen, daß die Tochter ein paarmal im Hotel ›zum Wilden Mann‹ übernachtet, daß ein junger Mann sie jedesmal begleitet hatte... Das heißt: das Mädchen nahm stets ein Einzelzimmer, aber am Morgen trafen sich die beiden an der Frühstückstafel und der junge Mann wohnte ebenfalls im Hotel...

Nur – der junge Mann blieb verschwunden. Und alle Nachforschungen verliefen resultatlos – wie es immer so schön in den Zeitungen heißt. Der Portier vermochte den jungen Mann zu beschreiben – aber die Beschreibung war so oberflächlich, daß man nichts damit anfangen konnte...

Ein Student?... Ein Student, der in Bern studierte? Ein Chemiker? Ein Mediziner?

Rätselhaft blieb einzig, warum er nach Freiburg gefahren

war – er hätte doch so gut die Pastille Cyankalium dem Mädchen geben und ihm versichern können, es sei ein ausgezeichnetes Mittel gegen Kopfweh! Doch nein – er war nach Freiburg gefahren, er hatte die Tochter in ihrem Zimmer aufgesucht, das Gift im Wasser aufgelöst und die Ahnungslose trinken lassen ... Das war nicht schwer. Ulrike – ja, Ulrike Neumann hieß das Mädchen – also Ulrike bewohnte eine Dachkammer, das Tor blieb bis um zehn Uhr offen, drei Familien bewohnten das Haus ... Wer wollte da alle Ein- und Ausgänge kontrollieren? ...

Und heute, Wachtmeister, kommen Sie mit dem vielgesuchten Fingerabdruck zu mir ... Wenigstens glaube ich, daß es sich um den gleichen handelt. Natürlich, beschwören könnte ich nichts. Sie sehen, wie vergilbt, trotz aller Vorsicht, die Photographie ist. Aber die Narbe ... die Narbe ... Sie sehen doch die Narbe? Der Schnitt, der die Haut des Daumens teilt, der die Spiralen zerschneidet? – Wo haben Sie den Fingerabdruck gefunden?«

Studer räusperte sich. Er war nicht gewohnt, so lange zu schweigen. Und dann erzählte er die Geschichte vom Tode der beiden Frauen, vom Auffinden der Tasse im Schüttstein, daß jemand sie geleert und ausgespült hatte, während er sich in der Wohnung umgesehen habe ...

»Es sieht ihm ähnlich«, sagte Herr Rosenzweig. »Die gleiche Technik, möchte ich fast sagen, nach zwanzig Jahren ... Und Sie haben keinen Fingerabdruck des Paters?« Kopfschütteln ... »Schade.«

Schweigen. Dann sagte Herr Rosenzweig abschließend und stand auf: »Lassen Sie mir die Tasse da, Wachtmeister; ich werde den Abdruck vergrößern ...« Er blicke auf die Uhr. »Wenn Sie wollen, können Sie um vier Uhr einen Abzug haben ...«

Auch Studer erhob sich und griff mechanisch in seine Busentasche. Mechanisch: denn er dachte daran, eine Brissago anzuzünden, sobald er das Heiligtum der Fingerabdrücke verlassen haben würde ... Er griff also in die Busentasche – und fühlte etwas rascheln unter seinen Fingern. Er zog das Papier hervor und vergaß dabei gänzlich das längliche Lederetui; denn was er hervorzog, war die Fieberkurve ...

Die Fieberkurve ... Er faltete sie auseinander, betrachtete sie mit gerunzelter Stirn und war plötzlich weit weg ...

– Der weißgekalkte Raum, in dem es noch nach Leuchtgas riecht ... Durch das Fenster sieht man spitze Dächer, Reif liegt auf ihnen und über den gegenüberliegenden First schiebt sich eine bleiche Sonne ...

Am Fenster aber steht Marie, sie trägt ein teures Pelzjakkett, ihr Atem läßt auf dem Glase einen trüben Fleck entstehen, Tropfen bilden sich ...

»Was habt Ihr da Schönes, Wachtmeister?«

»Eine Fieberkurve ...« Und Studer erzählte, was es mit dem Dokument für eine Bewandtnis hatte ...

»Lassen Sie mir das Papier da«, meinte Herr Rosenzweig. »Ich werde es mit Joddämpfen behandeln ... Vielleicht läßt sich ein Fingerabdruck darauf entwickeln ... Auf alle Fälle werde ich Ihnen mitteilen können, von wo es abgeschickt worden ist. Sie wissen, daß ein durch die Enveloppe durchgedrückter Poststempel noch nach Jahren nachweisbar ist ...«

Studer verabschiedete sich dankend. Er versprach, gegen vier Uhr wiederzukommen ...

»Unnötig«, sagte Herr Rosenzweig. »Ganz unnötig. Ich komme in die Stadt, wir können uns, wenn Sie wollen, irgendwo treffen – zu einer Partie Billard? Ja?«

»Ich weiß nicht«, sagte Studer, »ob mir die Zeit langen wird ... Märci einewäg ...«

Pater Matthias saß im ledernen Klubsessel und las in einem kleinen, schwarzgebundenen Büchlein. Er trug eine verbogene Stahlbrille auf der Nase und seine Lippen bewegten sich lautlos.

Studer grüßte kurz und verlangte dann die Daumen des Paters zu sehen.

Sie waren glatt. Keine Narbe zerteilte ihre Spiralen ...

Also? ... Also war in den wenigen Minuten, während deren Studer die Küche verlassen hatte, außer dem Pater ein anderer eingedrungen und hatte die Tasse ausgespült ... Das schien fast unmöglich. Einleuchtender war die andere Theorie: der Daumenabdruck, den Herr Altfürsprech Rosenzweig auf der Tasse entdeckt hatte, war am gestrigen Abend vom Mörder zurückgelassen worden. Und Pater Matthias hatte die Tasse aus einem vorläufig noch undurchsichtigen Grunde ausgespült und damit dem Mörder geholfen ... Warum? ... Alles schien darauf hinzudeuten, daß Pater Matthias den Mörder kannte, ihn jedoch decken wollte ... Und plötzlich – ein Sonnenstrahl brach durchs Fenster – blieb Studer stehen, geblendet, mitten in der Küche.

Koller! ... Den Namen kannte er doch! ... Den Namen hatte er schon gehört! ... Und zwar in Verbindung mit einem Vornamen, der wie der seinige lautete ... Gewiß:

»Das junge Jakobli läßt den alten Jakob grüßen...« Aber...

Der Sekretär! Der ehemalige Sekretär des verstorbenen Geologen, der Sekretär, der Marie Cleman nach Paris mitgenommen, ihr ein Pelzjackett und seidene Strümpfe gekauft hatte, der Sekretär, der vor drei Monaten verschwunden war und mit dessen Verschwinden sich Kommissär Madelin von der französischen Police Judiciaire beschäftigte! Dieser Mann hieß Koller!...

Nun konnte man ja zugeben, daß der Name Koller ein weitverbreiteter Name war... Immerhin...

Wachtmeister Studer stand inmitten der Küche, in welcher die geschiedene Sophie Hornuss gestorben war und sein Blick war so abwesend, daß sein Blick leer war wie der eines wiederkäuenden Ochsen. – Und falls es einem Leser einfallen sollte, diesen Vergleich despektierlich zu finden, so sei er daran erinnert, daß Homer die Augen der Göttin Hera, der Gemahlin des blitzeschleudernden Zeus, mit den Augen einer Kuh verglichen und diesen Vergleich sicher nicht beleidigend gemeint hat...

Und wieder wurde das Schweigen in der kleinen Küche drückend, bis Studer seine Uhr aus dem Gilettäschli zog und feststellte, daß es halb eins sei. Was gedenke der Herr Koller zu tun? »Herr Koller!« sagte der Wachtmeister.

»Darf ich Sie begleiten, Inspektor?« fragte Pater Matthias schüchtern. Er schien vor dem Alleinsein Angst zu haben.

»Mynetwäge!«

Das Zwiespältige! Es ließ sich nicht erklären, es gehörte einfach zu der Person des Weißen Vaters... Und um der

Erklärung dieses Zwiespältigen etwas näher zu kommen, nahm der Wachtmeister auch die Unannehmlichkeit mit in Kauf, an der Seite des Bekutteten durch die Stadt zu wandeln.

»Chömmet!« sagte er. »Wir können zusammen irgendwo essen. Aber zuerst muß ich in meine Wohnung. Vielleicht ist Bericht da von meiner Frau. Sie wissen ja«, und plötzlich hörte er auf, seinen Begleiter zu »ihrzen«, »daß ich Großvater bin ...«

Sie waren auf der Straße angelangt und wandelten langsam unter den Lauben.

»Großvater!« sagte Pater Matthias mit so erstickter Stimme, daß Studer Angst hatte, das Männlein werde wieder anfangen zu weinen. Darum lenkte er ab:

»Ja, es ist ein merkwürdiges Gefühl... Als ob man die Tochter verloren habe... Sie hat einen Landjäger im Thurgau geheiratet – meine Frau hat mir nach Paris telegraphiert, daß alles gut abgelaufen sei... Aber das hab ich Ihnen schon erzählt.«

»Gratuliere... Gratuliere noch einmal aufrichtig!...«

»Wozu gratulieren Sie mir?« sagte Studer ärgerlich. »Ich hab' doch mit der ganzen Sache nichts zu schaffen. Die Tochter hat ihr Kind, ich bin Großvater!... Gratulieren!« Er hob seine mächtigen Achseln. Das waren auch so ausländische Komplimente!

So ärgerlich war der Wachtmeister, daß er brüsk stehenblieb und fragte: »Hören Sie einmal zu, Herr Koller! Sind Sie verwandt mit dem ehemaligen Sekretär Ihres Bruders, der vor ein paar Monaten verschwunden ist und den die Pariser Polizei sucht...?«

»Ich ... wie meinen Sie ... verwandt? Mit wem verwandt?«

»Mit einem gewissen Jakob Koller, der seinerzeit Ihren Stiefbruder Cleman nach Marokko begleitet hat. Nachher hat er in Paris ein eigenes Geschäft aufgemacht, zu dem er die Marie gebraucht hat – als Sekretärin ... Sekretärin! ...«

Schweigen. Es schien, als habe der Wachtmeister auf seine Frage keine andere Antwort erwartet als Schweigen. Pater Matthias nahm lange Schritte, weitausholende; er drückte das Kinn auf die Brust und steckte die Hände tief in die Kuttenärmel, wie in einen Muff.

Die Sonne schien winterlich. Auf den Trottoirs lag ein wenig Reif als dünner, glitzernder Staub. Die beiden ungleichen Gefährten gingen über die Kirchenfeldbrücke, da blieb der Pater stehen, lehnte sich über das Geländer und blickte lange auf die Aare; ihr Wasser war hell, fast farblos. Die Bise wehte ...

»Es ist alles so anders hier«, sagte Pater Matthias. »Auch schön, gewiß; aber ich habe Sehnsucht nach den roten Bergen und den weiten Ebenen.« Er sprach sehr ruhig. Studer stützte die Unterarme aufs Geländer und blickte in die Tiefe. Da wandte sich der Pater um. Studer hörte ein Auto vorbeifahren und – kaum hatte sich das summende Geräusch ein wenig entfernt – einen unterdrückten Ausruf seines Begleiters:

»Inspektor! Schauen Sie! ...«

Studer drehte den Kopf. Aber er sah nur noch die Rückwand eines Autos und die Nummer, die er mechanisch ablas: BS 3437 ... Ein Basler Auto ...

»Was ist los?« fragte er.

»Wenn ich nicht wüßte, daß es unmöglich ist...«, sagte der Pater und rieb sich die Augen.

»Was ist unmöglich?«

»Ich glaube, Collani saß in dem Auto zusammen mit meiner Nichte Marie...«

»Marie?... Marie Cleman?... Chabis!« Studer wurde ärgerlich. Wollte ihn der Schneider Meckmeck zum besten halten? Marie zusammen mit dem Hellseherkorporal? In einem Basler Auto?...

»Und er trug einen blauen Regenmantel...«, sagte der Pater, mehr für sich.

Studer schwieg. Was hätte es auch für Wert gehabt, Fragen zu stellen? Es war ihm, als werde er in einen Wirbel hineingezogen: man wußte nicht mehr, was Lüge, was Wahrheit war. Halb unheimlich schien ihm der Mann in der weißen Kutte, und halb lächerlich. Eigentlich hätte man den Pater ins Kreuzverhör nehmen sollen: ›Warum habt Ihr die Tasse mit dem Somnifen-Kaffeesatz ausgespült? Warum seid Ihr in die Schweiz gekommen? Wann habt Ihr Marie in Basel verlassen?‹... Man sollte sich vergewissern, vor allem, ob der Mann wirklich ein Priester war... Mußten katholische Priester nicht jeden Morgen die Messe lesen? Studer erinnerte sich an diese Tatsache, die ihm Marie erzählt hatte...

»Wann sind Sie eigentlich in Bern angekommen?« fragte Studer. Er hatte die Frage schon einmal gestellt, er stellte sie wieder – und eigentlich hoffte er nicht, eine Antwort zu erhalten... Er behielt recht. Der Pater sagte: »Ich habe mit meiner Nichte zu Nacht gegessen. Dann bin ich gefahren...«

»Mit dem Zug?«

»Ich habe Ihnen schon gesagt, daß ich mit einem Taxi gefahren bin.«

»Und wo sind Sie abgestiegen? Wo haben Sie Ihr Gepäck gelassen?«

»Im Hotel zum Wilden Mann ...«

»Wo?« Studer schrie es fast. Er war mitten auf dem Trottoir stehengeblieben.

»Im Wilden Mann ...«, sagte Pater Matthias und in seine Augen trat eine ratlose Qual, wie früher schon, eine Qual, die sich nur allzuleicht in Tränen auflösen konnte.

»Im Wilden Mann!« wiederholte Studer und setzte sich wieder in Gang. »Im Wilden Mann!«

»Warum wundert Sie das, Inspektor?« fragte der Pater schüchtern. Merkwürdig heiser war seine Stimme. »Man hat mir das Hotel warm empfohlen. Hat es keinen guten Ruf?«

»*Man* hat es Ihnen empfohlen? Wer *man*?«

»Ich weiß es nicht mehr... ein Reisender auf dem Schiff, glaub ich ...«

»Sie haben das Hotel früher nicht gekannt?«

»Früher? Warum früher? Ich bin schon seit mehr als zwanzig Jahren in Marokko ...«

»Zwanzig Jahre? Und vorher?«

»Früher war ich im Ordenshaus. Es liegt in der Nähe von Oran, in Algerien. Ich bin mit achtzehn Jahren dort eingetreten ...«

»Sie haben nie von einem Mädchen gehört, das Ulrike Neumann hieß? Hä? Und das im Hotel zum Wilden Mann abstieg?«

Studer hatte gerade noch Zeit, den Pater aufzufangen, – mein Gott, wie mager war das Männlein! – dann stand er da, hielt die spärliche Gestalt in den Armen und blickte in ein Gesicht, das eine grünliche Farbe angenommen hatte, während sich die Haare des Schneiderbartes in des Wortes wahrster Bedeutung sträubten ...

»Sssä, sssä!« sagte Wachtmeister Studer, es waren Lockrufe, die er in seiner Kindheit beim Gustihüten gebraucht hatte. »Ssä ssä!« wiederholte er noch einmal. »Nimm di z'sämme! Bischt chrank?« Und fügte reumütig hinzu, er habe sich dumm benommen und der Pater möge ihm verzeihen, aber er habe nicht gedacht ...

»Schon gut«, sagte der Weiße Vater, und es war günstig, daß er zur Aussprache dieser beiden Worte die Lippen nicht brauchte – denn diese waren starr und weiß.

Rufe wurden laut: »Isch er chrank?« – »Was git's?« – »Eh, de arm alt Ma ...« – »Sicher isch er schier verfrore mit syne blutte Scheiche ...« – »Du Lappi, de isch es g'wohnt ...«

Studer wurde böse und forderte die hilfsbereiten Schwätzer auf, sich zum Teufel zu scheren. Er sei Manns genug, mit dem Alten fertig zu werden. Überhaupt wohne er in der Nähe und ...

»Gehen wir weiter«, sagte Pater Matthias laut und deutlich. »Und verzeihen Sie die Umstände, Inspektor. Wenn Sie mich ein wenig stützen, wird es schon gehen. Und bei Ihnen daheim werd' ich mich ein wenig wärmen können. Nicht wahr?«

In diesem Augenblick hätte Studer für das Männlein alles getan. Sogar den Ofen angeheizt im Wohnzimmer – den

Donner, der nie recht ziehen wollte... Immerhin, wer hätte glauben können, daß der Name der Ulrike Neumann den Pater so erschüttern würde – ein Name, den der Wachtmeister heute früh zum ersten Male gehört hatte... War der Mann Priester geworden, um den Mord an dem jungen Mädchen zu... zu... sühnen, ja: sühnen!... So sagte man wohl...

Aber der Daumen auf Herrn Rosenzweigs Photographie hatte eine Narbe gehabt... und des Paters Daumen waren glatt...

Cleman – Koller... Koller – Cleman... Ein Sohn aus erster Ehe? Wie hatte der Wachtmeister in Basel gesagt? »G'späßige Familienverhältnisse!« Ganz richtig! Die Verhältnisse in der Familie Koller – oder hieß sie Cleman, die Familie? – waren mehr als nur g'späßig! Sie waren sonderbar, merkwürdig, verzwickt, unklar...

Und die Bise pfiff über die Brücke! Es besserte auch kaum, als die beiden in die Thunstraße einbogen. Studer stützte seinen Begleiter. Nicht nur nebeneinander spazierten sie durch die Stadt Bern – nein, Arm in Arm! Aber der Wachtmeister hatte keine Zeit, sich zu genieren vor den Bekannten, die ihn vielleicht sahen.

Vor seiner Wohnungstür angelangt, schnupperte Studer in der Luft. Es roch nach gebratenen Zwiebeln! Das Hedy war zurückgekehrt!... Der Wachtmeister stellte diese Tatsache mit ungeheurer Befriedigung fest. Nun war alles gut – und sicher war auch der grüne Sternsdonner im Wohnzimmer geheizt!...

Frau Studer stand schon bereit, als der Wachtmeister die Türe aufstieß. Sie war nicht weiter erstaunt über den

Besuch, den ihr Mann da angeschleppt brachte, sondern harrte geduldig einer Erklärung. Ihre Hände lagen, zwanglos gefaltet, auf ihrer weißen, gestärkten Schürze. Als sie aber sah, daß der merkwürdige kleine Mann, der mit einer weißen Kutte angetan war – und unten ragten die nackten Füße hervor – sich fest auf den Wachtmeister stützte, um nicht umzufallen, kam sie eilig herbei und fragte, beruhigend und mütterlich:

»Ist er krank? Kann ich helfen?«

Sie wartete eine Bestätigung gar nicht ab, sondern packte den Pater resolut unter den Armen, führte ihn ins Wohnzimmer, legte ihn aufs Ruhebett. Dann waren plötzlich Decken da, ein frischüberzogenes Kissen, eine Wärmflasche und neben dem Ruhebett dampfte auf einem Küchenstuhl eine Tasse Lindenblusttee. Auf dem Boden standen nebeneinander die beiden Sandalen, ihre Riemen waren dünn und abgewetzt, die Sohlen wölbten sich vorne nach aufwärts. Frau Studer hatte die Hände wieder leicht über der Schürze gefaltet und meinte kopfschüttelnd:

»Wie weit die haben wandern müssen! Gell, Vatti, man sieht's ihnen an!«

Studer brummte etwas ... Er haßte es, wenn seine Frau ihn vor fremden Leuten »Vatti« nannte – übrigens machte sie die Sache sogleich wieder gut, denn sie sagte:

»Weischt, Köbu, ich hab' dir gestern abend zweimal angeläutet und dann noch einmal heut morgen aufs Amtshaus.« Aber sie habe ihn nirgends verwütschen können ...

Er habe eben viel Arbeit gehabt, sagte Studer und fand endlich Zeit, seine Frau auf die Stirn zu küssen. Diese Stirn war hoch und glatt, faltenlos, ein Scheitel teilte die Haare, sie bildeten im Nacken einen Knoten und waren braun und glänzend, wie frisch aus der Schale gesprungene Kastanien. Niemand, dachte Studer, würde dem Hedy die Großmutter ansehen...

Die Scheschia, der rote verpfuschte Blumentopf, lag neben dem Kranken. Frau Studer hob sie zerstreut auf, stülpte sie über den Zeigefinger der Rechten und gab ihr mit der Linken kleine Stöße, bis sie zum Kreisen kam. Als sie aufblickte, sah sie auf dem Gesichte des Paters ein schüchternes Lächeln. Da mußte auch Studer lachen.

»Sehen Sie, Inspektor«, sagte Pater Matthias, »es ist wirklich das einzige Spiel, zu dem eine solche Kappe taugt, und die magere Lady ist ganz zu Unrecht nervös geworden... Verzeihen Sie, Inspektor, verzeihen Sie die Umstände, Madame, ein Fieberanfall, der mich auf offener Straße gepackt hat... Der Klimawechsel, wahrscheinlich – die Kälte...«, und das kleine Gesicht mit den fiebrig glänzenden Augen darin schien diese Version des Vorfalls zu bestätigen.

»Fieber!« brummte Studer, als seine Frau das Zimmer verlassen hatte. »Fieber ist eine gute Ausrede... Warum löst ein Name...«

»Bitte, Inspektor, schweigen Sie jetzt!« sagte da Pater Matthias, und er sprach energisch, wie einer, der weiß, was er will. »Es ist unchristlich, einen Kranken zu plagen – und vielleicht habe ich Ihr Vertrauen doch noch nicht ganz verscherzt – vielleicht glauben Sie mir noch, daß ich Ihnen kein Theater vorspiele...«

»Hm!« brummte Studer, noch nicht völlig versöhnt,

noch nicht ganz überzeugt. Aber nicht umsonst wandte man sich an seine menschlichen Gefühle ...

»Wir haben ...«, sagte er leise, »in der Schweiz noch nicht die Methoden unserer Nachbarstaaten eingeführt. Schließlich ... Wollen Sie ins Spital, Herr Koll ... eh ... Pater Matthias?«

»Nein, nein, das geht vorüber. Warten Sie, ich muß irgendwo noch pulverisierte Chinarinde haben ... Hab' ich sie im Hotel gelassen? Nein ... Da ist sie ...« Er zog eine runde Blechbüchse – wie sie sonst für Hustenbonbons gebräuchlich ist – aus irgendeiner andern tiefen Tasche, schüttete etwas von dem braunen Pulver in den Tee, rührte um und trank die Mischung ... Plötzlich stellte er die Tasse mit lautem Geklirr wieder ab und starrte auf ein kleines Nähtischchen, das beim Fenster stand. Angst war in seinen Augen zu lesen ...

Aus der Küche kam Frau Studers Stimme: es sei ein Brief gekommen, er liege auf dem Tischli beim Fenster ...

Pater Matthias folgte aufmerksam jeder Bewegung des Wachtmeisters. Studer nahm den Brief, sah ihn an: eine unbekannte Frauenschrift. Poststempel: Transit. Auf dem Bahnhof abgegeben, oder direkt in den Zug geworfen ...

Studer riß die Enveloppe auf.

Ein einfaches Blatt:

»Lieber Vetter Jakob!

Beiliegend schicke ich Ihnen meinen Fund. Ich glaube, er wird Sie interessieren. Sie haben das Telephonbuch nicht sorgfältig genug durchsucht. Wie Sie sehen werden, kommt das leere Kuvert, das ich Ihnen schicke, aus Algerien. Aufgegeben wurde der Brief am 20. Juli vorigen Jahres in Géryville. Am 20. Juli! Am Todestage meines Vaters! – wenn auch die Fieberkurve anderer Meinung ist. Ich habe den Tod meiner Tante in Bern schon erfahren – Wie? Das darf ich Ihnen nicht verraten. Ich habe Angst. Darum will ich eine Zeitlang verschwinden. Suchen Sie mich nicht, lieber Vetter Jakob, es würde nichts nützen. Ich habe Ihnen alles erzählt, was ich Ihnen erzählen durfte. Sie müssen die Sache jetzt aufklären. Denn ich bin sicher, daß auch Sie nicht an die beiden Selbstmorde glauben. Sie werden meinen Onkel Matthias noch sehen, das weiß ich; grüßen Sie ihn von mir. Wenn es Sie interessieren kann, so hat er gestern mit mir im Bahnhofbuffet zweiter Klasse zu Nacht gegessen und ist gegen zwölf Uhr mit einem Taxi nach Bern gefahren. Ich wünsche Ihnen viel Glück.

Ihre Marie Cleman.«

Die Enveloppe, die dem Briefe beilag, war ziemlich zerknittert. Sie war adressiert an »Madame Veuve Cleman-Hornuss, Spalenberg 12, Bâle«. Auf der Rückseite der Absender: »Caporal Collani, 1er Régiment Etranger, 2ème Bataillon, Géryville, Algérie.« Und der Poststempel trug wirklich das Datum des 20. Juli...

Als Studer aufblickte, begegnete er den ängstlichen Augen des Weißen Vaters. Und ängstlich war auch die Stimme, mit welcher der Priester fragte:

»Schreibt Ihnen meine Nichte?«

Studer nickte nur stumm. Er saß am Fenster, in seiner Lieblingsstellung, die Ellbogen auf die gespreizten Schenkel gestützt, die Hände gefaltet. Und er dachte: ›Wenn dies wirklich der »Große Fall« ist, von dem ich jahrelang geträumt habe, so ist er unerlaubt verkachelt... Was verkachelt!... Verhext ist er! Aber wir werden ihn schon deichseln, und wenn wir nach Algerien fahren müssen oder nach Marokko...‹ Zu welchem stummen Selbstgespräch einzig zu bemerken wäre, daß Studer es mit den Königen und andern gekrönten Häuptern hielt... Er dachte nie »ich«, sondern »wir«...

Frau Studer kam mit der Suppenschüssel.

»Tuets-ech nid störe, Herr Mönch, wenn mr z'Mittag essed?«

Pater Matthias lächelte und Studer belehrte seine Frau, daß dies kein Mönch, sondern ein Pater sei... Frau Studer entschuldigte sich. Dann setzte sie sich ihrem Manne gegenüber und begann die Suppe zu schöpfen; gerade als der Wachtmeister den ersten Löffel zum Munde führte, hörte er vom Ruhebett her ein leises Gemurmel. Erstaunt blickte er auf... Pater Matthias hatte die Hände auf der Decke gefaltet und murmelte ein lateinisches Gebet...

»Benedicite...«

Darob wurden die beiden alten Menschen am Tisch so verlegen, daß sie ungeschickt die Hände vor ihren Tellern falteten...

Das Testament

Um zwei Uhr nachmittags betrat Studer das Bureau des Kommissärs an der Stadtpolizei. Er kannte sich dort aus, denn dies Bureau war während fünfzehn Jahren sein eigenes gewesen, bis ihn jene Bankgeschichte daraus vertrieben hatte. Aber Studer hatte es verstanden, sich die Freundschaft seines Nachfolgers zu erhalten.

Kommissär Werner Gisler bestand aus einem kahlen Kopf, der aussah, als werde er täglich mit Glaspapier geschmirgelt. Dieser Kopf saß auf einem gedrungenen Körper, der in Anzüge aus bäuerischem Stoff gekleidet war. Die Füße waren groß und steckten in Schnürschuhen, die Gisler sich nach Maß anfertigen ließ – denn er hatte Plattfüße ... In Gesprächen liebte er es, die Empfindlichkeit seiner Füße zu erwähnen, ein unerschöpfliches Thema für ihn, denn diese Empfindlichkeit schien ihm ein Beweis seiner aristokratischen Abstammung zu sein. Nun, das war weiter nicht schlimm, manche haben es mit dem Magen, andere mit der Verdauung, die dritten mit der Blutzirkulation – der Stadtkommissär hatte es mit den Füßen ...

Als Studer das Bureau betrat, war Gisler damit beschäftigt, seine Schuhe wieder zuzubinden. Es geschah unter Ächzen und Stöhnen, denn sein Spitzbäuchlein war ihm dabei im Wege. Nach der Begrüßung sagte er:

»Wenn Ihr wüßtet, Studer, wie diffizil das ist! Am Morgen zieht man die Schuhe an, man pressiert, man gibt nicht recht acht – und gleich hat man eine Falte in der Lederzunge. Man hat sie nicht recht gestreckt – und die Falte drückt einen, drückt einen den ganzen Tag! Immer denkt man an den Rumpf und hat dabei soviel Arbeit, daß man gar nicht dazu kommt, die Zunge zu glätten; man leidet, aber man geduldet sich, denn man denkt, einmal, im Lauf vom Tag, wird es schon eine Minute geben, um die Zunge glatt zu strecken ... Man kann nicht intensiv an irgendeine Arbeit gehen, weil der Gedanke an den Falt in der Zunge immer wieder dazwischen kommt. Nun bin ich endlich einen Moment allein und da kommt Ihr! Da müßt Ihr Euch schon 's Momentli gedulden ... Wißt Ihr, ich hab' so diffizile Füß!«

Studer drückte sein herzlichstes Beileid aus; er war es gewohnt, die Klagen seiner geplagten Mitmenschen, Kollegen, Freunde, Häftlinge, über sich ergehen zu lassen. Die Menschen mußten sich aussprechen, fand er, mußten über ihr Elend klagen dürfen, dann konnte man – wenn sie einmal mit den Klagen zu Rand gekommen waren – auch von ernsteren Dingen mit ihnen sprechen.

»Ich komm' da«, sagte er und nahm auf einem Stuhl Platz, »wegen der Geschichte in der Gerechtigkeitsgasse.«

»Gerechtigkeits ... gasse ...«, stöhnte Gisler und kämpfte mit dem Knoten seines Schuhbändels. Seine Glatze war purpurn und kleine Schweißtröpflein glitzerten auf ihr ...

»Ja«, sagte Studer geduldig – man muß mit den Menschen Geduld haben, besonders wenn sie dick sind und einen Schuhbändel knüpfen müssen ... »Gerechtigkeitsgasse 44.

Hornuss Sophie... Leuchtgas... Ich bin selbst in der Wohnung gewesen und muß mich entschuldigen, daß ich auf eigene Faust eine Untersuchung geführt habe...«

»Pfuuuh... ähh... pfuh...«, machte der Kommissär, richtete sich endlich auf, betrachtete mißtrauisch seinen Schuh und ließ die Zehen darin spielen; endlich sagte er:

»Ich glaub', es wird gehen – wenn nur der Socken keine Rümpf übercho hätt!« Es schien nicht der Fall zu sein, denn Gisler stellte seinen Plattfuß auf den Boden, blickte aus hellblauen Äuglein gar unschuldig in die Welt: »G'wüß!« sagte er und nickte bedeutungsvoll. »G'rechtigkeitsgass' 44. Sophie Hornuss! Äbe... Äbe...« Und der Wachtmeister sei also in der Wohnung gewesen und habe gewissermaßen eine kleine Privatuntersuchung – hähähä – geführt... also geführt. Das solle ihm unbenommen bleiben. Ganz recht habe der Wachtmeister gehabt, und sehr kollegial sei es, daß er die Resultate seiner Untersuchung nun ihm, dem Kommissär Gisler, unterbreiten komme... Und wie seien diese Resultate?

»Daß es sich um einen Mord handelt...«

»Ja, ja«, seufzte Kommissär Gisler, »ein Mord! Der Reinhard hat etwas Ähnliches behauptet... Soso, und Ihr meinet, Studer, Ihr meinet auch, daß es... ääh... ein Mord ist?«

Ja, sagte Studer, er meine das auch. – Dann könne man vielleicht den Reinhard rufen lassen? Oder? – Doch doch, man könne den Reinhard rufen lassen und vielleicht auch den Murmann. Der sei doch bei der Entdeckung der Leiche dabei gewesen... – Ganz richtig, den Murmann!

Und Kommissär Gisler hob den Hörer ab, ließ dem

Korporal Murmann und dem Gefreiten Reinhard bestellen, sie sollten sofort auf die Stadtpolizei kommen, hängte ab und trocknete sich die Schweißperlen von der Glatze.

Kriegsrat ... Studer wurde merkwürdigerweise von niemandem ausgelacht. Wahrscheinlich war der kleine Reinhard daran schuld, der von Anbeginn zum Wachtmeister hielt. Murmann versuchte zwar zuerst, die Sache ins Lächerliche zu ziehen und meinte, der Köbu spinne wohl wieder, aber da fuhr ihm der kleine Reinhard elend übers Maul ... Ihm sei es auch vorgekommen, sagte er, als ob beim Fall Hornuss nicht alles mit rechten Dingen zugegangen sei. Er habe die Auffälligkeiten übrigens in seinem Rapport vermerkt: das ausgebreitete Kartenspiel, den Klubsessel in der Küche, den schiefen Hebel am Gaszähler ...

– Wie denn die Polizei benachrichtigt worden sei? wollte Studer wissen, und der Gefreite Reinhard, eifrig an seiner Parisienne saugend, erklärte, ein Arbeiter, der bei der Sophie Hornuss Aftermieter gewesen sei, eine möblierte Mansarde, habe den Gasgeruch gespürt im Vorbeigehen und der Polizei angeläutet. Darauf seien sie zu zweit in die Gerechtigkeitsgasse gegangen. Und Studer solle erzählen, was er Neues entdeckt habe. – Hier unterbrach Murmann, um mitzuteilen, wie aufgeregt der Wachtmeister gewesen sei, am Morgen, als er ... Aber Murmann sprach dem vifen Reinhard viel zu langsam, der Gefreite fuhr seinem Korporal noch einmal übers Maul ... Der Wachtmeister solle jetzt erzählen! – Und auch der Stadtkommissär war dieser Meinung ... Er hatte eine Pfeife angezündet und hockte hinter seinem Schreibtisch. Von Zeit zu Zeit warf er besorgte Blicke auf seinen Schuh.

Und Studer erzählte; er sprach vom Geologen Cleman, der unter den Brüdern Mannesmann in Marokko gearbeitet hatte und seine Arbeitgeber dann verraten hatte, er sprach von der zweiten Frau, die in Basel einen ähnlichen Tod gefunden hatte, vom Somnifen auf dem Boden der Tasse im Schüttstein und von Herrn Rosenzweigs merkwürdigen Mutmaßungen über den Daumenabdruck ... Er erzählte vom Zusammentreffen mit dem Pater Matthias, der in Wirklichkeit Koller hieß, auch die Geschichte vom Hellseherkorporal vergaß er nicht zu erwähnen, – nebenbei nur, um anzudeuten, daß der Fall seine Fäden zog bis in entfernte Länder, – kam noch einmal auf Basel zu sprechen und daß er dort geschwiegen habe; denn schließlich sei er ein Berner Fahnder und die Basler sollten merken ...

»Daß sie blinde Hüng sind!« unterbrach der kleine Reinhard.

»Exakt!« bekräftigte der Kommissär und: »Sowieso!« brummte Murmann.

Man war einig: Dies war der »Große Fall«! Man war weiter einig: Der »Alte«, das war der kantonale Polizeidirektor, mußte aufgereiset werden! Das durften sich die Berner nicht entgehen lassen! ... Hahaha ... Das wäre gelacht! ... Und überhaupt – die Basler! ...

Kommissär Gisler ließ sich nicht mehr halten. Er telephonierte in die Beize nebenan und bestellte vier Flaschen Bier.

»G'sundheit, Studer!« – »Ja, der Köbu!«

Das war Balsam!

Neidlos wurde anerkannt, Studer sei der einzige, der diese Sache zu einem guten Ende führen könne... Wer hatte sonst Sprachkenntnisse, Beziehungen zu den französischen Behörden? Wer war mit einem Kommissär der Police Judiciaire befreundet?

Der Studer Köbu!

Also!... Was, meinte der mächtige Murmann, in Bern wurde ein seltsamer Mord begangen, und einen solchen sollte man den Baslern zuschanzen? Die einen Sanitätspolizisten geschickt hatten statt eines findigen Fahnders?

Aber wie den »Alten« überzeugen?

Denn – und dies war klar wie Gülle, meinte der kleine Reinhard, die Fäden reichten weit... Man würde sich in Basel erkundigen müssen, nach Paris telephonieren... Vielleicht, vielleicht würde es nötig sein, nach Géryville zu fahren, um die Rolle zu untersuchen, die ein gewisser Hellseherkorporal gespielt hatte... Nach Marokko gar?

Es könnte möglich sein, daß der Mönch, der Pater, der Weiße Priester – Stadtkommissär Gisler verhaspelte sich ein wenig – doch der Mörder war. Was dann? War er unschuldig und die Berner Polizei verhaftete ihn – nicht auszudenken war die Blamage, und vor der Wut des »Alten« hatten sie alle einen Heidenrespekt. Dann würden die lieben Eidgenossen in Luzern und Schwyz über die Berner herfallen, das »Vaterland« würde mit giftigster Feder schreiben!

Darum gab es nur eine Möglichkeit: Studer mußte den Fall übernehmen. Er hatte den Pater bei sich aufgenommen, ihn zurückgelassen unter der Obhut seiner Frau... Der Pater war die Hauptperson, er war, wie Gisler sagte –

der Kommissär hatte das Gymnasium besucht –, der »nervus rerum«, der Nerv der Dinge.

Und schleunigst wurde der junge Polizist im Vorraum angewiesen, sich in Zivil zu kleiden und die Wohnung des Wachtmeisters an der Thunstraße zu bewachen ...

Also: den »Alten« überzeugen. Aber wie?

Die Luft im Raume war blau und dick, aber keiner der vier Männer dachte daran, ein Fenster zu öffnen. Sie starrten vor sich hin und studierten, studierten, wie man dem Kollegen Studer Ellbogenfreiheit verschaffen könne ...

Was man wußte, genügte – aber es genügte nur für die drei Männer, die Studer überzeugt hatte. Drei Männer, die nicht viel zu sagen hatten: ein Kommissär von der Stadtpolizei, ein Fahnderkorporal und ein Gefreiter ... Keine Männer, deren Stimmen im Hohen Rat etwas galten – bescheidene Arbeiter, nichts weiter, klug waren sie, das wohl, vertraut auch mit ihrem Beruf ... Sonst nichts.

Es war Herr Rosenzweig, der die Lösung brachte. Er betrat das Bureau und prallte zurück:

»Die Fenster auf, der Lenz ist da!« sang er und mußte husten. Aber da keiner der vier Männer sich roden wollte, so mußte er eigenhändig das tun, wozu er melodisch aufgefordert hatte. Und ein Schwall staubgesättigter Stadtluft reinigte die Atmosphäre.

Nach einer Minute aber schon verlangte Kommissär Gisler, dessen empfindliche Füße die Kälte nicht vertragen konnten, man möge den »status quo« wieder herstellen und der kleine Reinhard schloß die Flügel.

»Ich habe«, sagte Herr Rosenzweig in seinem Bundesschweizerdeutsch, »bei Ihnen angeläutet, Wachtmeister, aber da hieß es, Sie seien fort und wahrscheinlich auf der Stadtpolizei zu finden. Ich bringe Ihnen etwas Merkwürdiges, sehr – sehr – Merkwürdiges.«

Murmann grunzte und meinte, das werde sicher etwas Apartiges sein. Aber Herr Altfürsprech Rosenzweig ignorierte den Fahnderkorporal Murmann. Er zog aus seiner Tasche zwei Blätter und legte sie sanft auf Studers Schenkel.

»Was sagen Sie dazu?« fragte er, und da keine Sitzgelegenheit mehr frei war, lehnte er sich gegen die Wand. Studer nahm die beiden Blätter auf – ein dickes, ein dünnes – und betrachtete sie. Das dickere war die Fieberkurve. Das andere war voll beschrieben, unterzeichnet. An der Ecke oben klebte eine Stempelmarke. Und Wachtmeister Studer überflog das Dokument. Dann hielt er es näher an seine Augen, las es zum zweitenmal, aufmerksamer, und es dauerte eine Weile, bis er mit dem Lesen fertig war.

Im Bureau war die Luft klar und durchsichtig. Durch das Fenster hörte man das Hupen vorüberfahrender Automobile und dazwischen von Zeit zu Zeit das langsame Klappen von Pferdehufen auf dem Asphalt. Sonst herrschte Stille. Kommissär Gisler beschäftigte sich mit einem Aktenumschlag, der kleine Reinhard hatte wieder eine Parisienne angezündet und Murmann stopfte umständlich seine Pfeife.

Aber alle drei hoben die Köpfe, als von der Stelle, an der Studer saß, ein merkwürdiges Geräusch kam, auf das am besten das gut bernische Wort »Grochsen« paßte: ein Tongemisch von Seufzen, Räuspern und verschlucktem Fluchen.

– Was los sei, erkundigte sich Kommissär Gisler und blickte erstaunt auf den Wachtmeister.

An der Wand aber lehnte der alte Rosenzweig, er ließ seine Zähne schimmern, die an vielen Orten mit Goldplomben geschmückt waren. Und nachdem er eine Zeitlang sein Lächeln hatte erstrahlen lassen, setzte er mit Fragen an, akademischen Fragen allerdings, auf die er keine Antwort zu erwarten schien ...

»Das haben Sie nicht vermutet, Wachtmeister, hä? Das nenn' ich eine Sensation, hä? Das übertrifft die Photographie meines ersten Fingerabdruckes, von dem es keine Doublette gibt, was?«

Er schwieg. Die Spannung der Polizeileute machte ihm Spaß. Als aber keiner der vier reden wollte – sie waren Berner und verstanden es, ihre Spannung unter gleichgültigen Mienen zu verbergen – plapperte er weiter.

»Sie wollen natürlich wissen, wie ich zu dem Dokument gekommen bin, Wachtmeister Studer. Ganz einfach. Sie haben mich gebeten, nachzusehen, ob ich auf dem Papier etwaige Fingerabdrücke feststellen könne. – Es gibt zwei Methoden: Joddämpfe oder ultraviolette Strahlen. Ich habe es mit meinem neuesten Apparat probiert – und was sah ich? Nicht nur zwei Fingerabdrücke – sie ähnelten übrigens wieder dem Fingerabdruck, mit dem ich meine Sammlung begonnen habe – nein, ich sah etwas anderes. Eine Schrift kam zum Vorschein! Eine Schrift!«

Herr Rosenzweig wartete und hoffte augenscheinlich auf eine Regung der Neugier, wenigstens bei einem seiner Zuhörer. Aber keiner tat einen Wank. Murmann balancierte auf einer Ecke des Schreibtisches, der kleine Reinhard betrachtete das glühende Ende seiner Zigarette, Studer zündete umständlich seine erloschene Brissago an und

Kommissär Gisler machte eifrig Notizen auf den Rand eines Aktenstückes. In der Stimme des Fürsprechs schwang Enttäuschung mit, als er fortfuhr:

»Eine Schrift! Wo konnte sich die Schrift befinden? Auf der einen Seite des Schriftstückes befand sich eine Fieberkurve, die andere Seite war weiß. Ich prüfte den Rand mit der Hand ... Zwei Dokumente waren zusammengeklebt worden. Wasserdampf. Trocknen. Und dann konnte ich das Testament lesen ...«

Da kam Leben in die vier.

»Testament?« fragte Gisler. »Chabis!« sagte Murmann. »Das chönnt ...«, meinte Reinhard, aber er beendete den Satz nicht.

Studer reichte das Schriftstück dem Kommissär Gisler. Ein Kopf links, ein Kopf rechts, im ganzen drei Köpfe beugten sich über das Schriftstück. Zum Überfluß las der Stadtkommissär noch halblaut.

MEIN TESTAMENT.

»Ich Endesunterzeichneter, Cleman Alois Victor, Geologe, von Frutigen, Bern, bestimme folgendes: Mein Vermögen, bestehend aus einem Stück Land in der Größe von acht Hektar, rund um das im südlichen Marokko gelegene Dorf Gurama, vermache ich zur Hälfte meiner Tochter Marie Cleman, geboren am 12. Februar 1907 zu Basel, und zur anderen Hälfte dem Kanton Bern zur freien Verfügung. Bei Annahme des Vermächtnisses verpflichtet sich der Kanton Bern dafür zu sorgen, daß der Erlös, der aus den besagten Grundstücken erzielt werden könnte, zur Hälfte meiner obengenannten Tochter zur freien Verfügung überwiesen wird. Der Kauf besagter Grundstücke ist ordnungsgemäß sowohl nach französischem Recht als auch nach dem in Gurama geltenden mohammedanischen Recht getätigt worden. Ich habe auf den in den fraglichen Dokumenten näher angegebenen Grundstücken das Vorkommen von Erdöl festgestellt und wird selbiges Land nach etwa fünfzehn Jahren einen annähernden Wert von zwei bis drei Millionen Franken repräsentieren. Die Dokumente, die meine Rechte auf besagtes Landstück beweisen, sind in einer Eisenkassette vergraben worden an einem Orte, der mit Hilfe des beigehefteten Dokumentes leicht zu entdecken sein wird. Ich habe Auftrag gegeben, daß besagtes Dokument zusammen mit meinem Testament fünfzehn Jahre nach meinem Tode an meine Gemahlin, Frau Josepha Cleman-Hornuss, Basel, Rheinschanze 12, gesandt wird. Falls an diesem Zeitpunkt meine Frau gestorben sein sollte, so ist Vorsorge getroffen, daß meine Tochter in den Besitz des Dokumentes gelangt.

Fez, 18. Juli 1917. sig. Alois Victor Cleman.«

Stadtkommissär Gisler lehnte sich zurück und begann mit seinem Bleistift auf seinen Zähnen Xylophon zu spielen. Murmann richtete sich auf und verschränkte die Arme über der Brust, der kleine Reinhard fischte ein kanariengelbes Päckli aus seiner Hosentasche und klopfte gedankenvoll eine Zigarette auf seinem Daumennagel zurecht. Die Stille im Raum wurde durch Altfürsprech Rosenzweig unterbrochen, der trocken meinte:

»Ich weiß nicht, ob die Herren wissen ...« – »Die Herren«, sagte er! –, »daß sowohl Shell als auch Standard-Oil um neue Ölfelder kämpfen wie im Mittelalter der Teufel und der liebe Gott um eine arme Seele... So daß allen menschlichen Berechnungen zufolge die von Herrn Cleman erworbenen Petroleumfelder wahrscheinlich das Drei- oder Vierfache wert sind... Nicht zwei Millionen – nein, sechs oder acht... Und zwar Schweizerfranken... Das brächte dem Kanton Bern drei bis vier Millionen ein... Und da der Kanton als Testamentsvollstrecker vorgesehen ist, so wird diese Summe noch erhöht durch die Provision, die der Kanton verlangen kann... Viereinhalb Millionen... Nicht übel? Was?«

»Und das Testament ist rechtsgültig?« fragte Kommissär Gisler.

»Nach französischem Recht so rechtsgültig als möglich. Es ist olograph. Von der Hand des Testators geschrieben, datiert, signiert. Und da es sich, vom Standpunkt des internationalen Rechtes, besonders um die Haltung Frankreichs handeln wird, so brauchen wir uns keinen Kummer zu machen. Ich glaube, der Kanton wird das Geld brauchen können.«

»Deich wou!« sagte Murmann trocken und zündete seine Pfeife an.

Der kleine Reinhard meinte, mit diesem Dokument werde man den »Alten« schon zur Vernunft bringen.

Studer schwieg. Er dachte verschwommen an viele Dinge. An Marie, die nun reich sein würde, an ein Sprichwort, das von einem Esel handelte, der aufs Eis tanzen ging, weil es ihm zu wohl war – und er verglich sich mit diesem Esel; er dachte weiter an die Bankgeschichte, die ihm den Kragen gekostet hatte: wie schön wäre das, wenn er nun seine Revanche nehmen und dem Staat Bern ein Vermögen zuschanzen könnte... Dann würden die bösen Mäuler plötzlich verstummen, und seine Ernennung zum Polizeileutnant wäre sicher. Aber bis dahin floß noch viel Wasser d'Aare-n-ab. Es war keine einfache Sache...

Ein hartes Pochen an der Tür schreckte ihn aus seinem Grübeln. Der Polizeirekrut meldete sich zurück. Er war in Studers Wohnung gewesen, so berichtete er, und Frau Studer habe ihm gesagt, Pater Matthias sei schon um halb drei Uhr fortgegangen. Sein Fieberanfall sei vorbei gewesen.

Dies alles rapportierte der Polizeirekrut mit geschlossenen Absätzen, in tadelloser Achtungstellung, und die Mittelfinger seiner beiden Hände hatte er an die blauen Passepoils seiner Uniformhose gepreßt.

»Abtreten!« sagte Kommissär Gisler bloß. Aber Studer stand auf. An der Türe sagte er:

»Gisler, du bringst die Sache mit dem ›Alten‹ ins reine. Ich möcht' morgen früh mit ihm sprechen. Sag ihm das. Ich hab' heut noch viel zu tun. Und dann Gisler, schau, daß mir der Polizeihauptmann sein Bureau und sein Telephon um sechs Uhr überläßt. Ich werd' eine Stunde zu telephonieren haben. Du stehst ja ganz gut mit ihm.«

Dann fiel die Tür zu. Der Stadtkommissär betrachtete nachdenklich seine empfindlichen Füße. Er studierte, studierte... Es war das erstemal, daß der Wachtmeister ihn duzte, und Gisler überlegte sich, ob er diese Familiarität als Schmeichelei oder als Beleidigung werten solle. Er entschloß sich zu ersterem: das Duzen war sicher ein Zeichen der Anerkennung für sein diplomatisches Geschick; daß aber der Held des »Großen Falles« so brüderlich zu ihm gesprochen hatte, erfüllte Gislers Herz mit Stolz und verdrängte auf fünf Minuten den anderen Stolz, den Stolz auf die aristokratische Empfindlichkeit seiner Füße . . .

Kanalräumen

Sicuro«, sagte Dr. Malapelle vom Gerichtsmedizinischen. »Barbitursäure. Kein Zweifel! Massive Dosis. Somnifen. Ja ja, ich glaube, obwohl das nicht genau festzustellen ist. Mir schien es, als rieche der Mageninhalt stark nach Anis. Und da ich kein barbitursäurehaltiges Schlafmittel mit Anisgeruch kenne – außer Somnifen –, so ist es erlaubt, den Schluß zu ziehen. Übrigens, die Frau hätte nicht mehr lange gelebt. Schwere Endocarditis – oder, wenn Ihr Laienverstand, Inspektor, dies besser begreift, das Herz der alten Dame war schwach, schwächer, am schwächsten. Eine Aufregung – e poi ... Ja ... Ob sie es freiwillig geschluckt hat? ... Vielleicht, wahrscheinlich. Selbstmord ist wirklich nicht ausgeschlossen. Aber Sie glauben an einen Mord? Romantiker! Wenn's Ihnen Freude macht!«

Da erzählte Studer von der Schnur und von den Spuren an der Kante des Schlüsselloches.

»Fantasmagoria!« meinte Dr. Malapelle ärgerlich. »Sie haben Einbildungskraft, und die Einbildungskraft geht mit Ihnen durch! Nehmen Sie sich zusammen!«

Da zog Studer die Fieberkurve aus der Tasche, das Testament hatte er dem Kommissär gegeben, und zeigte sie dem Arzte. Der runzelte die Stirn und sagte:

»Was ist das? Entweder stimmt die Diagnose nicht,

oder... Das ist doch keine Malariakurve! Weder Tertiana noch... Und dann, vedi, ispettore! – entweder hat die Schwester mangelhaft gemessen, oder... Statt die Zehntelsgrade anzugeben, gibt sie überall nur die Viertel-, Halb- und Ganz-Grade an: Sehen Sie selbst: 36,75, 39,5, 38,0. Das gibt es nicht. Auch wenn man in Betracht zieht, daß diese Fieberkurve aus einem Kolonialspital stammt, das außerdem noch von französischen Ärzten betreut wurde... Immerhin... pure... Merkwürdig... singolare... Es gibt doch nicht mehr Arbeit, die Zehntelsgrade zu notieren...«

Dem Wachtmeister Studer stak ein verstohlenes Lächeln in den Mundwinkeln.

»Danke, dottore«, sagte er, »mille grazie... Darf ich noch die Leiche der Sophie Hornuss sehen?«

...Ein faltiges Gesicht – und es drückte Schrecken aus. Es war aufgedunsen... und neben dem linken Nasenflügel saß keine Warze...

Hotel zum Wilden Mann. Studer fragte den Portier, ob er Pater Matthias sprechen könne. Hochwürden sei noch nicht heimgekehrt, hieß es. Da sah man wieder einmal, wie wohlerzogen Hotelportiers waren! Natürlich! Einen Priester nannte man Hochwürden. Aber das Hedy sagte: »Herr Mönch!«

Ob er das Zimmer, das der Pater belegt habe, einmal sehen könne, wollte Studer wissen und zeigte seine Legitimation. Sie erwies sich als unnötig. Man kannte ihn. Der Chef de Réception, der in der Halle mit Nichtstun beschäftigt war, wurde herbeigerufen und hatte nichts dagegen, daß Studer das Zimmer des Paters in Augenschein nahm.

Erster Stock, zweiter Stock, dritter Stock... So ein Lift war doch etwas Kommodes. Man brauchte keine Stiegen zu steigen, man brauchte seinen Schnauf nicht unnütz zu verschwenden.

Nummer 63. Der Liftboy kam mit, er wartete, und Studer wäre so gerne allein geblieben! Aber ein Zweifrankenstück wirkte Wunder. Plötzlich war der Gröggu verschwunden.

Auf der Glasplatte über dem weißen Porzellanbecken lehnte eine einsame Zahnbürste im Wasserglas. Daneben lag ein Stück billige Seife. Ein Handtuch war gebraucht worden. Und auf einem Stuhl stand ein mäßig großer Koffer aus brauner Vulkanfiber. Als Studer ihn öffnete, lagen darin, sorgfältig zusammengelegt:

Ein blauer Regenmantel, ein ordinärer grauer Konfektionsanzug, ein gebrauchtes, weißes Hemd mit weichem Kragen, eine billige Krawatte und ein Paar schwarze Halbschuhe...

Ausgebreitet auf dem Bette war ein blauer Pyjama, wie man ihn für fünf Franken in der Epa kaufen konnte.

Ganz leise pfiff Studer den Bernermarsch. Und dann verließ er das Zimmer. Er warf noch einen Blick zurück und da fiel ihm etwas auf. Ein braunes Etwas lugte aus der Falte heraus, die von der Lehne und vom Sitz des Fauteuils gebildet wurde. Der Wachtmeister trat näher. Das Ding war fest eingeklemmt. Studer zog es mit einiger Mühe heraus.

Ein Fläschlein. Somnifen. Leer. Er ließ es in seiner Rocktasche verschwinden...

»Wann ist der Pater angekommen?«

Der Portier konnte keine Auskunft geben. Wahrscheinlich in der Nacht, meinte er. Sein Kollege werde Bescheid wissen, aber der schlafe jetzt. Ob es nicht Zeit habe bis später?

Studer nickte und verließ das Hotel, begleitet vom Chef de Réception, der ihm den tuusig Gottswille anhing, doch nur ja nichts verlauten zu lassen, wenn das Hotel in irgendeine Kriminalsache verwickelt sei. Er werde sich erkenntlich zeigen, sagte der Chef, der scharf nach Brillantine roch, aber der Herr Wachtmeister müsse begreifen, wie sehr die Geschichte dem Hotel schaden könne ...

Studer bremste den Redefluß, indem er noch einmal umkehrte und das Gästebuch zu sehen verlangte.

»Koller Max Wilhelm, geb. 17. März 1876. Missionar.«

Missionar... Studer stand da, die Fäuste unter dem Raglan in die Seiten gestemmt, und blickte auf den Namen, den er heute früh, schon einmal, in einem Paß gesehen hatte.

Pater Matthias alias Koller Max Wilhelm besaß einen Bruder, Cleman Alois Victor, der sich als Geologe und Denunziant betätigt hatte – Schweizer war er auch gewesen – und dann war er an einem malignen Tropenfieber zu Fez gestorben und in einem Massengrab verscharrt worden. Dieser Cleman betätigte sich nun, nach Angaben seines Bruders, als Gespenst. Er sprach durch den Mund eines Hellseherkorporals, er drohte, drei Monate im voraus, seine beiden Frauen zu ermorden – und er beging die Morde auch. Pfeifende Morde, wenn man so sagen durfte. Das Gas pfiff aus den geöffneten Brennern und der Haupthahn war halb geöffnet, er bildete einen Winkel von fünfundvierzig Grad ...

Eine alte Frau in Basel, eine alte Frau in Bern ... Die Sophie war reich gewesen, warum hatte der Geologe der »G'schydene« mehr Geld gegeben als der Rechtmäßigen? Warum hatte die Rechtmäßige mit ihrer Tochter Not leiden müssen in einer Einzimmerwohnung mit einer winzigen Küche, die eigentlich gar keine Küche war, sondern nur ein Durchgangskorridor, während die »G'schydene« in guten Verhältnissen gelebt hatte – Zweizimmerwohnung, verschnörkelte Möbel, Gasofen mit Grill und Backröhre? ...

In Basel war nur ein zweiflammiges Réchaud vorhanden gewesen und über ihm hatte ein windschiefes Gestell gehangen mit alten Blechbüchsen, an denen das Email abgebröckelt war: »Salz«, »Kaffee«, »Mehl«. Gutmütige Menschen haben es schwer auf der Welt. Sie werden stets übertölpelt. Während die anderen, mit den schmalen Mündern, mit den höhnischen Augen, ihr Wissen verwerten.

Die Josepha hatte ihren Mann sicher nie geplagt. Aber die Sophie? Warum die Scheidung nach einem Jahr schon? Wissen ist nicht nur Macht, wie der beliebte Gemeinplatz lautet, Wissen bringt auch Geld ein. Wissen ist die Grundlage für eine schlau angelegte Erpressung. *Kann* die Grundlage sein ...

Jede Handlung läßt sich begründen – und wenn der Grund nicht im Bewußten gefunden werden kann, so muß man ihn im Unbewußten suchen. Dies hatte der Wachtmeister von der Berner Fahndungspolizei einmal gelernt, als er einen Fall hatte aufklären müssen, der in einem Irrenhaus spielte. Ein Psychiater hatte es auf sich genommen, ihm den Unterschied zwischen bewußt und unbewußt recht drastisch einzubleuen.

Der Portier des Hotels zum Wilden Mann wunderte sich

über den schweigsamen Fahnder, der sich an dem Gästebuch festgesehen hatte...

»Koller Max Wilhelm, geb. 13. März 1876 in Freiburg, Missionar, von Paris nach Paris...«

Geboren am 13. März 1876, somit sechsundfünfzig Jahre alt, – er sah älter aus, der Pater Matthias mit dem Schneiderbärtchen. Am 13. März. Der Dreizehnte war ein Unglückstag. Mit achtzehn Jahren war er in den Orden der »Weißen Väter« eingetreten, ein Orden, der vom Kardinal Lavigerie gegründet worden war, um die Mohammedaner zu bekehren. Eine hoffnungslose Angelegenheit, wie der Pater selbst sagte. Im Jahre 1917 war der Pater mithin einundvierzig Jahre alt gewesen. Und er stammte aus Freiburg...

Freiburg... In Freiburg hatte auch die Ulrike Neumann gelebt. Die Ulrike Neumann, die mit einem Unbekannten in Bern ein Verhältnis gehabt hatte und dann gestorben war, nach dem Genuß von KCN, von Cyankalium. Und getroffen hatte sie sich mit ihrem Liebsten im Hotel zum Wilden Mann...

Der Portier mit dem tadellosen Scheitel, der so streng nach Brillantine roch, fuhr zusammen, als der stumme Mann plötzlich den Mund auftat und ein wenig heiser befahl:

»Rufen Sie mir den Direktor!«

»Ich weiß nicht, ob der Herr Direktor augenblicklich zu...«

»Rufen Sie mir den Direktor!« Ein Widerspruch ließ sich nicht gut anbringen.

»Ich werde sehen, ob es möglich...«

»Ich erwarte den Direktor in drei Minuten. Führen Sie

mich in sein Bureau!« Wachtmeister Studer sprach Schriftdeutsch. Der Portier verschwand. Und Studer marschierte ruhigen Schrittes auf eine Türe zu; eine Milchglasscheibe im oberen Teil; darauf in schwarzen Buchstaben: »Direktionsbureau«.

Zwei Minuten und dreißig Sekunden. Dann stand vor ihm ein O-beiniges Männchen mit einem Spitzbauch, das sich unaufhörlich die Hände rieb.

»Ich möchte«, sagte Studer und erwiderte die freundliche Begrüßung mit einem zerstreuten Kopfnicken, »die Gästebücher der Jahre 1902 und 1903 sehen.«

»Ich weiß nicht«, sagte das spitzbäuchige Männchen, »ob mir dies möglich sein wird. Ich habe das Hotel erst 1920 übernommen und da wird es ...« Weiter kam er nicht.

»Wenn die verlangten Bücher nicht innerhalb einer Viertelstunde hier auf dem Tisch liegen«, sagte Studer und klopfte mit der Hand auf eine rote Plüschdecke, die den Tisch inmitten des Direktionsbureaus überdeckte, »so telephoniere ich an die Stadtpolizei. Sechs Fahnder übernehmen dann die Suche – und ich garantiere Ihnen, daß *meine* Leute die Bücher finden werden. Nur wird das einen kleinen Skandal geben, es wird unmöglich sein, Ihre Gäste in Unwissenheit darüber zu lassen, daß bei Ihnen eine polizeiliche Untersuchung vorgenommen wird. Inwieweit«, »Inwieweit«, sagte Studer, »dies Ihrem Kredit nützen oder schaden wird, dies festzustellen überlasse ich Ihnen. Vielleicht wird es eine ausgezeichnete Reklame für Ihr Hotel sein ...« Und schwieg.

Das O-beinige Männlein jammerte, jammerte herzerweichend. Studer hatte seine dicke Silberuhr auf den

Tisch gelegt. Nach einer Weile sagte er: »Sie haben noch zehn Minuten.« Das Männchen begann Flüche zu murmeln und Verwünschungen, Drohungen auch mit Großräten und Nationalräten und Ständeräten und Bundes ...

»Sieben Minuten«, sagte Studer. Da fiel die Glastüre schmetternd ins Schloß hinter dem O-Beinigen.

Nach fünf Minuten lagen drei verstaubte Bücher vor Studer. Der Wachtmeister zog einen Stuhl heran und begann zu blättern. Jänner 1902 – nichts. Horner – nichts. März – erster, zweiter, dritter ... Am zehnten: Neumann Ulrike, 21. Juni 1883, Freiburg ... Eine Nacht. Kein Männername in der Nähe.

Und im April tauchte die Ulrike Neumann wieder auf, im Mai, im Juni, im Juli ... Immer allein.

Endlich: am 23. September stand gerade unter dem Namen der Ulrike Neumann ein Männername: Koller Victor Alois, 27. Juli 1880, stud. phil., Freiburg ...

Oktober das gleiche, November auch. Im Dezember zwischen dem Namen der Ulrike Neumann und dem Namen des Koller Victor Alois die Namen dreier Gäste. Im Dezember auch. Im Januar 1903 die gleiche Schrift.

Dann, in den folgenden Monaten, fehlte der Name des Mannes. Er tauchte nicht mehr auf. Auch seine Schrift ... eine eigenwillige Schrift, mit einem deutlich eingerollten Schnörkel – fehlte. Das ganze Jahr 1903 war die Schrift sowohl als auch der Name nicht mehr zu finden. Aber regelmäßig, alle vierzehn Tage, tauchte der Name der Ulrike Neumann auf. Zum letztenmal am 27. Juni. Dann nicht mehr.

Koller Victor Alois ... Man brauchte kein Graphologe

zu sein, um festzustellen, daß der Mann, der seinen Namen ins Gästebuch eingetragen hatte, auch der Verfasser des Testamentes war ... Jenes Testamentes, das ein Vermögen von einigen Millionen zwischen dem Kanton Bern und der Marie Cleman teilte ...

Aber – und dies war das Merkwürdigste – weder die Schrift des Testamentes noch die Schrift im Gästebuch hatte auch nur die geringste Ähnlichkeit mit der Schrift auf der Enveloppe, die an »Madame Josepha Cleman-Hornuss, Spalenberg 12, Bâle« adressiert war.

Sie hätte, die eigenwillige, egoistische Schrift, eher noch der Schrift geglichen, die ins Gästebuch geschrieben hatte:

»Koller Max Wilhelm, 13. März 1876 in Freiburg, von Paris nach Paris.« Der Schrift Pater Matthias'!

Außer dieser Ähnlichkeit der Schriften war da noch ein Handkoffer aus Vulkanfiber, enthaltend: einen blauen Regenmantel, einen billigen grauen Konfektionsanzug, ein gebrauchtes weißes Hemd mit weichem Kragen, eine geschmacklose Krawatte, ein Paar Socken, ein Paar schwarze Halbschuhe ...

Pater Matthias alias Koller Max Wilhelm aber war verschwunden. Er hatte sich nach Überwindung eines Fieberanfalls verflüchtigt.

Auf der roten Plüschdecke lag noch immer Wachtmeister Studers dicke Silberuhr. Sie zeigte halb fünf. Auf dem Schreibtisch beim Fenster aber stand ein Telephon. Und in einer Ecke des Zimmers, eingeschüchtert, schweigsam, der Direktor des Hotels ›zum Wilden Mann‹.

»Sie erlauben?« fragte Studer, trat zum Schreibtisch und stellte auf der Scheibe eine Nummer ein.

»Du, los einisch«, Studer sprach breites Bärndeutsch. Nach einer Pause fuhr er fort: Ob ein Mönch in einer weißen Kutte sich auf dem Bahnhof gezeigt habe? ... Ja? ... Wann? ... Den Fünfzehn-zweiundzwanzig nach Genf? ... Aha ... Ganz recht! ... Kein Gepäck? ... Nur einen Brotsack? ... »Märci denn, Fridu!« Der Postenchef vom Bahnhof Bern schien einen Witz gemacht zu haben, denn Studer lachte. Es war ein gezwungenes Lachen und kam nicht von Herzen. Und dann legte der Wachtmeister den Hörer auf die Gabel. Er wandte sich um und teilte dem Direktor trokken mit, ein Gast seines Hotels sei durchgebrannt. Ja, der Missionar. Er habe seine Rechnung nicht bezahlt? ... Keine Sorge darum! ... Der Betrag werde wohl in den nächsten Tagen eintreffen – per Mandat wahrscheinlich – und mit Trinkgeld. Pater Matthias habe nicht den Eindruck eines Zechprellers gemacht? ... Nein, nein, durchaus nicht. Wahrscheinlich habe er ein Telegramm erhalten ... Es sei für ihn kein Telegramm im Hotel abgegeben worden? ... Das habe gar nichts zu sagen. Sicher habe der Missionar es an einer Privatadresse abgeholt ...

Studer schmunzelte über das Gebaren des O-beinigen Männchens. Händereibend trabte es im Zimmer auf und ab, umkreiste den Schreibtisch, zog die Kreise enger und enger um den davorstehenden Armstuhl, den des Wachtmeisters mächtige Gestalt verdeckte, endlich ... endlich schlüpfte das Männchen unter Studers Arm durch und ließ sich aufatmend auf den Sitz plumpsen.

»Ich glaube«, sagte der Direktor und zog einen Füllfederhalter aus dem Behälter, der den Schreibtisch zierte, »daß ich der Behörde mein Entgegenkommen genügend bewiesen habe. Darf ich Sie bitten, Wachtmeister, nun mein Bureau zu verlassen?«

Studer schnaufte durch die Nase. Der richtige Bureauhengst, dieser Direktor! Der Schreibtischstuhl mit dem beweglichen Sitz war sein Thron, auf ihm war der Spitzbauch plötzlich unantastbar, Diktator, Herrscher, Kaiser – kleiner Kaiser. Der Stuhl allein gab ihm Würde und Sicherheit... »Gewiß, Herr Direktor«, und Studer verbeugte sich übertrieben tief. Und dann war er plötzlich verschwunden. Der Direktor hatte nicht einmal das Schließen der scheppernden Glastür gehört...

Der Polizeihauptmann war heimgegangen, und das war günstig. So konnte man nicht nur das Telephon benutzen, sondern auch das weiße Löschblatt der Schreibunterlage. Denn Telephonieren ohne Kritzeln ist kein richtiges Telephonieren...

Studer brachte das Fräulein vom Fernamt zur Verzweiflung, und so vertieft war er in diese Beschäftigung, daß er für nichts anderes Ohren hatte, weder für das Pfeifen der Bise draußen vor den Fenstern noch für das Pochen an der verschlossenen Tür. Mochten seine Kollegen sich die Knöchel wundklopfen am versperrten Heiligtum des Polizeihauptmanns – mochte der Wind die Ziegel aller Hausdächer in der Bundeshauptstadt auf die Straße blasen – Wachtmeister Studers Linke hatte den Hörer ans Ohr gepreßt, während die Rechte wunderbare Traumlandschaften auf dem Fließblatt entwarf. Palmen... Palmen... Fabeltiere, die vielleicht Kamele darstellten, aber eher buckligen Säuen glichen, und daneben Menschen in wallenden Gewändern mit vertätschten Blumentöpfen auf den Köpfen...

Durch die Gänge des Amtshauses aber schlich ein Raunen: »Dr Köbu spinnt...«

»Stadtpolizei Basel... Dringend... Autonummer BS 3437... Besitzer des Autos feststellen, eventuell an wen vermietet... Halt, Fräulein, wir sprechen noch... Nachforschen, in welchem Hotel Pater Matthias – reist mit Paß Koller Max Wilhelm – abgestiegen ist... An welchem Tag weitergereist... Garagen, Taxichauffeure anfragen, ob ein Mann mit folgendem Signalement: Klein, weiße Mönchskutte, rote Kappe, Sandalen, graumelierter Bart, ein Auto nach Bern gemietet hat... Bitte um telephonische Antwort Kantonspolizei Bern... Ja, Fräulein, mit Basel bin ich fertig. Loset einisch: Priorität Sûreté Paris... Ihr lütet a? Guet eso... Märci...«

Ärzteverzeichnis... Und während man im Ärzteverzeichnis blättert, denkt man über die Nummer des Autos BS 3437 nach. Das Auto hat man gesehen, der Pater hat behauptet, Marie und der Hellseherkorporal seien darin gewesen... Hat der Pater geschwindelt?...

Ärzteverzeichnis: das Quartier um die Gerechtigkeitsgasse... Junkerngasse, Metzgergasse... Dr. Schneider... Dr. Wüst... Dr. Imboden...

»Dr. Schneider? Nicht daheim? Märci.« – »Dr. Imboden? – Kantonspolizei. Haben Sie eine Frau Hornuss, Gerechtigkeitsgasse 44, behandelt?... Ja?... Nervöse Schlaflosigkeit... Depressionen... Was haben Sie verschrieben? ... Somnifen?... Märci, Herr Doktr... Datum des letzten Rezepts? ... 30. Dezember... A bah! Jaja, die Frau, die Selbstmord begangen hat... Sie haben das vorausgesehen? ... Märci, Herr Doktor, gueten Abig.«

»Katholisches Pfarramt Bern? Eine Frage: Ein ordinierter Priester, auch wenn er einem Orden angehört, ist doch verpflichtet, jeden Morgen die Messe zu lesen ... Ja? ... Hat ein gewisser Pater Matthias vom Orden der Weißen Väter vorgesprochen? Heut morgen? ... Soso ... Um wieviel Uhr? ... Sechs Uhr? Märci, Herr Pfarrer, nüt für unguet ...«

»Angemeldetes Gespräch mit Paris ... Märci, Fräulein ... Nicht unterbrechen, kann bis eine halbe Stunde dauern.«

Verstellen eines unsichtbaren Hebels – Studer schaltete die französische Sprache ein. Eine mürrische Stimme am andern Ende des Drahtes erkundigte sich, was los sei. – Kommissär Madelin solle ans Telephon kommen. – Wieherndes Lachen in Paris. Madelin? Wer denn in Bern spreche? – Das Gelächter machte Studer wild. Er brüllte in die Muschel. Das wirkte. Man werde umstellen nach dem Bureau des Herrn Kommissärs. Studer dankte nicht einmal.

Pause ... Der Wachtmeister vermißte etwas! Die Brissago! Aber das Anbrennen des Stengels erwies sich als schwierig. Man mußte mit dem linken Ellbogen die Muschel ans Ohr drücken, um die Hand frei zu bekommen – aber dann gelang es. Anstrengend war es gewesen; zwei Schweißtropfen fielen auf das Fließblatt und bildeten zwei Kreise. Und während des folgenden Gespräches wurden diese beiden Kreise die Augen eines Gesichtes. Es brauchte nur wenig Bleistiftstriche. Aber merkwürdigerweise ähnelte das Gesicht, das entstand, dem lebenden Konversationslexikon Godofrey. Und als Studer dies bemerkte, seufzte er. Er empfand Sehnsucht nach dem kleinen Mann.

Er nahm sich vor, die Fieberkurve so bald als möglich von diesem Freunde begutachten zu lassen ...

Madelin!

»... Danke, ja, sehr gut! ... Du, Alter, ich brauch' ein Datum. Wann ist die Verlustanzeige des Koller Jakob eingegangen? Koller, ja ... K wie Krischnamurti, R wie Rom, L wie Lutetia, E wie Ernest ... Börsenmakler, ja ... Mitte September ... Eine gewisse Cleman Marie ... War bei dem Koller Sekretärin ... Weißt du übrigens, daß dein Pater Matthias auch Koller heißt? Genau wie der verschwundene Makler, ja. Du hast die Daten? Gut, ich schreibe mit ...« Und Studer zog das Weihnachtsgeschenk seiner Frau aus der Busentasche und begann nachzuschreiben. Er murmelte leise dazu: »Spekulationen in nordafrikanischen Minenaktien, verliert beim Krach der Banque Algérienne im Juli ... Ja ja, ich verstehe gut, weiter ... Meldet am 2. August den Konkurs an ... Papiere beschlagnahmt ... Aussage der Marie Cleman vom 15. September: Mein Chef war deprimiert, erklärte mir oftmals, er habe keinen Mut mehr und kündigte mir auf 1. Oktober ... Verließ am 13. September abends unsere gemeinsame Wohnung ... Gemeinsame Wohnung? Ah ... Aaah ... Nein, nein, verzeih, Alter, ich hab' mich an meiner Zigarre gebrannt ... Nur weiter. Also: aus der gemeinsamen Wohnung fortgegangen ... Gut. Ohne Gepäck? ... Ohne Gepäck! ... Hat mir Geld hinterlassen ... Wieviel ... 4000 Franken ... So so, du hast die Papiere beschlagnahmen lassen? Und Godofrey untersucht sie? ... Nein, nein, nicht nötig. Ich werde wahrscheinlich selbst nach Paris kommen. Hast du eine Beschreibung des Jakob Koller? Ja? Ich schreibe nach: 1,89 m, gelbe Hautfarbe, glattrasiert, stumpfblondes Haar... Keine Photo? Schade... Keine Leiche, auf welche die Beschreibung passen könnte?... Dann wäre das erledigt. Halt, wart noch: Nachforschen, wo Korporal Collani, 1. Fremdenregiment, 2. Bataillon, sich augenblicklich aufhält. Collani, ja. Ähnlich wie Koller, nur mit einem C am Anfang, zwei L, A wie Alfons, N wie Nini, I wie Isidor... Über Bel-Abbès? Das weißt du besser als ich. Natürlich, wenn du es machen kannst. Sicher geht es drahtlos schneller. Ausführliche Antwort, ob Collani noch immer als Deserteur gilt, dann: was man von ihm weiß, Datum seines Engagements, Lebenslauf etcaetera... Nein, nicht telephonisch, ein Telegramm an meine Privatadresse, wenn du meinst, daß du noch diese Nacht Antwort bekommen kannst. Halt, wart noch... Woher kennst du den Pater Matthias?... Was? Vom Kriegsministerium empfohlen? Und vom Minister der Kolonien? Hm. Er hat damals keine Märchen erzählt, weißt du noch, in der Beize... Die beiden Frauen sind wirklich tot. Ein merkwürdiger Fall... Leuchtgas, ja... Und das Ganze sieht verzweifelt nach einem Doppelmord aus... Der Pater hat sich merkwürdig benommen, er ist übrigens nach Genf verreist... Nein, nein, keine Angst, ich erwisch ihn schon noch... Vorläufig laß ich ihn laufen, glaubst du, ich will mich in einen Konflikt mit dem Papst einlassen? Wann ich komme? Ich weiß noch nicht. Mein Patron muß mir zuerst seinen Segen geben... Haha... Der Vouvray war gut und meine Frau hat sich über die Gansleberpastete gefreut, das kannst du Godofrey erzählen... Ja, Fräulein, wir sind fertig. Geben Sie mir noch einmal die Basler Stadtpolizei...

Ja?... Ich schreibe nach... Nr. BS 3437... Buick... Garage Agence Américaine... Kleiner Mann, mager, gelbe Gesichtshaut, blauer Regenmantel, Wollschal... Am 1. Januar achtzehn Uhr... Brachte es zurück heute um fünfzehn Uhr... In Begleitung einer Dame... Danke... Ja? Ah... Taxichauffeur Adrian gibt an, er sei gestern nacht von einem Priester in weißer Mönchskutte am Bahnhof SBB für eine Fahrt nach Bern gemietet worden... Um einundzwanzig Uhr... Gepäck? ... Ein Brotsack... Der Chauffeur erklärt, er habe sich gewundert, daß ein Mann, der nicht einmal Socken trug, so viel Geld bei sich hatte... Das Geld im Brotsack, gut... Einige Hunderternoten... Nein, nichts Besonderes. Aber ich würde vorschlagen, die Leiche der durch Gasvergiftung ums Leben gekommenen Cleman-Hornuss Josepha, Witwe, Spalenberg 12, zu autopsieren. Der Gerichtschemiker soll den Magen- und Darminhalt analysieren – nach Barbitursäure fahnden... Barbitur, ja... Schlafmittel, wenn Sie wollen... Wie haben Sie das alles so schnell finden können? ... So so, ja ja, aber der Witz ist alt, er hat einen Bart. Vielleicht zeigen wir Berner einmal den Baslern, daß wir g'merkiger sind, wenn wir auch langsamer sind, hehehe... Die Wohnung auf dem Spalenberg? ... Wozu bewachen? ... Machen Sie das, wie Sie wollen... Die Miete ist bis zum ersten April bezahlt? So... Danke...«

Studer stützte die Wange auf die Hand und starrte auf das Löschblatt. Da hatte er, ohne es zu wissen, Berge gezeichnet, und die Berge glichen einer Fieberkurve. Wüst sah das Löschblatt aus, aber die untere Ecke war noch weiß. Und in diesen freien Platz begann der Wachtmeister Mannli zu zeichnen: ein Kreis der Kopf, ein senkrechter Strich der Rumpf, zwei waagrechte die Arme, zwei schiefe die Beine.

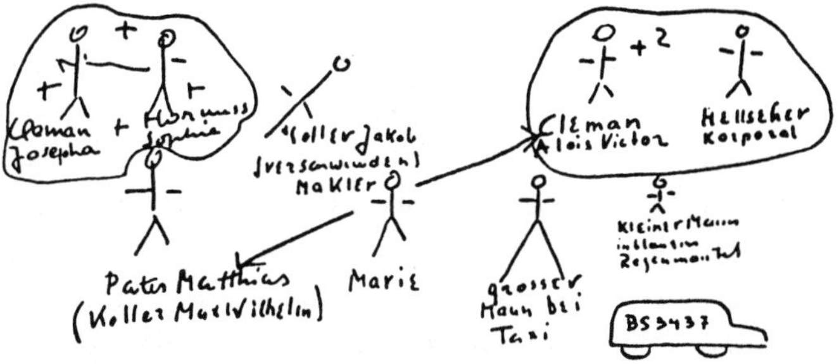

Er starrte lange auf seine Zeichnung und grübelte. Dann murmelte er:

»Zusammenfassung ...«

Und die Männer begannen zu tanzen. Sie tanzten als Schatten über das Blatt, Schatten in der Zeit, Schatten im Raum ...

Koller oder Cleman? Cleman oder Koller? Das Männlein auf dem Blatte tanzt, verbeugt sich. Nun steht es aufrecht da. Bart, Brille mit Stahleinfassung, in der Hand einen Hammer, ein Schüfeli: Beides läßt es fallen. Und nun fällt er selber um, der Koller, stud. phil., der Cleman, Dr. phil.... Fällt um und liegt in einem Spitalbett. Greift nach der Fiebertabelle, die über seinem Kopf hängt und beginnt zu zeichnen. Dann schreibt er, schreibt lange »... in einer Eisenkassette vergraben worden an einem Orte, der mit Hilfe des beigehefteten Dokumentes leicht zu entdecken sein wird...« Er verdreht die Augen... Ein Massengrab! – Aber nein! Da sitzt er in einer Küche, mischt die Karten, legt sie aus... In der obersten Reihe an erster Stelle: der Schaufelbauer! Das Männlein verbeugt sich, legt sich hin, wird flach und kriecht ins Löschblatt hinein.

Jakob Koller, steh auf! ... Geschäfte – elegante Geschäfte... ein Pelzmantel wird ausgesucht, Wildlederschuhe gekauft, seidene Strümpfe... Halt! Noch ist nicht die Reihe an dir! Es nützt nichts. Marie ist aufgestanden. Sie geht neben dem Jakob Koller einher, sie wohnt mit ihm in der gleichen Wohnung... Er? Stumpfblonde Haare, glattrasiert... Gott sei Dank, nun ist er allein. In einer großen Halle steht er, Geschrei ist um ihn, und Koller Jakob schreit am lautesten. »796 – ich kaufe... 800 – ich kaufe!« Geschrei, Geschrei! Es wird leiser. Koller Jakob streckt sich aus, auch ihn schluckt das Löschblatt.

Nebel, Nebel, Nebel. Gestalten im Nebel. Ein kleiner Mann, ein großer Mann. Das Auto BS 3437 rollt über den Tisch, es ist nicht der Tisch, die Kornhausbrücke ist es. Muß Marie auch aufstehen? Nein. Sie sitzt im Auto. Nebel, Nebel. Nebel.

Noch einer will aufstehen? Eine weiße Kutte flattert, ein Schneiderbärtchen weht... Da hebt Studer die flache Hand, läßt sie auf das Löschblatt fallen.

Und der Spuk ist verschwunden.

Noch nicht. Noch nicht ganz. Marie ist aufgestanden. Ein Mann steht vor ihr, breitschultrig, massig, mit einem mageren Gesicht, aus dem eine spitze Nase hervorragt. Und den Mund bedeckt ein dichter Schnurrbart, der schon viele, allzu viele graue Haare hat. Der Breitschultrige verneigt sich vor Marie, zieht die Brieftasche, entnimmt ihr ein Papier. Eine Zahl steht auf dem Papier, die soviel Nullen enthält, daß es dem Manne schwindelt – 15 000 000. Fünfzehn Millionen! »Das gehört dir, Meitschi!« sagt der Mann. »Merci, Vetter Jakob.« – »Isch gärn g'scheh, Meitschi ...«

Ein zweiter Schlag mit der flachen Hand. Und Studer reibt sich die Augen ...

»Nein«, sagte Studer laut, »in Bern läßt sich die Lösung nicht finden! Millionen!« und das Wort füllte ihm den Mund aus.

Die Lampe auf dem Schreibtisch hatte einen flachen grünen Schirm, der Dampf knackte in den Röhren und draußen pfiff die Bise. Der Wachtmeister war weit weg. Er sah Ebenen, sie dehnten sich bis zum Horizont, und dann kam das Meer. Grau waren sie, ohne Haus, ohne Hütte, ohne Zelt. Und plötzlich wuchsen Bohrtürme aus der Fläche, Springbrunnen schossen in die Höhe, hoch, immer höher, und oben flatterten sie wie schwarze Fahnen, die der Wind peitscht ...

Millionen ... Öl ... Gehaltsaufbesserung an der Kantonspolizei. Und wer hat dies bewirkt? Wachtmeister Studer, der Vetter Jakob, dr Köbu, der spinnt ...

Das Telephon schrillte. Studer hob den Hörer ab.

»Vetter Jakob!« sagte eine Stimme. Und bevor Studer etwas antworten konnte: »Hilf mir, Vetter Jakob. Bitte, hilf mir! Du mußt mir helfen!« Knacken. Der Wachtmeister klopfte aufgeregt auf die Gabel. Keine Antwort. Studer stellte die Nummer der Auskunft ein. »Wer hat zuletzt die

Kantonspolizei angerufen?« – »Einen Augenblick ... Sind Sie noch da? ... Basel hat angerufen ... Kabine Bahnhof ...« Studer vergaß zu danken.

Er stand auf, streckte sich; dann ließ er aus einem Blechbehälter, der in einer Ecke des Zimmers an der Wand hing, Wasser über seine Hände fließen, trocknete sie ab, langsam und gewissenhaft, starrte lange auf das verkritzelte Löschblatt. Schließlich löste er es ab und steckte es gefaltet in die Tasche. Die Gänge waren leer. Aus trüben Kohlenfadenlampen tröpfelte spärliches Licht.

Er ging in eine Wirtschaft z'Nacht essen, er hatte keine Lust, das Hedy zu sehen. Vier große Helle trank er – aber eine Erinnerung ließ ihn nicht los:

Das Schlafzimmer seiner Eltern sieht er. An der Wand hängt ein Quecksilberthermometer. Studer ist sechsjährig, er klettert auf einen Stuhl, um das Thermometer aus der Nähe zu betrachten, er hält es endlich in der Hand – und läßt es fallen. In winzigen Kugeln rollt das Quecksilber über den Boden. Der Bub springt vom Stuhl, er macht Jagd auf die glänzenden Kügeli; sie lassen sich nicht fassen. Schiebt man ein Papier unter sie, um sie aufzufangen, so wollen sie nicht auf dem Papier bleiben, sie vereinigen sich, teilen sich wieder ...

Genau so verhielten sich die Leute, die im Falle »Fieberkurve – Hellseherkorporal« – so hatte der Wachtmeister den Fall bei sich getauft – mitspielten: sie waren spiegelnd, elastisch, schlüpfrig, wie Quecksilberkugeln. Angefangen mit jenem Pater Matthias, der in Ohnmacht fiel, wenn man vor ihm den Namen eines längst verstorbenen Mädchens aussprach, der um elf Uhr abends in Basel ein Taxi mietete im »Wilden Mann« abstieg und dort ein Köfferchen zurückließ, Inhalt: blauer Regenmantel, grauer Konfektionsanzug, weißes Hemd. Und außer der schiefen Zahnbürste im Wasserglas fand man in dem vom Pater bewohnten Zimmer noch ein Fläschchen Somnifen ... Litt der Pater auch an Schlaflosigkeit? ... Und war der andere Mann, der Mann im blauen Regenmantel, der in der Agence Américaine z'Basel einen Buick gemietet hatte, nicht auch ein Quecksilberkügelchen? Nicht zu fassen, nicht zu halten? ... Um sechs Uhr mietet der Mann den Buick, um neun Uhr mietet der Pater ein Taxi ... Wie kommt der blaue Regenmantel in das Zimmer des Paters?

»Kaffee Kirsch!« sagte Studer laut, da die Saaltochter um ihn herumstrich.

»Gärn, Herr Wachtmeischter ...«

Marie! ... Warum hatte das Meitschi mit diesem Koller zusammengewohnt? ... Hm?

Erst an der Türe gelang es der Saaltochter, den Wachtmeister einzuholen: »Macht drüzwänzig, Herr Wachtmeischter, wenn dr weit so guet sy ... Es Nachtessen, vier ...«

»Ja, ja, sä!« Und Studer schmetterte die Glastüre zu; es war ein Wunder, daß die Scheiben dies aushielten.

Elf Uhr. Der Wachtmeister ging über die einsame Kirchenfeldbrücke. Er schritt langsam daher, sein Raglan stand offen und seine geballten Fäuste lagen auf seinem Rücken.

Er war noch einmal im »Wilden Mann« gewesen. Er hatte erfahren, daß am heutigen Morgen um acht Uhr eine Dame, auf welche das Signalement der Marie Cleman paßte, das

Zimmer Nr. 64 genommen hatte, das Zimmer, das neben dem des Paters lag. Sie hatte das Hotel am Nachmittag um drei Uhr in Begleitung eines Herrn verlassen, der einen blauen Regenmantel trug und das Gesicht in einem Wollschal versteckt hatte ...

Wann war Pater Matthias in der Wohnung der Frau Hornuss aufgetaucht? Um neun Uhr. Wann hatte er am Nachmittag Studers Wohnung verlassen? Um zwei Uhr. Um drei Uhr aber holt ein Herr ...

Die Thunstraße. Studer schloß seinen Mantel, denn nun packte ihn der Wind von vorne.

Um fünf Uhr nachmittags war der Buick in der Agence Américaine in Basel wieder abgegeben worden. Von einem Mann, der einen blauen Regenmantel trug. Zwei blaue Regenmäntel?

Denn in Pater Matthias' Hotelzimmer lag ebenfalls ein blauer Regenmantel. Aber Pater Matthias hatte den Genfer Zug um Viertel ab drei genommen ...

Um Viertel ab drei ...

Gangster in Bern und eine vernünftige Frau

Wachtmeister Studer schritt langsam die Thunstraße hinan. Er hatte den Kopf gesenkt und die Krempe seines breitrandigen Hutes versperrte ihm jegliche Aussicht.

Es kam ihm aber ein Betrunkener entgegen, der sang. Dies war auffallend in einer Stadt wie Bern, in der man auch mäßige Leute gern wegen Trunksucht administrativ versorgt. Der Mann sang also und Studer hob den Kopf; nun konnte der Wachtmeister feststellen, daß der Mann auch torkelte. Der Betrunkene war groß und stattlich, soweit in seinem Zustande von Stattlichkeit die Rede sein konnte. Plötzlich stand er – vor drei Sekunden war er noch zehn Meter entfernt gewesen – plötzlich stand er vor Studer, hielt ihm die Faust unter die Nase und sagte mit einer Stimme, die merkwürdig nüchtern klang – und er schwankte gar nicht mehr:

»Du verdammter Sauschroter, wart du nur! . . .«

Man kann es nicht anders als einen Reflex bezeichnen, die Bewegung nämlich, die Studer plötzlich machte. Ja, es war ein und dieselbe Bewegung, und sie bewies, daß Studer noch nicht reif für die Pensionierung war. Er schlug aus wie ein junges Füllen, nicht ganz, denn nur sein linker Fuß schnellte nach hinten, während zu gleicher Zeit seine Faust, die mäßig groß war, den Kieferknochen des Betrunkenen gerade unter dem linken Ohr traf. Der Betrunkene sackte ohne einen Laut zusammen, aber in seinem Rücken hörte Studer einen spitzen Schrei. Er wandte sich um. Auf dem Boden krümmte sich ein kleiner Mann, er hielt die Fäuste auf den Bauch gepreßt, und neben seiner rechten Hand lag ein Totschläger... Studer nickte. Gar nicht dumm ausgedacht. Der stattliche Betrunkene sollte die Aufmerksamkeit ablenken, mit Geschimpf und wüsten Reden, um dem Kumpan Zeit zu lassen, mit dem Totschläger zu operieren. Die beiden hatten nicht daran gedacht, daß ein Fahnder, wenn er tüchtig ist, ein Auge am Hinterkopf hat...

»Gangster in Bern!« Es war ein ehrlicher Kummer in Studers Stimme. »Was glaubst du denn, Blaser? Du bist doch erst im Dezember aus dem großen Moos entlassen worden?« Damit meinte er die Strafanstalt Witzwil. Er kannte den Kleinen. Gewohnheitsdieb.

»Was soll das heißen, Blaser? Bin ich nicht anständig mit dir gewesen, das letztemal? Hab' ich dir nicht einen Becher gezahlt? Hä? Was sind das für Manieren? Und dein Freund da!« Er beugte sich nieder zum stattlichen Betrunkenen. »Der Schlotterbeck! Jetzt aber hört doch alles auf!«

Schlotterbeck: chronischer Alkoholiker, St. Johansen, Witzwil. Das letztemal zwei Jahre Thorberg wegen schwerer Körperverletzung... Wer hatte die Leute aufgereiset?

»Also«, sagte Studer, nachdem der Alkoholiker Schlotterbeck sich mühsam auf sein Hinterteil gesetzt hatte. Er glotzte den Wachtmeister verständnislos an. »Warum habt ihr mich überfallen wollen?« Und er packte den kleinen

Blaser mit einer Hand am Nacken, zog ihn in die Höhe und stellte ihn unsanft auf die Beine. »Red du!«

Eine sonderbare Geschichte erzählten die beiden im Duett. Blasers heisere Stimme ergänzte die Erzählung des Alkoholikers Schlotterbeck, der im tiefen Brustton der gekränkten Unschuld sprach...

Ein Mann sei heute mittag in den Witzwiler Wartsaal gekommen, so nannte sich eine Schnapsbeize in der inneren Stadt, der habe sich zu den beiden gesetzt und eine Runde spendiert. Dann habe er sich erkundigt, ob sie Kurasch hätten. Das hätten sie bejaht. Der Mann habe darauf gesagt, der Wachtmeister Studer trage in der Busentasche ein wertvolles Papier. Ob sie es holen wollten? Er zahle jedem fünfhundert. Hundert als Anzahlung...

»Wir haben Euch abgepaßt, Wachtmeister... Aber Ihr habt nie das Tram genommen... Und da haben wir's hier probiert...«

»Wann habt ihr den Mann getroffen?«

»Um halb eins.«

»Hat er einen blauen Regenmantel getragen?«

Eifriges Nicken des erstaunten Blaser.

»Wohin hättet ihr das Papier bringen sollen?«

»Er hat uns eine Adresse gegeben...« Blaser suchte im Hosensack, brachte ein zerknülltes Papier zum Vorschein und reichte es dem Wachtmeister hin. Studer entzifferte:

»30–7 Poste restante. Port-Vendres.«

Port-Vendres? Wo lag Port-Vendres? Port hieß Hafen. Aber Häfen gab es viele, am Mittelmeer sowohl als auch am Atlantischen...

Die beiden Attentäter standen ängstlich vor dem Wachtmeister. Er sah sie an. Sie trugen keine Mäntel und ihre Hände waren blau vor Kälte. Am liebsten hätte sie Studer zu einem heißen Grog eingeladen. Denn er war nicht nachtragend. Aber das ging nicht an. Was würde das Hedy sagen?

So bat er die beiden nur, sich zum Teufel zu scheren.

Und weiterstapfend schmunzelte er. Zwei Dinge freuten ihn an dieser Begegnung: erstens bewies der Überfall, daß die Fiebertabelle wirklich einen Wert hatte. Und zweitens waren in dem verkachelten Fall endlich einmal zwei waschechte Berner aufgetaucht. Daß es Vorbestrafte waren und daß sie ihn hatten niederschlagen wollen, tat der Freude keinen Abbruch.

»Und, Hedy, wie hat dir der Pater gefallen?« fragte Studer seine Frau. Er saß neben dem grünen Kachelofen in einem bequemen Lehnstuhl, trug einen grauen Pyjama, und seine Füße steckten in Filzpantoffeln.

»Ein lieber Mann«, sagte Frau Studer, die an einem Paar winziger weißer Hosen strickte. »Aber mich dünkt, er hat vor irgend etwas Angst. Ich hab' ihn die ganze Zeit beobachtet. Er hätt' dir gern etwas erzählt, aber die Kurasch hat ihm gefehlt.«

»Ja«, sagte Studer und zündete die vierzehnte Brissago des Tages an. Er war hellwach und hatte beschlossen, die Nacht aufzubleiben. Nicht daß er gehofft hätte, aus dem ganzen Fall klug zu werden, dazu fehlten ihm die Schlüsselworte. Aber erstens wollte er auf das Telegramm von Madelin warten, und zweitens gedachte er mit seiner Frau über den Fall zu sprechen – richtiger: einen Monolog zu halten.

»Hast du ihn noch gesehen?« fragte Studer.

»Nein.«

»Warum nicht? Ist er dich nicht besuchen kommen?«

»Er hat den Genfer Zug genommen, um halb vier...« Studer blickte seine Frau nicht an. Auf seinen Knien lag die Fieberkurve und der Wachtmeister murmelte:

»Am 15. Juli morgens 36,5, abends 38,25; am 16. Juli morgens 38,75, abends 37... Wir hätten also zu Anfang die Zahlen 3653825387537... Hat die Drei etwas zu bedeuten?«

»Wa machschst, Köbu?« fragte Frau Studer.

»Nüt«, brummte Studer. Und fuhr fort: »Man könnt's in Brüchen schreiben: $36\frac{1}{2}$, $38\frac{1}{4}$, $38\frac{3}{4}$... Himmel...«

»Fluech nid, Köbu«, sagte Frau Studer sanft.

Aber Studer war wild. Er werde wohl noch daheim fluchen dürfen, wenn es ihm darum sei; das lasse er sich von niemandem verbieten...

– Das Jakobli sei bsunderbar e g'schyts Büebli, lenkte die Frau ab; es werde dem Ätti gleichen.

Studer blickte auf, denn das Hedy hatte es faustdick hinter den Ohren... Wollte es sich über ihn lustig machen? Aber Frau Studer saß am Tisch, die Lampe schüttete viel Glanz über ihre Haare... Jung sah sie aus.

»Los einisch, Frou«, sagte Studer und räusperte sich. Ob er schon von der Marie Cleman erzählt habe?

Frau Studer beugte sich tiefer über ihre Arbeit; ihr Mann sollte das Lächeln nicht sehen, das sie nicht unterdrücken konnte. Dreimal hatte der Jakob diese Frage schon gestellt, dreimal in einer Stunde. Diese Marie Cleman schien den Mann arg zu beschäftigen. Der Jakob! Da war voriges Jahr auch so ein Fall gewesen, in dem ein Meitschi eine Rolle gespielt hatte, ein Meitschi, das mit einem entlassenen Sträfling verlobt gewesen war. Und der Jakob hatte natürlich eine Brustfellentzündung erwischt, weil er in strömendem Regen mit dem Meitschi Töff gefahren war. Ganz zu schweigen von dem Autounfall, der den Fall abgeschlossen hatte. Und warum hatte der Jakob sein Leben, seine Gesundheit aufs Spiel gesetzt? Um die Unschuld des entlassenen Sträflings zu beweisen. So war der Jakob, dagegen war nichts zu machen. Und die Bankaffäre? Und der Fall im Irrenhaus? Hatten dort nicht auch Weiber den Ausschlag gegeben? Manchmal schien es Frau Hedwig Studer, als lebe in dem massigen Körper ihres Mannes die Seele eines mittelalterlichen Ritters, der gegen Drachen, Tod und Teufel kämpfte, um die Unschuld zu verteidigen. Ohne Dank zu begehren. Und da war nun diese Marie Cleman ...

»Nei, Vatti«, sagte Frau Studer sanft. Was denn mit der Marie los sei?

– Man solle ihn nicht Vatti nennen, brauste Studer auf. Er war überreizt. Ein langer Tag lag hinter ihm, viel war an diesem Tag geschehen, es war begreiflich, daß ihm die Geduld riß – und Frau Studer verstand dies auch.

»Nämlich die Marie ...«, sagte Studer und tippte mit dem Strohhalm, der seiner Brissago entragte, auf das Temperaturblatt, »paßt nicht in den Fall. Sie ist damals mit dem ehemaligen Sekretär ihres Vaters nach Paris geflohen – begryfscht, Hedy? – weil die Mutter eine Kartenschlägerin war. Und dann hat der Koller Konkurs gemacht. Koller! Alle heißen Koller in dieser Geschichte ...« Er schwieg, kreuzte die Beine, die Fieberkurve flatterte zu Boden und blieb neben Frau Studers Stuhl liegen. 's Hedy hob das Blatt auf.

Studer erzählte. Und während der Erzählung schien es ihm, als käme Ordnung in das Chaos. Die verschiedenen Koller nahmen Gestalt an: Pater Matthias und jener andere, der Philosophiestudent, der sich mit Ulrike Neumann im Hotel zum Wilden Mann getroffen hatte, damals, im Jahre 1903 ... Und der dritte Koller, Jakob mit Vornamen, der mit dem Geologen nach Marokko gefahren war – als Sekretär... Sehr verständlich war, daß der zweite Koller, mit Vornamen Alois Victor, seinen Namen geändert hatte. Er hatte sich vor einer Entdeckung gefürchtet; war sein Gewissen nicht belastet mit dem Tod der Ulrike Neumann?

Studers Gehirn arbeitete mühelos. Pater Matthias hatte zugegeben, daß der Geologe sein Bruder gewesen war – sein Stiefbruder hatte er gesagt; Stief- oder nicht, Pater Matthias hatte die Verwandtschaft zugegeben.

Blieb die Frage offen: War der Hellseherkorporal identisch mit dem Geologen? Es sprach allerlei gegen eine solche Auffassung des Falles. Welchen Grund hätte der Geologe gehabt, zum zweitenmal seinen Namen zu wechseln und die Persönlichkeit des Sanitäters Collani anzunehmen? Und warum hatte der Schweizer Geologe mit dem gekräuselten Bart fünfzehn Jahre gewartet, um seiner Frau in Basel Nachricht zu geben?

Nahm man hingegen an, Pater Matthias sei der verstorbene Geologe Cleman, alias Koller Victor Alois, und Gast des Hotels zum Wilden Mann, dann kam Vernunft in das Ganze: Ein junger Philosophiestudent tötet seine Geliebte. Um den Nachstellungen durch die Polizei zu entgehen, ändert er seinen Namen, seine Nationalität, und unter dem fremden Namen Cleman erwirbt er von neuem das schweizerische Bürgerrecht. Unter dem neuen Namen, dem Namen Cleman, heiratet er: zuerst die Sophie in Bern. Aber der Tod der Ulrike Neumann bedrückt ihn. Er spricht mit seiner Frau darüber... Die Sophie ist nicht dumm – nun, da sie etwas weiß, benutzt sie dieses Wissen, um ihren Mann auszubeuten.

»Kannst du dir das vorstellen, Hedy?« fragte Studer, als er seine Mutmaßungen soweit ausgesponnen hatte. »Diese Ehe? Die Frau weiß, daß ihr Gatte ein Mörder ist. Sie verlangt Geld, denn der Koller-Cleman verdient gut. Sie hat ein eigenes Bankkonto. Und die Nächte? Kannst du dir die Nächte der beiden vorstellen? Du hast die Wohnung in der Gerechtigkeitsgasse nicht gesehen: das alte Haus, in dessen Mauern der Schimmel hockt. Und der Schimmel vergiftet die Seelen der beiden. Kein Wort darf der Alois Victor sagen, denn sobald er den Mund auftut, heißt es gleich: ›Schweig, du Mörder!‹ – Wie lange kann ein Mann eine solche Ehe aushalten? Ein Jahr? Zwei Jahre? In diese Ehe fallen die Reisen nach Marokko, der Kontrakt mit den Brüdern Mannesmann. Nur die Reisen sind daran schuld, daß die Ehe nicht früher geschieden worden ist. Du hättest die beiden Schwestern sehen sollen – ihre Bilder mein' ich. In der Wohnung an der Gerechtigkeitsgasse hat mir der Mönch heute früh die Jugendbilder der beiden Frauen gezeigt. Die Sophie – du kennst doch diese Art Weiber: hochgeschlossene Bluse, ein Stehkragen mit Stäbli, der das spitze Kinn trägt. Und die Augen! Mi hätt's tschudderet, und ich bin doch nicht apartig sensibel, wie die Welschen sagen.«

Studer schwieg. Seine Frau saß still am Tisch, ein Blatt lag vor ihr – die Fieberkurve. Frau Studer hatte schon lange aufgehört zu stricken. Sie nickte nur hin und wieder zu der Erzählung ihres Mannes.

Eine Turmuhr schlug – vier hellere Schläge, dann einen dumpfen. Ein Uhr. Andere Kirchen fielen ein, dazwischen klimperte das nahe Schulhaus eilig und oberflächlich – wie ein Schüler, der ein Versli herunterplappert. Und all die Töne prallten gegen die Fensterscheiben und waren ganz nah, bevor sie irgendwo, fern im dunklen Himmel, verhallten. Dann war die Stille im Zimmer noch tiefer.

»Scheidung ...«, sagte Studer leise. »Der Mann hält die Ehe nicht mehr aus. Er sieht neben seiner Frau die Schwester Josepha. Gell, das kommt vor, Hedy? Daß nämlich zwei Schwestern so grundverschieden sind? Es ist doch manchmal so, daß die eine alle Güte für sich genommen hat und die andere alle Bosheit. Die Josepha war gut. Der Koller-Cleman heiratet die Josepha. Er ist glücklich. Die andere läßt es geschehen. Hat sie sich nicht bezahlen lassen? ... Und dann kommt der Krieg. Der Geologe hat seine Tochter lieb – aber er muß Geld verdienen. Wahrscheinlich muß er immer noch für das Schweigen der Sophie zahlen, er kann der Josepha, der zweiten Frau, und seiner kleinen Tochter nicht das sorglose Leben bereiten, das er gern möchte. Da bietet sich eine Gelegenheit, auf eigene Faust zu schaffen. Die Gebrüder Mannesmann haben Verrat getrieben – Koller-Cleman denunziert sie. Nun darf er auf eigene Rechnung arbeiten. Und er tut dies auch. Er stellt das Vorkommen von Petroleum fest. Er hört von einem riesigen Projekt: eine große Linie soll von Oran durch die Wüste bis zu den französischen Kolonien in Äquatorialafrika führen. Für diese Linie wird man Brennstoff brauchen. Er kauft Land... All sein Erspartes steckt er in diese Spekulation. Und dann wird er krank, kommt ins Spital nach Fez...«

Ein Streichholz flammte auf – Studer zündete die erloschene Brissago wieder an.

»Zwei Möglichkeiten«, sagte er. »Während der Blattern-Epidemie in Fez gelingt es dem Koller-Cleman, sich die Papiere des Sanitäters Collani zu verschaffen. Dann ist Collani tot und der Geologe hat in der Fremdenlegion Dienst genommen. Oder: Der Geologe hat im Fieberdelirium dem Sanitäter Collani seine Geschichte erzählt und ihm die Fieberkurve übergeben, die Fieberkurve, die den Platz der vergrabenen Kassette angeben soll. In diesem Fall gibt es wieder zwei Möglichkeiten: Collani ist der Testamentsvollstrecker des Geologen Koller-Cleman, des Mörders und Besitzers von Petroleumquellen, oder Koller-Cleman lebt noch und dann ist er...«

»Der Mönch!«

»Der Mönch, der Pater. Ganz richtig, Frau.«

Frau Studer stand auf, ging zu ihrem Nähtischli am Fenster, warf dort den Inhalt durcheinander und kam zum Tisch zurück. In der Hand hielt sie einen Bogen Papier und einen Bleistift. Sie legte beides nieder, schritt zum Büchergestell in einer Ecke des Zimmers und holte sich dort ein paar Illustrierte. Dann setzte sie sich wieder.

Studer fuhr fort.

»Collani ist wirklich Collani, das heißt ein ehemaliger Sanitäter. Das wäre die erste Möglichkeit. Ihm ist aufgetragen worden, fünfzehn Jahre zu warten. Warum fünfzehn Jahre?

Weil nach fünfzehn Jahren Verjährung eintritt. Cleman-Koller hat ganz sicher gehen wollen. Der Mord an der Ulrike Neumann – wenn es wirklich ein Mord war, wir sind nur auf Vermutungen angewiesen – ist 1903 passiert. Vielleicht meint er, nach dreißig Jahren könne man ihm gar nichts mehr anhaben. Denn, wohlgemerkt, er ist ein Geologe und kein Jurist. Wenn er für tot gilt, kann er versichert sein, daß sein Vermögen endlich seiner Tochter zugute kommt. Denn seine Tochter hat er lieb gehabt. Und nach dreißig Jahren kann die Sophie, die von seinem Morde weiß und von seiner Vergangenheit, nichts mehr tun. Nehmen wir diese Möglichkeit an – immer vorausgesetzt, daß der Mönch mir keine Märli erzählt hat –, dann ist Koller-Cleman tot. Aber der Tote hat einen Mitwisser hinterlassen, den andern Koller, der den gleichen Rufnamen hat wie ich, den Jakob Koller, seinen Sekretär. Der weiß etwas von dem Schatz, von den Landkäufen. Dieser Koller verschwindet im September aus Paris, und ein paar Tage später taucht ein Fremder in Géryville auf, einem verlassenen algerischen Dörflein. Warum ist der Fremde dorthin gefahren? – Um den Collani zu sprechen. Und Collani, der Hellseherkorporal, verschwindet. Die beiden machen sich auf die Suche nach der Fieberkurve. Collani hat sie nach Basel geschickt. Also fahren sie nach Basel. Und eine alte Frau stirbt. Aber sie finden die Fieberkurve nicht. Die Fieberkurve wird von einem Fahnderwachtmeister gefunden, der in dem Rufe steht, zu spinnen. Was tun die beiden? Sie mieten einen Buick und fahren nach Bern. Vielleicht hat die Josepha die Fieberkurve ihrer Schwester geschickt? Auch das ist bekannt: wenn von zwei Schwestern die eine böse ist, die andere gutmütig, so wird die Gutmütige immer von der Bösen tyrannisiert werden. In Bern geschieht das gleiche wie in Basel...

Aber es sind ein paar Dinge, die ich mir noch nicht erklären kann: Warum sind die beiden Morde, wenn es sich um solche handelt, so kompliziert ausgeführt worden? Warum find' ich jedesmal ein ausgelegtes Kartenspiel mit dem Schaufelbauer in der Ecke oben links? Warum wäscht der Pater die Tasse mit dem Somnifen-Satz aus? Und vor allem: Wieso kommt der erste Daumenabdruck der Sammlung Rosenzweig auf die Tasse? Ein Daumenabdruck mit einer Narbe? Und der Daumen des Paters ist glatt?

Du wirst mir einwenden, Fraueli«, dabei dachte Frau Studer keinen Augenblick daran, irgend etwas einzuwenden, »du wirst mir einwenden, daß zu der Zeit, da der Altfürsprech Rosenzweig auf einem Glas in Freiburg einen Daumenabdruck photographiert hat, es mit der Technik der Daktyloskopie nicht weit her war... Ja. Aber eine Narbe bleibt eine Narbe. Und der Daumen des Mönchs hatte gar keine Ähnlichkeit mit der Aufnahme des Rosenzweig und auch keine mit dem Abdruck auf der Tasse...

Also?... Man müßte an Ort und Stelle nachforschen. Bis jetzt hab' ich nur Geschichten gehört, Märli; der Mönch kann zuverlässig sein – aber wer garantiert mir, daß der Mönch nicht doch der Cleman-Koller ist? Dich stört der Daumenabdruck, Hedy.« Frau Studer schüttelte den Kopf. Sie malte Buchstaben auf das weiße Papier und diktierte sich selbst:

»E, M, O, Q, H, Z, T...«

»Wa machscht, Hedy?.« fragte Studer. Die Frau winkte ungeduldig ab. Da stand der Wachtmeister auf und trat an den Tisch. Er beugte sich über die Schulter seiner Frau. Sie hatte den weißen Bogen auf den Tisch gelegt und mit vier Gufen die Fieberkurve darauf festgeheftet, so zwar, daß das Blatt mit der Schmalseite nach unten lag und die Striche, welche die Temperaturunterschiede darstellten, senkrecht verliefen. Dann hatte sie jeden dieser Temperaturstriche über die Fieberkurve hinaus mit einem Lineal verlängert und das Ende jedes verlängerten Striches mit einem Buchstaben versehen. So stand am Ende des Striches, der die Temperatur 35,5 angab, der Buchstabe A; das B war der Zwischenraum zwischen 35,5 und 36, während 36 selber C bedeutete. Nun begann sie, die auf der Fieberkurve angegebenen Morgen- und Abendtemperaturen des Cleman, Alois Victor, in Buchstaben zu übersetzen. Am 12. Juli war die Morgentemperatur 36,5 gewesen – Frau Studer schrieb E; abends war 38,25 vermerkt – Frau Studer schrieb M. Am 13. Juli: 38,75; Frau Studer schrieb O. Und endlich entstand folgende Reihe.

EMOQHZITFIZOZHHMQMIQVR
XSVOZNNUVPHVNIMG

Studer starrte auf die Buchstabenreihe. Etwas an ihr kam ihm bekannt vor. Sein Ellbogen lag auf der Schulter seiner Frau.

»Jakob!« stöhnte Frau Studer. Er tue sie ja plattdrükken!

Aber Studer war stumm gegen solche Klage. Das... das war... das war die primitivste Geheimschrift, die es gab!... Das umgekehrte Alphabet.

»Steh auf!« kommandierte er. Lächelnd machte Frau Studer Platz.

Und unter die großen, ein wenig unbehilflichen Buchstaben seiner Frau schrieb Studer in seiner winzigen Schrift, die viel Ähnlichkeit mit dem Griechischen hatte:

VOMKSARGURAMASSOKORKEI
CHEMANNFELSENROT

Und wiederholte leise:

»Vom Ksar Gurama sso Korkeiche Mann Felsen rot...«

Schweigen. Frau Studer hatte den Unterarm auf ihres Mannes Achsel gelegt, sie las die Worte vom Papier ab und fragte:

»sso? Was heißt das?«

»Südsüdost. Die Himmelsrichtung. Und Ksar? Das wird wohl der Name für ein Dorf sein. Äbe: Das arabische Wort für Dorf.«

– Ja ja, der Köbu syg ganz en G'schyter.

Studer blickte auf. War das wieder einmal Hohn? Aber diesmal war man gegen den Hohn gewappnet. Man erwiderte dem Hedy, die G'schytheit vo der Frou habe auf den Mann abgefärbt. Und durfte es erleben, daß das Hedy rot wurde.

Dann nahm Wachtmeister Studer wieder auf dem Stuhle Platz, der neben dem grünen Ofen stand, dem Sternsdonner, der nie ziehen wollte; er hielt die Fieberkurve und ihre Übersetzung in der Hand und konnte sich nicht satt sehen an dem Dokument. Aber egoistisch, wie Männer sind, vergaß er sogleich den Anteil, den seine Frau an der Entzifferung des Kryptogramms genommen hatte.

»Hab' ich dir schon von der Marie Cleman erzählt?« fragte Studer. Da lachte die Frau, daß ihr die Tränen in die Augen traten; sie konnte sich nicht beruhigen, auch nicht, als der Wachtmeister ärgerlich fragte:

»Was häscht?«

»Nüt... nüt!« Frau Studer schluchzte fast. »Gib mir eine Zigarette!« sagte sie, als sie wieder zu Atem kam. Und wie die Marie Cleman zog das Hedy den Rauch tief in die Lungen.

»Du gleichst ihr«, sagte Studer.

»So, so...« Und ob der Wachtmeister in das Meitschi verschossen sei, wollte Frau Studer wissen.

Verschossen? Chabis! Studer war rot geworden. Nein, er war nicht verliebt. Er mochte die Marie Cleman gern, gewiß, aber wie eine Tochter, und er machte sich Sorgen um ihr Wohlergehen. Warum hatte sie ihm heut abend angeläutet? Vom Bahnhof Basel? War sie am Verreisen?

In Studers Wohnung war das Telephon im Schlafzimmer angebracht. Das war eine Notwendigkeit, die der Beruf erforderte. Wie oft hatte die Klingel mitten in der Nacht geschellt! Dann hatte man aufstehen und stundenlang in der Kälte ein Haus bewachen müssen... Studer ging in das Schlafzimmer. Er suchte im Telephonbuch nach der Nummer der Cleman-Hornuss, Josepha, Witwe... Da... Es stimmte: Spalenberg 12.

Es ging gute fünf Minuten, bis er die Verbindung hatte. Und dann hörte er das eintönige Summen, das wie ein leiser Ruf tönte, aufstieg, verhallte, wieder begann. Und Studer glaubte die leere Wohnung zu sehen, die winzige Küche, die nur ein Durchgangskorridor war, und die vergilbten Emailbehälter auf der schiefen Etagère: »Mehl«, »Salz«, »Kaffee« ...

Ganz langsam legte er den Hörer ab, zog das Schnupftuch unter seinem Kissen hervor und schneuzte sich; es dröhnte durch die Wohnung. Und dann läutete die Klingel im Flur...

Telegramm:

»Sûreté Paris Inspektor Studer Thunstraße Bern stop Collani Giovanni engagiert 20 Casablanca stop Ausbildung Bel-Abbès stop Spitaldienst Saida 21 bis 23 stop 24 Korporal 25 Sergeant stop kassiert 28 wegen unerlaubtem Fernbleiben von 5 Tagen stop 28 Korporal stop 29 Fourier Géryville stop meldet sich August 32 freiwillig nach Gurama-Marokko zu berittener Compagnie desertiert 28 September 32 stop Fehlen jeglicher Spur.

Madelin.«

»Fehlen jeglicher Spur«, wiederholte Studer und blickte seine Frau an. »Und der Pater hat behauptet, er habe den Collani hier in Bern gesehen, zusammen mit der Marie Cleman, in einem Auto, das die Nummer trug BS 3437. Und das Auto war ein Buick, gehörend der Agence Américaine in Basel, allwo es ein Mann gemietet hatte...«

Frau Studer hielt sich die Ohren zu.

»Hör auf!« rief sie. »Du machst einen ganz sturm!«

Aber unerbittlich fuhr Studer fort, als sage er Auswendiggelerntes auf:

»Ein Mann gemietet hatte, von gelber Gesichtsfarbe, ein Wollschal bedeckte den unteren Teil des Gesichtes. Das Auto wartete vor dem Haus Gerechtigkeitsgasse 44 – Aussage Rüfenacht Ernscht – und bei dem Auto hielt ein Mann Wache, der groß war... Nun hat mir Madelin heut am Telephon mitgeteilt, der verschwundene Börsenmakler Koller Jakob, der Mann, der die Marie nach Paris mitgenommen hat, sei 1,89 hoch. 1,89 – das ist hochgewachsen, nid, Hedy?«

»Wowoll!«

»Vielleicht...« sagte Studer und kratzte sich an der Stirne. »Vielleicht war es der Koller Jakob, der mich in Basel am Telephon ausgelacht hat... Aber welche Rolle spielt das Meitschi? Denn weischt, Hedy, die Marie, die paßt eigentlich gar nicht in den ganzen Fall! Ich glaub' halt immer, sie ist mit dem Koller verheiratet... Oder vielleicht ist der Koller ein entfernter Verwandter? Sie hat mit ihm zusammen in der gleichen Wohnung in Paris gelebt... Was ist dabei? ... Die Marie nämlich isch es suubers Meitschi, du kannst sagen, was du willst... Es suubers Meitschi!« bekräftigte Studer.

Er schwieg. Frau Studer saß wieder an ihrem Platz unter der Lampe, sie hielt den Kopf gesenkt. So konnte der Wachtmeister das kleine Lächeln nicht sehen, das in ihren Mundwinkeln aufblühte.

»Wenn das Meitschi mit dem Koller zusammengelebt hat, mit dem Koller Jakob, mein' ich, so hat die Marie einen stichhaltigen Grund gehabt. Denn wenn sie auch raucht, die Marie, so will das gar nichts sagen! Du rauchst auch manchmal, Hedy! ...« endete er und es klang wie ein

Angriff: er senkte die Stimme nicht, sondern hielt sie in der Schwebe, so, als erwarte er einen Widerspruch.

Aber es kam kein Widerspruch, nur eine sanfte Antwort. Frau Studer erkundigte sich, ob der Wachtmeister etwa traurig sei, daß er seinen Schatz am Telephon nicht erwischt habe?

»Chabis!« sagte Studer. Doch konnte er es nicht verhindern, daß ihm das Blut in die Wangen stieg. Er stand da, die großen Hände in den winzigen Taschen seines Pyjamakittels, schaukelte sich auf den Fußballen, und die Brissago stach kriegerisch zur Decke. »Ich als Großvater!«

Ein merkwürdiges Geräusch kam vom Tisch her. Und Studer sah mit Erstaunen, daß die Schultern seiner Frau zitterten. Da wurde er ängstlich. Ging die Sache dem Hedy so zu Herzen? Weinte sie etwa, weil sie fühlte, daß der Mann weit fortgehen wollte, weit, sehr weit fort, um sich Gefahren auszusetzten, die... Studer trat an den Tisch, seine Hand legte sich auf die bebenden Schultern. Und tröstend meinte er, es sei da keine Ursache, traurig zu sein. Millionen! sagte er. Millionen stünden auf dem Spiel. Und Marie dürfe man nicht allein lassen.

Da hob Frau Studer den Kopf und ärgerlich stellte der Wachtmeister fest, daß das Hedy schon wieder lachte. So hemmungslos lachte sie, daß sie nur mühsam die Worte formen konnte, die den Wachtmeister wie Ohrfeigen trafen.

»O Köbu!« rief sie und fand kaum den Atem wieder. »Du bischt ja so dumm!«

Sie wickelte die weiße Babyhose in Seidenpapier. Und immer noch zuckten ihre Schultern, während sie sachlich erklärte:

»Also, du willst den Collani suchen und feststellen, ob der Hellseherkorporal der Geologe Cleman-Koller ist... Nid? ... Du hoffst, bei der gleichen Gelegenheit die Marie wiederzufinden – aber erst, nachdem du die Millionen entdeckt hast? Du weißt ja jetzt, wo sie liegen. sso Gurama Korkeiche, Mann, Felsen rot. Und ich will dir noch etwas verraten. Zwei Kilometer von Gurama entfernt, in südsüdöstlicher Richtung, liegt der Schatz... Item. Und du hast deswegen Audienz beim Alten verlangt. Gell? Soll ich deinen Koffer packen? Wenn du am Nachmittag fährst, kannst du noch heimkommen zum Mittagessen. Ich mach' dir Bratwurst mit Härdöpfelsalat und es Zybelisüppli. Das hescht du ja gärn...«

Studer brummte. Natürlich war er zufrieden mit diesem Menü. Aber es wurmte ihn, daß seine Frau ihn nicht ernst nahm. Darum hüllte er sich in Schweigen und verzog sich ins Schlafzimmer.

»Guet Nacht, Vatti«, rief ihm Frau Studer nach.

Auch noch Vatti!

Die Filzpantoffeln flogen in zwei verschiedene Ecken. Und dann löschte Studer das Licht. Mochte die Frau sehen, wie sie in der Dunkelheit z'Schlag kam...

Kommissär Madelin macht sich unsichtbar

Der Polizeidirektor war ein stiller Mann, der gar nicht nach einem Stubenhocker aussah. Seine Gesichtshaut war braun, weil er sommers und winters auf die Berge stieg. Daneben hatte er eine Hundezucht und war an diesem Morgen guter Laune: eine seiner Hündinnen, Mayfair III, hatte vier Junge geworfen. Studer mußte während einer Viertelstunde andächtig zuhören, was der Direktor über den Unterschied der verschiedenen Pedigrees zu erinnern hatte.

Dann rückte der Wachtmeister mit seinem Hellsehermärli heraus.

In jedem Staatsbetrieb gibt es wenigstens einen Mann, der gewissermaßen das Salz des ganzen Betriebes ist. Von ihm, der als Außenseiter gilt, wird keine allzu regelmäßige Arbeit verlangt; das Alltägliche, mit seinem Stumpfsinn, wird ihm ferngehalten – oder besser, er hält es sich selbst vom Leibe. Dieser Mann findet nur Verwendung – und darin liegt eben sein Wert – wenn etwas Außergewöhnliches zu tun ist. Dann wird er gebraucht, dann ist er unersetzlich. Wenn er in den flauen Zeiten herumlungert oder spazieren geht, drücken seine Vorgesetzten beide Augen zu, denn sie wissen, daß dieser Mann sich eines Tages als unersetzlich erweisen wird: er wird Mittel und Wege finden, eine verworrene Situation aufzudröseln, er wird es verstehen, einen andern Betrieb, der üppig und frech geworden ist, in den Senkel zu stellen, er wird – dieser Außenseiter – eine pressante Angelegenheit in zwei Stunden erledigen, mit der ein braver Bureauhengst in zwei Wochen nicht fertig würde.

Wachtmeister Studer war das Salz der Berner Kantonspolizei. Das war wohl der eine Grund, der den Herrn Polizeidirektor dazu veranlaßte, gegen des Wachtmeisters Reisepläne nichts einzuwenden. Der andere war auch nicht schwer zu erraten: Kommissär Gisler von der Stadtpolizei hatte vorgearbeitet. Einen Augenblick schien es Studer, als könne er die Gedanken lesen, die hinter seines Vorgesetzten Stirn träge dahinschlichen. ›Millionen!‹ lautete der eine Gedanke. Der andere: ›Der Studer spinnt ja einewäg. Findet er das Geld, so hab' ich den Ruhm. Findet er es nicht, so pensionieren wir den Mann.‹ Der Dritte: ›Ob der Studer hier faulenzt oder ob er Ferien nimmt und die Basler blamiert, bleibt sich gleich. Aber keinen Rappen Spesen!‹

Und an diesen letzten Gedanken knüpfte Studer an, als er, nach Beendigung seines Exposés, also schloß:

»Hier kann ich nichts mehr ausrichten. Den Pater hätt' ich zur Not zurückhalten können – aber dann hätt' ich ihn einsperren müssen. Und das hab' ich nicht gewollt.« Er wiederholte den Witz vom Vatikan, er wolle keinen Konflikt mit dem Papst. »Die andern kenn' ich nicht. Telephonisch kann ich keine Klarheit bekommen. Ich muß nach Paris – vielleicht weiter. Ich muß den Sekretär Koller finden und den Hellseherkorporal... Ihr wisset, Herr Direktor, daß man dies alles nur an Ort und Stelle aufklären kann. Ich weiß, wo die Millionen liegen – wenn wirklich Millionen vorhanden sind...«

»Einerseits Millionen...«, sagte der hohe Vorgesetzte. Er gebrauchte gerne die Form: »einerseits-andererseits«. Und Studer grinste auf den Stockzähnen, weil er die vergeblichen Bemühungen seines Gegenübers sah, den zweiten Teil des Satzes zu finden. Endlich: »Andererseits die Basler Polizei... Wir wollen es den Baslern zeigen. Wir Berner!« Und er räusperte sich trocken.

»Exakt, Herr Direktor! Die Basler, die einen Tätler schicken, statt eines Fahnders!«

»Also Studer«, sagte der Direktor und stand auf. »Macht es gut. Ihr könnt reisen. Aber auf Eure Verantwortung. Gelingt's, so bekommt Ihr Eure Spesen zurück. Seid Ihr der Lackierte, so müßt Ihr halt den Spaß selber bezahlen... Einverstanden?«

»Einverstanden!« Studer nickte. Der Vorschlag kam nicht unerwartet. Der Wachtmeister hatte in der Nacht berechnet, daß sein Erspartes für die Reise grad langen würde.

»Gut so«, sagte der Direktor und schob Studer sanft zur Tür. »Und wenn Ihr zufällig eine neue Hunderasse entdeckt – vielleicht haben die Kabylen Sennenhunde, – so bringt Ihr mir ein paar Junge mit. Aber mit Pedigree!«

Marokkanische Sennenhunde! dachte Studer. Mit Stammbaum! Aber er widersprach nicht, sondern verabschiedete sich von dem hohen Vorgesetzten, der nach des Wachtmeisters bescheidener Ansicht ebenfalls ein wenig lätz gewickelt war...

Studer hatte beschlossen, diesmal nicht bei Madelin zu wohnen. Er brauchte Ellbogenfreiheit. So stieg er in einem kleinen Hotel ab, das den poetischen Namen »Au Bouquet de Montmartre« führte. Es lag in der Nähe der Station Pigalle.

Dann nahm er die Untergrundbahn, und wie immer, wenn er nach einiger Zeit den Geruch einatmete, der dort unten herrschte, diesen Geruch nach Staub, erhitztem Metall und Desinfektionsmittel, schlug ihm das Herz ein wenig schneller. Paris war stets etwas Abenteuerliches, auch wenn man wußte, daß man nichts von dem unternehmen würde, was gute Bürger unter Abenteuer verstanden.

In der Police Judiciaire begrüßte Kommissär Madelin seinen Kollegen Studer mit »Hallo!« und »Wie geht's?« und »Durchgebrannt?«, schickte den Bureaudiener sogleich in das nahe Café, eine Flasche Vouvray holen – es war halb neun Uhr morgens – und erkundigte sich dann, was denn diese ganze Geschichte samt Telephon und Pariser Reise zu bedeuten habe.

Studer mußte den ganzen Fall erzählen. Er tat dies mit einer so treuherzigen Diplomatie, daß Madelin gar nicht auf den Gedanken kam, sein Freund Studer verheimliche ihm irgend etwas. Der Berner Wachtmeister erzählte vom Pater Matthias, der durchgebrannt sei, von Marie Cleman, von den beiden alten Frauen, die den Gastod gefunden hatten – genau, wie es jener Hellseherkorporal prophezeit habe. Aber Studer verschwieg den Fund der Fieberkurve, verschwieg deren Entzifferung. Vorsicht, dachte er. Vorsicht! Sonst schnappen dir die Franzosen den Schatz vor der Nase weg.

Madelin hörte zu, unterbrach hin und wieder mit Ausrufen wie: »Nicht möglich!« – im Tonfall des Spaßmachers Grock – und: »Was du nicht sagst!« Als Studer dann noch von dem mißglückten Überfall erzählte, dessen Opfer er fast geworden war, nickte Madelin beifällig mit seinem mageren Büßerschädel: »Allerhand, Stüdère! Die ruhige Schweiz! Was du nicht sagst! Vielleicht erhebt sie sich mit der Zeit auf ein internationales Niveau – kriminalistisch meine ich. Ansätze sind vorhanden!«

Sehr gnädig, sehr spaßig, sehr freundschaftlich war der Divisionskommissär Madelin, den etwa ein Dutzend Inspektoren, die unter seiner Fuchtel standen, mit familiärem Respekt den »Patron« nannten. Denn er war eine Macht, der Kommissär Madelin, der lang und hager und grau einer Steinfigur an einem gotischen Domportal ähnelte – einer Steinfigur, die mit Vorliebe Vouvray trank...

»Und was kann ich für dich tun?« fragte er. Studer dachte einen Augenblick nach. Es war ihm allerlei in den Sinn gekommen, aber dieses Allerlei ließ sich nur schwer in genaue Fragen zergliedern. In Bern hatte er noch im Zivilstandsregister nachgesehen, mehr aus Gewissenhaftigkeit als in der Hoffnung, etwas Neues zu finden. Die Eheschließung zwischen Cleman, Alois Victor, und Hornuss, Sophie, war regelrecht vermerkt worden. Der Geologe gab als Heimatgemeinde Frutigen an. Als dann Studer an die Gemeindekanzlei telephonierte, erfuhr er, Cleman habe sich 1905 eingekauft. Er habe belgische Papiere vorgewiesen. Von einem Bruder des Betreffenden, meldete Frutigen, sei nichts bekannt...

»Was ich dich fragen wollte«, sagte Studer, »wie stehst du mit dem Kriegsministerium?«

»Hm«, meinte Madelin, während er eine Zigarette rollte – und Studer bewunderte diese Fertigkeit. »Soso lala. Ich hab' ein paar Kameraden dort, die mich auf dem laufenden halten, wenn etwas los ist. Verstehst du? Politische Veränderungen haben wir genug, einmal bläst der Wind von links, dann wieder von rechts, einmal sollte man Marx auswendig lernen und die Royalisten verhaften, dann wieder die Kommunisten mit Gummiknütteln beaufsichtigen und in die Messe gehen. Zwischenhinein kommt der König der Schimpansen und anderer Gorillas nach Paris, man hat Scherereien mit ihm und mit seiner Suite ... Man muß gedeckt sein ... Verstehst du? Doch, doch. Ich stehe ganz gut mit dem Kriegsministerium!«

»Es handelt sich«, erklärte Studer bedächtig, »um einen uralten Fall. Im Jahre 1915, soviel ich weiß, also während der Sintflut, sind in Fez zwei Deutsche standrechtlich erschossen worden. Die Brüder Mannesmann: Louis und Adolf. Kannst du dir die Akten einmal geben lassen und mir sagen, ob in ihnen auch von einem Geologen Cleman die Rede ist?«

»Aber natürlich! Ich kenn' den Archivar dort gut, der leiht mir die Akten. Um elf Uhr mach' ich einen Sprung ins Ministerium und heute abend, sagen wir um acht Uhr, können wir uns treffen. Bei mir daheim? Das wäre am gescheitesten, dann könnt' ich die Akten gleich mitbringen und du könntest sie durchsehen. Aber jetzt hab' ich zu tun. Leb wohl!«

»He! Wart doch noch ein wenig! Du hast doch die Untersuchung über das Verschwinden eines gewissen Koller, der Börsenmakler war, geführt. Wir haben vorgestern am Telephon über den Fall gesprochen... Hast du etwas Neues erfahren über den Mann?«

»Ja«, sagte Madelin, und sein Gesicht wurde plötzlich ernst. Er schwieg eine Weile. »Du meinst doch den Mann, dessen Verlustanzeige von seiner Sekretärin gemacht worden ist? Sekretärin!« wiederholte Madelin mit einer merkwürdigen Betonung.

Daraufhin wäre zwischen den beiden Freunden fast ein Streit ausgebrochen, denn Wachtmeister Studer war lächerlich empfindlich, wenn es sich um Marie handelte.

»Sie *war* seine Sekretärin!« sagte er laut und klopfte mit den Fingerknöcheln auf Madelins Schreibtisch. »Wenn ich dir sage, daß sie ein anständiges Mädchen ist! Willst du einen Beweis? Da! Schau!« Und er riß Maries Brief aus der Busentasche. »So schreibt mir das Mädchen! Ich will dir's übersetzen!«

Um Kommissär Madelins Lippen lag ein unverschämtes Lächeln. Aber Studer sah es nicht, denn er war allzusehr mit den weiblichen Schriftzügen beschäftigt. Die Buchstaben tanzten zwar ein wenig vor seinen Augen, aber schließlich standen sie doch still und die Übersetzung ging ohne allzu große Schwierigkeiten zu Ende.

»Gut, gut!« lenkte Madelin ein. »Das Mädchen ist ein Ausbund aller Tugenden... Aber nicht vom Mädchen wollt' ich dir erzählen, sondern von seinem ehemaligen Brotherrn, dem Jacques Koller, der verschwunden ist. Ich glaub', wir haben eine Spur... Heute früh hab' ich ein Telegramm vom Rekrutierungsbureau in Straßburg erhalten.

Der untersuchende Arzt hat zufällig das Signalement gelesen, das wir von dem Verschwundenen verbreitet haben: 1,89 groß, gelbe Hautfarbe, glattrasiert, stumpfblondes Haar... Und der Arzt behauptet, gestern, also am 4. Januar, habe sich auf dem Rekrutierungsbureau ein Mann gemeldet, auf den dieses Signalement paßt. Der Arzt habe sich verpflichtet gefühlt, die Sûreté von diesem Faktum zu benachrichtigen. Der Mann hat als Namen ›Despine‹ angegeben und ist mit einem Transportschein nach Marseille weitergeschickt worden, wo er sich am 5. Januar, also heute, melden wird. Wir können seine Auslieferung nicht verlangen. Die Fremdenlegion liefert nur aus, wenn es sich um Mord oder um eine Summe handelt, die 100 000 Franken übersteigt. Nun hat Godofrey die hinterlassenen Papiere des Koller untersucht, aber keine Fälschungen entdeckt. Der Konkurs war die Folge von Ungeschicklichkeiten und nicht von Unehrlichkeiten... Was sollen wir nun machen, alter Freund? Den Koller laufen lassen?«

Studer hockte da, die Unterarme auf den Schenkeln, die Hände gefaltet. Fremdenlegion! dachte er. Werd' ich also doch noch im Alter die Fremdenlegion sehen! Nach einer Pause sagte er eifrig: »Jaja, laß den Mann nur dort, wo er ist. Ich werde...« Aber er vollendete den Satz nicht. War es eine Vorahnung? Plötzlich kam es ihm vor, als sei es eine Unvorsichtigkeit, dem Divisionskommissär Madelin anzuvertrauen, daß er eine Reise nach Afrika zu unternehmen gedachte. Er stand auf.

»Also, heut' abend bei dir...«, und er schüttelte Madelin die Hand. »Wo hat der Koller hier in Paris gewohnt?«

Madelin schaufelte mit beiden Händen einen Wall von

Papieren durcheinander. Endlich stieß er auf einen kleinen Zettel:

»Rue Daguerre 18 … Ganz oben am Montparnasse. Du läufst den Boulevard St. Michel hinauf, immer weiter, bis du zum Löwen kommst. Und die Rue Daguerre ist ganz in der Nähe. Leb wohl, Alter. Auf Wiedersehen.«

Am Abend um acht Uhr war Madelins Wohnung dunkel. Studer läutete, läutete … Niemand kam ihm öffnen. Da meinte er, daß er den Kommissär falsch verstanden habe und ging zu den Hallen, in jene kleine Beize, in der er die Bekanntschaft des Paters gemacht hatte. Hinter dem Schanktisch stand immer noch der Beizer mit aufgekrempelten Hemdsärmeln, und seine Oberarme waren dick wie die Schenkel eines normalen Menschen. Studer wartete, wartete. Um Mitternacht gab er es auf.

In seinem Hotelzimmer versuchte er vergebens einzuschlafen. Die Lampe trug über dem weißen Glasschirm ein violettes Seidenstück von quadratischer Form, an dessen Ecken braune Holzkugeln hingen. Das erinnerte den Wachtmeister an die Küche der Sophie Hornuss in Bern. Er lag im Bett, die Hände im Nacken verschränkt, und starrte ins Licht. Zum erstenmal fiel ihm die zweite Merkwürdigkeit des Falles auf. Die erste war sein unschweizerischer – besser: sein auslandschweizerischer – Aspekt gewesen:

Man kämpfte gegen Schatten! Ein Schatten der Mann, der ihn am Telephon verhöhnte, ein Schatten der Hellseherkorporal, ein Schatten der Geologe Cleman, Alois Victor, der vielleicht – bewiesen war es noch nicht – mit dem Philosophiestudenten Koller aus Freiburg identisch war.

Schatten die beiden alten Frauen, die einen so merkwürdigen Tod gefunden hatten.

Schattenhaft waren auch die Dinge, mit denen man sich beschäftigen mußte: die Millionen, in Gurama vergraben, die ausgelegten Kartenspiele mit dem Schaufelbauer, die Briefe – das gelbe Kuvert sowohl, in welchem Korporal Collani die Fieberkurve geschickt hatte, als auch Maries Brieflein. Schattenhaft der Buick BS 3437 mitsamt dem großen Mann, der ihn bewachte, nachts, vor dem Haus in der Gerechtigkeitsgasse. Vom Lampenschirm des Hotelzimmers glitten Studers Gedanken zu den verbeulten Blechdosen ... Zwei Küchen ... Und Studer träumte von diesen Küchen.

Es war ein schauerlicher Traum, schwer und mit Angst geladen. Studer war in einer einsamen Oase, aber er wußte: sie war nicht leer. Ein Geschöpf hauste in ihr, weder Mensch noch Tier, das denen, die sich hierher verirrten, ins Genick sprang und sie zu Tode ritt. Der Wachtmeister ging gebückt und ängstlich unter den giftig-grünen Federpalmen. Da saß ihm das Geschöpf schon im Nacken, es hatte dürre Schenkel, die preßten Studers Hals zusammen. Und Studer ächzte. Pater Matthias tauchte auf, er hielt ein Kreuz in der Hand und rief: »Apage, Satanas!« Aber das Geschöpf kümmerte sich keinen Deut um die Beschwörung, es ritt weiter auf Studers Nacken, und der Wachtmeister mußte traben. Er hatte Durst. Pater Matthias war verschwunden, dafür standen plötzlich die verstorbenen alten Frauen da, und die eine hatte eine Warze neben dem linken Nasenflügel, während die Lippen der anderen schmal und zu einem höhnischen Lächeln verzogen waren. Sie tanzten wie

Hexen einen grausigen Tanz... Studer fiel zu Boden, es war nicht Erde, auf die er fiel, nein, Fliesen waren es. Und als er aufsah, lag er in der Küche der verstorbenen Sophie. Alles war da: der braune Klubsessel, der Gasherd, der Küchentisch, mit Wachstuch überzogen. Doch im Klubsessel, neben dem Gasherd, saß Marie und schlief. Über die Schlafende beugte sich ein Mann mit gekräuseltem Bart und sagte mit hohler Stimme: »Ich hole sie alle, alle hol' ich sie zu mir.« Der Mann, der nur der Geologe Cleman sein konnte, beschrieb mit seinen dürren Händen Kreise um den Kopf des Mädchens, die blonden Haare sträubten sich. Dann war es nicht mehr Marie – eine Warze wuchs neben ihrem Nasenflügel – die Küche schrumpfte zusammen und war nur noch ein Durchgangskorridor. Die beiden Flammen des Gasréchauds pfiffen eine Walzermelodie, und auf der Etagère tanzten die Büchsen klappernd einen plumpen Tanz: »Mehl«, »Salz«, »Kaffee«. Und Studer dachte im Traum, daß sie vom Tanzen ihr Email verloren hatten... »Cleman Victor Alois«, sagte Studer laut – und immer noch lag er am Boden – »ich verhafte Sie wegen Mordverdachts!« Aber die Küche war leer, wenigstens schien es so. Ein Schatten hüpfte über die Wand. Diesen Schatten verfolgte Studer mit dem Schatten seiner Hand. Da begann der Schatten zu lachen, lauter und lauter, donnernd...

Studer fuhr auf, die Fenster des Hotelzimmers klirrten, eine Bogenlampe warf ihr kaltes Licht auf die Mauer, und auf der Straße rumpelte ein später Autobus vorbei.

Nein, der Herr Kommissär sei leider nicht da, sagte der Bureaudiener am nächsten Morgen. Er habe einer Untersuchung wegen nach Angers reisen müssen.

– Ob er denn nichts für Inspektor Studer hinterlassen habe? – Nein, gar nichts ...

Gut, das konnte vorkommen. Ein Polizeikommissär kann nicht immer tun, was er gerne möchte ... Aber eine Nachricht hätte Madelin doch hinterlassen können, dachte Studer, als er an der Seine entlang ging und sich von einem verspäteten Morgenwind anblasen ließ. – Das ist nicht schön von Madelin, er weiß doch, daß ich warte! ... Nun, man kann in diesem Fall einen kleinen Ausflug nach Montparnasse machen und sich das Haus ansehen, in dem Marie gewohnt hat.

Die Rue Daguerre ist eine kleine Straße, die von der Avenue d'Orléans abzweigt. An der Ecke hat Potin, das bekannte Lebensmittelgeschäft, eine Ablage. In den Schaufenstern liegen Gänse, Kaninchen, Gemüse. Neben dem Laden bietet eine Blumenfrau frierende Mimosen zum Kaufe an. Die Nummer 18 ist ein Hof, in dessen Hintergrund ein einstökkiges Gebäude kauert.

– O ja, der Bäcker, dessen Laden dem Haus Nr. 18 gegenüber lag, erinnerte sich noch gut an das Ehepaar Koller. Kollère, natürlich auf der letzten Silbe betont. Anders taten es ja die Franzosen nicht. »Eine so charmante Frau, immer höflich, immer lustig, nie den Mut verloren! Auch als der Mann plötzlich verschwunden war. Und Monsieur! Ein gebildeter Herr! Sah viel Freunde bei sich! Beschäftigte sich mit Philosophie, wissen Sie! Mit den letzten Dingen!«

»Mit den letzten Dingen?« fragte Studer erstaunt.

Der dicke Bäcker, dessen spärliche Haare in der Farbe an Pfälzerrüben erinnerten, blies die Backen auf. »Jaja, mit den letzten Dingen! Monsieur konnte in die Zukunft schauen, die Toten waren ihm gehorsam.«

»Die Toten?«

»Ja! sie kamen und sprachen und erzählten. Ich war selbst einmal anwesend. Es war passionierend! Man konnte sich mit den Toten unterhalten, sie klopften im Tisch, manchmal sprachen sie auch aus dem Mund des Herrn Kollère. Ja, es gibt merkwürdige Dinge zwischen Himmel und Erde!«

Arme Marie! Mit einem Spiritisten hatte sie also zusammengewohnt! Und das nannte man hier einen Philosophen! Aber die Frau, die das Hofhaus von Nr. 18 betreute, gab tröstlichere Kunde.

Marie nahm an den spiritistischen Séancen, die ihr Gatte – Ihr Gatte! ›Son mari!‹ sagte die Hausmeisterin! – veranstaltete, nie teil. Marie flüchtete sich zu ihr, sagte Madame. Sie sagte immer: »Ich habe solche Angst, Madame!«

Marie und Angst haben? Chabis! Studer ärgerte sich.

Er verließ die mitteilsame Frau und ging mit seinen breiten Schritten durch die laut schwatzende Menge der Fußgänger. Mittag war nahe. Studer fühlte sich allein, einsam, und der Traum der letzten Nacht wirkte dunkel nach. Vielleicht war auch das unangenehme Gefühl, das der Berner Wachtmeister zwischen seinen Schulterblättern und auf dem Nacken spürte, auf diesen Traum zurückzuführen. Einen Augenblick dachte er, jemand verfolge ihn. Als er sich umwandte, sah er nur gewöhnliche Fußgänger, Dienstmädchen, Frauen, Männer, Arbeiter...

Er setzte seinen Weg fort. Auf dem Boulevard St.-Michel war das Gefühl wieder da, der Wachtmeister blieb vor einer Auslage stehen und beobachtete die Straße... Nichts... Doch! Auf dem gegenüberliegenden Trottoir flanierte ein Mann mit einem steifen Hut – und blieb auch vor einer Auslage stehen. Studer ging weiter, er kannte ein chinesisches Restaurant in einer kleinen Seitengasse. Dort aß er zu Mittag, trank viele Tassen eines dünnen, erfrischenden Tees, erlabte sich an den gebackenen Keimen von Sojabohnen und an einem Schweinsragoût, das so stark mit Curry gewürzt war, daß es ihm die Zunge verbrannte. Als er aus dem Restaurant trat, stand auf der anderen Seite der Straße der Mann mit dem steifen Hut und blickte ihn fest an. Studer beachtete ihn nicht.

Als der Wachtmeister über die Seine ging, um im Justizpalast noch einmal nach Madelin zu fragen, hatte er wieder das unangenehme Gefühl im Nacken. Er wandte sich um...

Ohne sich weiter zu verstecken, ging zehn Schritte hinter ihm der Mann mit dem steifen Hut. Er grinste unverschämt, als ihn Studers fragender Blick traf.

– Und Kommissär Madelin war noch nicht aus Angers zurückgekehrt –

Studer verbrachte den Abend in der kleinen Beize an den Hallen. Er schrieb seiner Frau eine Ansichtskarte und zehn Minuten lang fühlte er sich nicht mehr allein. Aber dann überfiel ihn das Gefühl der Einsamkeit mit verdoppelter Macht. Es war ihm, als werde er von den Gästen verhöhnt und als lache selbst der Beizer ihn aus.

Doch draußen, vor der Kneipe, deutlich zu sehen durch die hohen Fenster, patrouillierte der Mann auf und ab – der Mann mit dem steifen Hut.

In dieser Nacht versuchte Wachtmeister Studer sich einen Rausch anzutrinken. Man braucht dies von Zeit zu Zeit, wenn man müde, nervös, gereizt und verärgert ist. Aber der Rausch wollte nicht kommen. Er wirkte nur an der Oberfläche, die Ruhe drang nicht in die tieferen Schichten von Studers Gemüt; denn dort herrschte Unordnung und Chaos, dort hockte eine kalte Verzweiflung. Der einsame Wachtmeister hatte den Eindruck, daß mit ihm gespielt wurde – und es war ein grausames Spiel, grausam deshalb, weil er die Regeln nicht kannte.

Am späten Vormittag erwachte er, merkwürdigerweise mit ziemlich klarem Kopf. Und da Kommissär Madelin noch immer nicht zu sprechen war, beschloß Studer, Godofrey aufzusuchen. Als er nach ihm fragte, wurde der Bureaudiener verlegen.

»Ja... vielleicht... ich weiß nicht...« Dann Tuscheln hinter einer Tür. Man schien auf diese Frage nicht vorbereitet zu sein.

»Zimmer 138, unterm Dach.«

»Merci«, sagte Studer, und er dehnte das Wort nicht mehr, wie er es z'Bärn gewohnt war. –

Lange Gänge, Stiegen voll Staub, wieder ein langer Gang; jetzt war man unterm Dach. Es war dunkel, keine Lampe brannte. Im Flackern eines Streichholzes entdeckte Studer endlich die angegebene Nummer...

Godofrey bereitete dem Wachtmeister einen rührenden Empfang. Er trug einen alten Labormantel, der vor sehr langer Zeit einmal weiß gewesen war. Jetzt war er bunt: rot, blau, gelb. Und im Laboratorium stank es – aber dieser Gestank war angenehmer als der Geruch nach Staub und Bodenöl.

– Es sei schön, daß der Herr Inspektor wieder in Paris sei! Der Herr Inspektor Stüdère... »Wie oft hab' ich nach Ihnen gefragt«, sagte Godofrey und flatterte herum wie ein farbiger Vogel. »Aber seit vorgestern ist der ›Patron‹ wütend über Sie, Inspektor.«

Ja, meinte Studer, das habe er gemerkt. Madelin sei plötzlich verschwunden. Was denn los sei?

»Politik!« flüsterte Godofrey eindringlich. Und setzte noch leiser hinzu: Studer sei selbst an allem schuld.

»Ich?« fragte der Wachtmeister. »Warum denn?«

Man habe Studer im Verdacht, für Deutschland zu spionieren... Da lachte der Berner Fahnder, aber es war kein herzliches Lachen. Das war ja eine Posse!

Darum die Verfolgung durch den Mann im steifen Hut! Madelin hatte ihn beobachten lassen, ihn, den Wachtmeister Studer!... Unglaublich!...

Godofrey schlich zur Tür, lauschte, riß sie auf – es war wie im Kino. Godofrey kam zurück, nachdem er die Tür wieder geschlossen hatte; er winkte, wie ein Verschwörer, und Studer näherte sein Ohr dem Munde des kleinen Mannes. Godofrey flüsterte:

»Sie haben sich nach den Brüdern Mannesmann erkundigt. Das genügte... genügte vollkommen... mehr brauchte es nicht... – Was er sich eigentlich einbilde, hat man Madelin auf dem Kriegsministerium gefragt. Die Akten des Falles Mannesmann? Nicht daran zu denken!...

Wozu er die Akten brauche? Ja, er, der Divisionskommissär Madelin? ... Ah, für einen Freund? Einen Schweizer Polizisten? Von Bern? ... Natürlich ein Boche! Das gäbe es nicht! Auf keinen Fall! ... – Ja, so haben sie den ›Patron‹ auf dem Kriegsministerium abgefertigt.«

Schweigen. Studer dachte verschwommen, daß er ein Wespennest aufgestört habe ... Unangenehm ...

Der Kleine plapperte weiter.

»Setzen Sie sich, Inspektor. Sie haben unüberlegt gehandelt. Warum sind Sie nicht zu Godofrey gekommen? Godofrey weiß alles. Godofrey ist ein wandelndes Lexikon. Godofrey kennt alle Kriminalfälle des In- und Auslandes. Vom Fall Landru bis zum Fall Riieedell-Güala« – er meinte den Fall Riedel-Guala – »und Godofrey sollte den Fall Mannesmann nicht kennen? Inspektor! Warum haben Sie den ›Patron‹ mit dieser Sache belästigt?«

Studer zündete eine Brissago an – und sie schmeckte ihm. Das gescheiteste war wohl, man schwieg und ließ den kleinen Mann ruhig erzählen.

Godofrey fuhr fort: Er hatte vor einem Jahr wegen eines Spionagefalles im Kriegsministerium gearbeitet. Und da seien ihm durch Zufall die Akten Mannesmann in die Hände gefallen. »Der Name fiel mir auf; denn in meinem Berufe habe ich mit Mannesmannröhren zu tun. So nennt man die Behälter, – Sie werden dies wohl wissen – in denen man Gase unter hohem Druck aufbewahren kann. Ich habe mich damals gefragt, ob es sich um Verwandte *dieses* Mannesmann handelt und in den Akten geblättert. Ja, zuerst nur geblättert und dann aufmerksam gelesen ... Zwei Brüder, angeblich Schweizer.«

»Das weiß ich alles«, unterbrach Studer. »Sie haben nach Blei, Silber, Kupfer geschürft und sind dann erschossen worden, wegen Hochverrat ...«

»Stimmt«, sagte Godofrey. »Was Sie aber nicht wissen, ist folgendes: Die beiden wollten Land kaufen und hatten in ihrem Gepäck stets viel Gold- und Silberstücke, denn die Araber dort unten sind mißtrauisch gegen Banknoten. Dann wurden sie verhaftet, erschossen – man durchsuchte ihr Gepäck. Aber von dem Geld war nichts mehr vorhanden.«

Godofrey machte eine Kunstpause und ließ seine Worte wirken.

»Sie hatten kein Konto auf der Banque Algérienne, da vermutete man, sie hätten das Geld irgendwo versteckt. Ein Offizier vom Zweiten Bureau, Sie kennen das Zweite Bureau, es ist unser Nachrichtenbureau, verkleidete sich als Araber und zog los, um sich an den Geologen Cleman heranzumachen, denn dieser Mann hatte mit den Mannesmann gearbeitet und war auch derjenige, der sie verraten hatte. Lyautey war wütend, denn er brauchte Geld für seine Kolonie. Er fand, man habe das Todesurteil zu schnell vollzogen. Warum kein Verhör? brüllte er. Aber es war zu spät. – Zwei Monate brauchte der Offizier vom Zweiten Bureau, dann fand er den Geologen Cleman. Sie wissen, daß er ein Landsmann von Ihnen war, Inspektor? Ja? ... Gut. Der Offizier machte sich an den Cleman heran, aber der blieb stumm. Der Geologe war damals in der Gegend von Gurama beschäftigt, er fahndete nach Erdöl und Kohlen. Außerdem waren dort ein paar Bleiöfen in Betrieb, welche die Gebrüder Mannesmann erbaut hatten. Dem Cleman konnte man nichts anhaben. Er hatte einen Schweizer Paß und daneben noch belgische Papiere. Die Belgier waren unsere Verbündeten. Cleman erklärte, er habe sich in der Schweiz angekauft, um ungestört nach Deutschland fahren zu können. Er behauptete, nur in Deutschland gebe es die Maschinen, die er brauche. Da er die beiden Mannesmann entlarvt hatte, glaubte ihm der Offizier alles. Außerdem war Cleman unter den Berbern jener Gegend sehr beliebt... Der Offizier vom Zweiten Bureau kam unverrichteter Dinge zurück.

Cleman blieb noch ein Jahr in Gurama, fuhr dann in die Schweiz, wurde von Lyautey zurückgerufen und wieder nach Gurama geschickt. Er hatte es verstanden, sich beim General beliebt zu machen. Als er krank wurde, ließ ihn Lyautey mit einem Flugzeug nach Fez schaffen. Cleman starb dort, während einer Blatternepidemie, an einem Sumpffieber. Der Sekretär des Cleman, ein gewisser Jacques Koller, siedelte sich in Paris an und gab sich mit Maklergeschäften ab. Als Hilfe – als Sekretärin, wenn Sie wollen – verschrieb er sich die Tochter seines Brotgebers, des verstorbenen Geologen Cleman.

Und nun? Nun scheint die Geschichte, die jahrelang in den Kartons des Kriegsministeriums geschlafen hat, plötzlich wieder aktuell zu werden. Koller, der Sekretär, verschwindet. Clemans zweite Frau findet in Basel einen merkwürdigen Tod. Sie haben dies Madelin erzählt, und er hat es mir wiederholt. Und dann erscheinen Sie, Inspektor, auf einmal in Paris und wollen die Akten Mannesmann sehen... Genügt das nicht, um Mißtrauen zu erwecken? Können Sie es der französischen Regierung verdenken, wenn sie der Meinung ist, Sie, Inspektor, seien gekommen, um den verschwundenen Schatz der Brüder Mannesmann zu suchen? Es waren immerhin 200 000 Franken in Vorkriegswährung... Alles in Silber- und Goldstücken! Vielleicht hat der Cleman das Geld vergraben? Nun meint man natürlich, daß Sie sich als Schatzgräber betätigen wollen und das will man vereiteln. Hat man nicht recht?«

Studer hielt den Kopf gesenkt. Er saß auf einem Tisch, zwischen Eprouvetten, Reagenzgläsern, Bunsenbrennern und Glasflaschen. Von einem Dachfenster sickerte spärliches Licht auf seinen Rücken. Godofrey ging auf und ab, mit kleinen steifen Schritten, und als er jetzt anhielt und, die Hände auf dem Rücken, Studer anglotzte, sah er aus wie der Vogel der Weisheit...

»Meine Frau läßt Ihnen herzlich für die Gansleber danken«, sagte Studer, scheinbar zusammenhanglos. Das schien den Kleinen zu freuen, denn er spitzte den Mund und pfiff – ganz leise. Mit steifem Eulenschritt trat er näher, beugte sich zu Studers Ohr und flüsterte:

»Legen Sie Madame meine Verehrung zu Füßen«, er grinste, »aber ich, Godofrey, werde Ihnen helfen. Wir beide werden dem ›Patron‹ einen Streich spielen und ich weiß, daß er ihn nicht übel nehmen wird. Denn eigentlich ist er gar nicht böse auf Sie, sondern er flucht über das Kriegsministerium. Sie müssen verschwinden, Inspektor, denn wenn Sie nach Marokko fahren, wird man Sie unter irgendeinem Vorwand in Marseille verhaften und als unerwünschten Ausländer ausweisen. Das kann lange dauern, die Ausweisung nämlich, und während des Wartens können Sie gut und gerne verfaulen – in einem feuchten Verlies ... Nein, wir machen das anders. Es wird Ihnen doch möglich sein, Ihren Schatten abzuschütteln?«

Godofrey blickte den Wachtmeister treuherzig an und verstand gar nicht, warum sein Freund bei dem Worte »Schatten« zusammengezuckt war. Die Schatten! Der Fall mit den Schatten! ... Unwillig schüttelte Studer den Kopf. Godofrey fuhr fort:

»Der Brigadier Beugnot, der angewiesen ist, Ihnen auf Schritt und Tritt zu folgen, ist nicht der Gescheiteste ...«, und schwieg dann, während er seine Wanderung wieder aufnahm.

Ganz zusammengekrümmt saß Studer da und betrachtete mit Interesse seine baumelnden Füße. Konnte man diesem Godofrey, den man nicht weiter kannte, wirklich Vertrauen schenken? Vielleicht ... Man war schließlich nicht vergebens neunundfünfzig Jahre alt geworden, man hatte ein wenig Menschenkenntnis erworben. Der Typus, zu dem Godofrey gehörte, war einem nicht fremd. Sicher war das Männlein Kriminologe geworden, um der Langeweile zu entgehen. Godofrey brauchte Betrieb. Er gehörte zu jenen Leuten, die am liebsten beten würden: »Unser täglich Problem gib uns heute ...« Man fand diesen Typus nicht nur unter Polizeiorganen, auch unter Philosophen, Psychologen, Ärzten, Juristen war er vertreten ... Kein unsympathischer Typus! Ein wenig ermüdend vielleicht, wenn man ständig mit ihm zu tun hatte. Studer beschloß: Man kann es probieren. Seine Stimme war sanft, streichelnd, als er sagte:

»Und wie wollen Sie mir helfen, mein lieber Godofrey?«

Wahrhaftig, dem Männlein traten Tränlein in die Augen.

Sicher ist der arme Kerl ganz allein, dachte Studer, und niemand ist freundlich zu ihm, sein ›Patron‹ singt ihn nur an oder kommandiert.

»Ich habe hier«, sagte Godofrey mit einer komisch zitternden Stimme, »den Paß eines Freundes. Er sah Ihnen ähnlich, Monsieur Stüdère. Er hat mit mir in Lyon gearbeitet, aber vor einem Jahr ist er bei einer Rafle erschossen worden. Er war Inspektor an der dortigen Sicherheitspolizei. Ich gebe Ihnen seinen Paß. Nur den Schnurrbart müssen Sie sich abrasieren lassen. Dann kaufen Sie sich einen dunklen Mantel mit Sammetkragen, auch einen steifen Kragen müssen Sie anlegen und nicht vergessen, daß Sie von nun an wie der Polizeiminister des *Kaisers* heißen ...«

»Des Kaisers?«

»Sicher meinte ich nicht Wilhelm II.«, sagte Godofrey tadelnd. »Es gibt nur einen Kaiser, den kleinen Korporal, Napoleon I.! Sein Minister hieß ... – Sie werden doch nicht behaupten wollen, daß Ihnen der Name dieses genialen Menschen unbekannt ist?«

Nun hatte Studer im Gymnasium gerade immer in den Geschichtsstunden geschlafen. Er zuckte darum mit den Achseln und blickte Godofrey fragend an.

»Seine Exzellenz Joseph Fouché von Nantes, Herzog von Otranto ...«

»Was? Herzog bin ich auch?« meinte Studer entsetzt.

»Sie wollen den armen Godofrey lächerlich machen, Inspektor! Sie heißen von nun an: Joseph Fouché, Inspecteur de la Sûreté. Wir werden übrigens den Paß noch vervollständigen ...«, sagte Godofrey, ging zu einem Wandschrank, entnahm ihm ein Büchelchen, das ziemlich verschmiert aussah und begann, in der babylonischen Unordnung seines Schreibtisches nach einem bestimmten Objekt zu fahnden. Er fand es endlich und es war ein Fläschlein grüner Tinte. Mit dieser Tinte malte er heilige bureaukratische Zeichen auf das vorletzte Blatt des Büchleins. Dann holte er aus dem gleichen Wandschrank einen glattpolierten Stein, fettete ihn ein, drückte ihn auf ein bereitgehaltenes Dokument, zog den Stein vorsichtig ab und preßte den so gewonnenen Stempel ebenfalls auf die vorletzte Seite des Passes. Hierauf trat wieder die grüne Tinte in Aktion, Godofreys Hand mitsamt der Feder beschrieb elegante Kreise in der Luft, bevor sie, einem Habicht gleich, der ein Hühnlein erblickt hat, herab aufs Papier schoß. Dann schwenkte der kleine Mann den präparierten Paß in der Luft, blies auf die noch feuchte Tinte und endlich... endlich... hielt er dem Wachtmeister den Beweis seiner Fertigkeit vor die Nase:

»Reist in besonderem Auftrag des Kriegsministers«, stand da. Die Unterschrift war unleserlich, wie es sich gehörte, und ein Stempel krönte das Kunstwerk.

»Großartig! Wunderbar!« sagte Studer.

»Wenn wir Kriminalisten nicht einmal fälschen könnten«, sage Godofrey bescheiden, »dann wäre es besser, man bände uns ein Aktenfaszikel um den Hals. Aber es ist ja für eine gute Sache, Herr Inspektor Fouché!«

»Ich danke Ihnen, Godofrey! Mehr kann ich nicht sagen. Aber wenn Sie einmal Hilfe brauchen sollten – Sie wissen, wo ich daheim bin.«

»Gut, gut, Inspektor; das ist alles nicht der Rede wert«, sagte der Kleine. »Man hilft sich, nicht wahr...«

Studer nahm das offen dargereichte Büchlein, blätterte darin und fand ganz vorne eine Paßphotographie. Der Mann, den dieses Bild darstellte, war breitschultrig, es war ein Brustbild, sein Gesicht mager, und eine spitze, schmale Nase sprang daraus hervor. Der Mund? Studer hatte seinen eigenen Mund nie mehr gesehen, seit er einen Schnauz trug.

»Und Sie glauben, daß mir der Mann gleicht?« fragte Studer.

»Wie ein Zwillingsbruder! ... Nur müssen Sie sich den Schnurrbart abrasieren, einen steifen Hut aufsetzen – dann können Sie beruhigt reisen.« Studer wollte den Paß in seiner Busentasche versorgen, da – wie schon einmal – machte sich die Fieberkurve durch Rascheln bemerkbar.

»Hier Godofrey«, Studer hielt dem Kleinen das Dokument hin. »Können Sie das entziffern?«

Godofrey stürzte sich auf das Blatt, schob die Hornbrille in die Stirn, und da kamen zum Vorschein ein Paar wässrige, blinzelnde Äuglein. Ihnen näherte er das Blatt etwa auf Handbreite, drehte es hin und her und hielt es endlich so, daß die Achse der Fieberkurve senkrecht stand. Ausrufe platzten über seine Lippen:

»Kindisch ... Kindisch einfach! ... Stümperarbeit! ... Freimaurerschrift ... Das kann man vom Blatt lesen ...«

Er flatterte zum Tisch, setzte sich und begann:

»EMOQHZ ...«

»Genug, Godofrey, genug!« rief Studer, der ängstlich wurde. Man konnte sicherlich Vertrauen zu dem Zwerge haben, aber immerhin ... er war Franzose ...

Godofrey jedoch ließ sich nicht stören, sondern diktierte sich die Buchstabenreihe laut in die Feder. Dann machte er eine Pause.

»Umgekehrtes Alphabet«, sagte er langsam. »Wahrscheinlich Deutsch. Ich will nicht in Ihre kleinen Geheimnisse eindringen. Aber haben Sie es selbst entziffern können?«

»Nein«, sagte Studer und wurde verlegen. »Meine Frau hat die Lösung gefunden.«

»Ah, Madame Stüdère... Wundert mich nicht. Ein Mann wie Sie, Inspektor, hat überall Glück. Unverdientes Glück. Ein Mann wie Sie muß unbedingt auch eine kluge, eine gescheite Frau haben. Das geht klar hervor aus Ihrem ganzen Aussehen. Madame Stüdère...«, wiederholte Godofrey. »Wird es mir einmal vergönnt sein, ihr meine Bewunderung zu Füßen zu legen?«

»Ich glaube«, sagte Studer trocken, »daß meine Frau eine Gansleberpastete mehr schätzt als Bewunderung.«

»Sie sind ein Materialist, Inspektor Fouché.« Das Männlein ging auf den Spaß ein. »Aber ich werde mich an die Pastete erinnern. Und nun – viel Glück. Seien Sie vorsichtig. Hier haben Sie noch eine Erkennungsmarke der französischen Polizei...«

Studer in der Fremdenlegion

Godofrey hatte nicht gelogen. Der Brigadier Beugnot, der den Auftrag erhalten hatte, den Berner Wachtmeister zu beaufsichtigen, war nicht der Schlaueste – oder, und das konnte auch als Erklärung für sein Verhalten gelten, er hielt die Schweizer im allgemeinen für dumm und den Inspektor Studer im besonderen für harmlos.

Vor dem Tor des Justizpalastes wartete dieser Brigadier Beugnot, kam mit in die Untergrundbahn und stieg aus an der Station Pigalle; er betrat mit Studer das Hotel und blieb hinter dem Wachtmeister stehen, während dieser seine Rechnung bezahlte. Der Brigadier folgte seinem Schützling auch auf den Ostbahnhof – dies kostete die französische Regierung eine Taxifahrt – und wartete dann auf dem Bahnsteig, bis der Basler Zug aus der Halle fuhr. Studer war guter Laune. Er winkte mit seinem breitrandigen Filzhut aus dem Fenster und mußte lachen, weil der Brigadier Beugnot, dem dieses Winken galt, automatisch das Winken erwiderte. Der französische Polizeibeamte schnitt dazu ein Gesicht, welches durch das Erstaunen, das es ausdrückte, dümmer schien, als es eigentlich vom Reglement vorgesehen war.

Es galt, vorsichtig zu sein, dachte Studer auf seinem Fensterplatz, während die aussätzigen Häuser der Vororte am Zug vorbeihumpelten. Vorsichtig! – Wie anders war er vor einer Woche gereist! Da saß ihm gegenüber ein Mädchen:

graue Wildlederschuhe, seidene Strümpfe, Pelzjackett... Der Wachtmeister riß sich zusammen. Vorsicht! Worin hatte die Vorsicht zu bestehen? Er durfte nicht in die Heimat zurück – die Schweizer Paßkontrolle würde ihn ohne Anstände durchlassen. Aber wie sollte er die Schweiz verlassen? Die französische Kontrolle passieren mit einem falschen Ausweis? Riskant! Gefährlich!

Es empfahl sich, dem Beispiel einiger Mitspieler in diesem verkachelten Falle zu folgen – und zu verschwinden. Studer schmerzte es, daß er nicht einmal seine Frau benachrichtigen konnte. Aber diesmal durfte er keine Unvorsichtigkeiten begehen, und eine solche wäre es gewesen, wenn er der französischen Post einen Brief anvertraut hätte...

Er stieg in Belfort aus und übernachtete dort in einem Hotel mitten im Städtlein – nicht in der Nähe des Bahnhofes. Er kaufte einen neuen Koffer, einen steifen Hut, einen dunklen Mantel und ein Paar hohe gelbe Schnürschuhe mit starker Sohle. Dann ließ er sich bei einem Coiffeur den Schnurrbart abrasieren und die Haare, die an den Schläfen bedenklich weiß waren, schwarz färben. Die Polizeimarke wirkte Wunder. Der Coiffeur lächelte geschmeichelt und geheimnisvoll, der Hotelbesitzer nahm den Anmeldeschein schleunigst und unausgefüllt wieder mit. Studer hatte zwei Worte gesagt: »Politische Mission!« und den Zeigefinger auf die Lippen gelegt. »Ich verstehe, verstehe gut!« hatte der Besitzer genau so geheimnisvoll erwidert.

Dann fuhr der Berner Wachtmeister, der plötzlich ein Inspektor der französischen Polizei geworden war, weiter nach Bourg. Dort stieg er um und nahm eine Nebenlinie nach Bellegarde. In Bellegarde wartete er auf den Nachtzug, der von Genf über Grenoble direkt nach Port-Bou an die spanische Grenze führt. Einige Stationen vor Port-Bou lag jenes Port-Vendres, das der Unbekannte den Berner Gangstern angegeben hatte.

Und in Bellegarde, während er auf den Schnellzug wartete, nahm Wachtmeister Studer Abschied von seinem treuesten Reisebegleiter: dem ramponierten Koffer aus Schweinsleder. Es war ein wortloser, aber inniger Abschied. Dinge haben oft mehr Herz als Menschen – der Koffer verzog alle Falten, die ein langer Gebrauch in sein Leder gegraben hatte. Aber er weinte nicht. Koffer weinen nicht. Koffer begnügen sich damit, kummer- und vorwurfsvoll dreinzublicken ...

Port-Vendres ... Auf der einen Seite des Hafens, der nur ein großes Bassin ist, das faulig riecht, steht ein riesiges Hotel, das meistens leer steht. Auch hier wirkte die Erkennungsmarke Wunder. Doch nicht zu vergleichen war diese Wirkung mit jener, welche die Marke auf das kleine Fräulein im Postbureau ausübte.

Studer trat an den Schalter, sagte mit jener Betonung, die er Madelin abgelauscht hatte: »Police!« – Hier müssen wir nachtragen, daß Studer das Französische ohne deutsche Färbung sprach – seine Mutter war in Nyon daheim gewesen ..., und ließ die Marke in der hohlen Hand aufleuchten.

Eifrig und beflissen nickte das schüchterne Fräulein, sie erhob sich halb von ihrem Stuhl und blieb so stehen, mit gebeugten Knien und schiefem Oberkörper ...

»Was kann ... womit kann ... ich dem Herrn Inspektor dienen?«

»Ich möchte die Sendungen sehen, die in den letzten

Wochen postlagernd eingetroffen sind«, sagte Studer und war genau so verlegen wie das Fräulein. »Ich meine die Sendungen, die noch nicht abgeholt worden sind, mein liebes Kind.«

Das »liebe Kind« wurde rot, und das war eine Katastrophe. Denn die natürliche Röte ihrer Wangen wollte gar nicht zu der künstlichen ihrer Lippen passen.

»Die... die... Poste-restante-Briefe... Ge... ge... gern, Herr Inspektor!«

Fünf Briefe. »Vergißmeinnicht 28«, »Mimose 914«, »Einsames Veilchen im Frühlingswind«, »Rudolf Valentino 69« und – endlich! – »Port-Vendres 30–7«. Die Schrift!

»Ich brauche diesen Brief!« Studer versuchte umsonst seiner Stimme Festigkeit zu geben, sie zitterte, aber das kleine Fräulein merkte es nicht. »Soll ich Ihnen Decharge geben?«

»De... De... charge? Wenn Sie so freundlich wären.... Eine Empfangsbestätigung, wenn ich bi... bi... tten darf, He... Herr Inspektor!«

Der Wind kam vom Meer. Er brachte Feuchtigkeit und einen ganz leisen Geruch nach Seetang und Fischen. Studer atmete tief. Dann riß er die Enveloppe auf.

»Lieber Vetter Jakob!

Ich weiß, daß du den Brief erhalten wirst, denn du bist ein kluger Mann. *Er* ist wütend, daß der Überfall nicht gelungen ist, aber ich hab' lachen müssen. Die Panik ist vorbei – denn als ich dich anrief, hatte ich einen Augenblick den Kopf verloren. Jetzt hab' ich ihn wiedergefunden, das war nicht schwer, denn er ist groß genug – der Kopf nämlich. Ich bin sehr froh, daß du die große Reise machst, denn allein kann ich mit der ganzen Sache nicht fertig werden. Und Pater Matthias kann mir gar nicht helfen... Warum? Das wirst du erfahren! Du mußt unbedingt zuerst über Géryville fahren, und wenn ich fahren sage, so ist das ein Verlegenheitsausdruck, denn du wirst kein Gefährt finden. Aber ich gebe dir Rendez-vous in Gurama. Dort werde ich dich notwendig brauchen. Sei also zur Stelle! Aber nicht vor dem 25. Januar. Und mach dir keine Sorgen, wenn du mich dort nicht antriffst. Ich werde erscheinen, wenn es nötig sein wird. Inzwischen kannst du dich dort mit dem Beherrscher des Postens unterhalten. Er heißt Lartigue und stammt aus dem Jura. Vielleicht findet ihr einen Dritten zum ›Zugere‹, aber spiel nicht höher als zehn französische Centimes den Punkt. Du hast bis jetzt eine gute Nase gehabt, fahre in dieser nützlichen Beschäftigung fort und sei herzlich gegrüßt von deiner Adoptivnichte

Marie.«

»Suumeitschi!« murmelte Studer und blickte sich gleich danach erschreckt um, nein! Niemand konnte diesen Ausruf gehört haben. Der Quai war leer, Gott sei Dank. So las er den Brief noch einmal und versorgte ihn dann bedächtig in seiner Busentasche. Mochte er dort mit der Fieberkurve gute Nachbarschaft halten! Doch seine Zufriedenheit und seine Freude über den Brief erlitt sogleich einen Dämpfer. Dieser Dämpfer nahm die Gestalt eines Windstoßes an, der ihm den steifen Hut vom Kopfe und in das Schwimmbassin blies. Alles Fluchen half da nichts. So kaufte sich Studer ein

Béret; dann verließ er das Geschäft und betrachtete sich noch einmal prüfend im Spiegel des Schaufensters: er sah wirklich ganz unschweizerisch aus mit seinem glatten, mageren Gesicht, den massigen Körper eingezwängt in den dunklen Überzieher, der auf Taille geschnitten war; und das Béret gab ihm etwas Abenteuerliches. Er freute sich über sein Aussehen, der Wachtmeister Studer, er freute sich, daß er in eine fremde Haut geschlüpft war... Aber er wußte nicht, daß diese leise Freude, die in ihm zitterte, auf lange Zeit seine letzte sein sollte. Auf drei Wochen nämlich... Aber drei Wochen können sich dehnen, als seien sie ebensoviel Jahre...

Von Port-Vendres geht zweimal die Woche ein Schiff nach Oran. Am nächsten Tage war eines fällig, und Studer war froh darüber, denn der Miniaturhafen ging ihm auf die Nerven – besonders sein fauliger Geruch nach Gerberlohe und spanischen Nüssen. Das Meer war schmutzig und seine Wellen glichen dicken, alten Frauen, die ein nicht ganz sauberes Kopftuch aus Spitzen auf die fettig-grauen Haare gelegt haben – und nun weht das Tuch, während die Weiber mühsam vorwärts rollen... Das Meer war also eine Enttäuschung, und die Enttäuschung verflog auch nicht auf dem Schiff. Im Löwengolf machte sich, wie meistens, ein Sturm bemerkbar, der teils mit Hagel, teils mit Schnee vermischt war. Studer wurde nicht seekrank. Aber er war doch unzufrieden: als französischer Polizeiinspektor durfte er keine Brissagos rauchen, Franzosen kennen diese geniale Erfindung nicht, sie rauchen Zigaretten, allenfalls Pfeife. Studer hatte sich eine Pfeife gekauft. Auf dem Schiff übte er sich darin, sie nicht ausgehen zu lassen. Es war schwer. Aber dann schmeckte sie ihm plötzlich – so gut, daß er eine seiner letzten Brissagos, die er verstohlen in der Kabine angezündet hatte, zur Luke hinauswarf. Der Ketzer schmeckte auf einmal nach Leim.

In Oran hatte er nichts zu suchen. So fuhr er weiter nach Bel-Abbès.

Und dort prallte er mit einer derart fremden Welt zusammen, daß ihm der Kopf brummte.

Die Ankunft schon auf dem kleinen Bahnhof! Ein Dutzend Leute in grünen Capottes, die in der Taille von grauweißen Flanellbinden zusammengehalten wurden, standen da, und die Bajonette an ihren Gewehren schimmerten schwärzlich. Aus einem Waggon hinter der Lokomotive quollen viel unbewaffnete Uniformierte, die sich in Viererreihen aufstellen mußten – dann wurden sie von den Bajonettträgern eingerahmt und trabten ab. Studer folgte ihnen. Eine lange Straße zwischen Feldern, auf denen verkrüppelte Holzstrünke wuchsen. Es waren Reben, aber hier zog man sie anders als im Waadtland. Am Himmel stand ein unwahrscheinlich weißer Mond, der vergebens versuchte, die Wolken fortzuwischen, die immer wieder an seiner platten Nase vorbeistrichen.

Ein Stadttor, aus roten Ziegeln erbaut... Eine breite Straße... Ein Gitter und vor dem Gitter ein Wachtposten, auch er in einer resedagrünen Capotte, der den Eingang bewachte... Und hinter dem Gitter der Kasernenhof, umgeben von trostlosen Gebäuden; sie erinnerten mit ihrem Aufsatz an die Häuser, die in den Vororten von Paris am Zuge vorbeigehumpelt waren.

Studer trat auf den Wachtposten zu und verlangte den

Colonel zu sprechen. Der Posten hörte sich Studers Wunsch gelassen an und deutete dann mit einem Kopfruck nach hinten. Studer wurde ungeduldig. Wo er sich denn melden solle, fragte er barsch.

»Postenchef«, sagte der Mann und ließ sein Gewehr knallend von der Schulter fallen. Studer sprang erschreckt einen Schritt zurück. Aber der Posten hatte es mit der linken Hand aufgefangen; diese linke Hand lag plötzlich waagrecht – und jetzt erst verstand der Wachtmeister, daß der Posten das Gewehr präsentierte. Ein Offizier ging vorüber, von seiner Frau spazierengeführt, und grüßte nachlässig.

»Was?« fragte Studer, als das Gewehr wieder schief auf der Schulter des Resedagrünen lag.

»Sie müssen beim Postenchef melden!« wiederholte der Legionär. Die Worte waren hart wie Kieselsteine. Aber die Betonung? Die Farbe der Sprache? Wahr- und wahrhaftig! ... Des Resedagrünen Sprache hatte berndeutschen Klang. Studer sah den Mann an. »Steh« ich in finstrer Mitternacht!« ging es ihm durch den Sinn. Aber die heimatlichen Laute machten das Ganze nur gespenstischer. Und es ging ein kalter Wind, der nach Erde und Sand schmeckte ...

Der Postenchef war Russe. Ein Sergeant und sehr wohlerzogen. Er gab sich Mühe, seine Abneigung gegen die Polizei nicht allzu deutlich zu zeigen. Aber seine Blicke waren beredt ... »Wenn ich dich an einer dunklen Straßenecke erwisch'!« schienen sie zu sagen. Fahnder waren nicht beliebt in der Legion.

Colonel Boulet-Ducarreau sei in seiner Wohnung.

Man rate dem Herrn Inspektor Fouché jedoch, lieber morgen früh wiederzukommen …

Studer entfernte sich seufzend. Noch ein Tag! Aber er hatte ja Zeit, Zeit genug. Wenn er nur am 25. Jänner in Gurama war! Heute schrieb man den elften. Er aß in einem hellerleuchteten Restaurant zu Nacht, nicht schlechter als in Paris. Er trank einen süffigen Weißwein, der aber hinterlistig war. Einmal – der Wachtmeister führte gerade die Gabel zum Munde und erschrak dermaßen, daß er sich in die Lippen stach – legte sich eine Hand um seinen Fußknöchel … War er entlarvt? Wollte man ihn ketten? Zitternd hob er das Tischtuch. Ein winziger Araberjunge grinste ihn mit schneeweißen Zahnreihen an – ein Schuhputzer!

Colonel Boulet-Ducarreau ließ sich am besten mit einem Edamerkäse vergleichen, der im Gleichgewicht auf einem riesigen blauen Stoffballon liegt. Der Edamerkäse war der Kopf, der Stoffball der Rumpf ohne die Beine, diese verbarg der Tisch.

»In Straßburg engagiert?« schnaufte er. »Despine? Ja, ja, ich weiß, ich weiß. Hat die Prime touchiert und ist dann desertiert. Wann? Warten Sie. Heut haben wir Samstag, nicht wahr? Am Donnerstag wird die Prime ausbezahlt. 250 Fr. Am Abend war Ihr Despine verschwunden. Wir haben ihn bis jetzt nicht wiedergefunden, suchen Sie ihn selbst. Auf alle Fälle hat er sich nicht in Oran eingeschifft. Vielleicht weiß mein Sekretär Näheres … Vanagass!« rief er quäkend.

Vanagass war Sergeant und hatte O-Beine wie der Direktor des Hotels zum Wilden Mann.

»Gehen Sie mit dem Inspektor Fouché, er ist uns vom

Kriegsminister empfohlen und sucht den Despine... Sie haben mir jedoch gesagt, daß Despine desertiert ist?«

»Desertiert! Zu Befehl, mein Colonel!«

»Gewöhnen Sie sich ein für allemal dieses blöde ›zu Befehl‹ ab! Despine ist nicht ›zu Befehl‹ desertiert! Wenn ich frage: ›Ist Despine desertiert?‹ so antworten Sie: ›Ja‹... Zu Befehl! Blödsinn!« Und der Colonel schnaufte erbittert.

»Ab! Abtreten! Beide abtreten! Ich hab' zu tun! Wenn ich wegen jedem Deserteur eine Viertelstunde verlieren sollte, wo käm' ich da hin? Ich bin ein beschäftigter Mann, Inspektor, teilen Sie dies dem Herrn Kriegsminister mit, wenn Sie ihn wieder aufsuchen... Vielleicht kennen Sie ihn gar nicht wieder, den Herrn Kriegsminister!« Studers Rükken wurde kalt. Hatte der Colonel ihn durchschaut? Ach nein! Er hatte nur einen Witz machen wollen, der dicke Boulet-Ducarreau, Kugel-von-der-Ecken konnte man den Namen übersetzen, denn er beendete seinen Satz: »Frankreich wechselt nämlich seine Minister wie ich meine Rasierklingen. Adieu!«

Vanagass schien die Abneigung der Legion gegen Polizeipersonen nicht zu teilen. Es stellte sich heraus, daß er eine Art Kollege war, Polizeidirektor von Kiew unter dem Zaren – wenigstens erzählte er dies, während er mit Studer über den zugigen Kasernenhof ging. Er war von einer Höflichkeit, die entweder auf gute Kinderstube schließen ließ oder den Hochstapler verriet... Studer wurde nicht klug aus dem Mann. Er schien etwas über den gewissen Despine zu wissen, aber nicht mit seiner Weisheit herausrücken zu wollen. Endlich, nach dem vierten Glas Anisette, so nannte sich das Getränk, aber es war eigentlich unverfälschter Absinth, taute Sergeant Vanagass auf.

Despine sei ihm aufgefallen, als er am Mittwoch mit einem Straßburger Détachement eingetroffen sei. – Nicht wahr, wenn man zwölf Jahre im Betrieb gewesen ist, so hat man Gelegenheit gehabt, physiognomische Studien zu betreiben! . . . Despine? Er habe aus der farblosen Masse seiner Kameraden hervorgeleuchtet. Geleuchtet! Jawohl! . . . Wieso? Ganz einfach: er habe ausgesehen wie das verkörperte schlechte Gewissen. Ein Mann, der sicher etwas Schweres, etwas ganz Schweres ausgefressen hatte. Er, Vanagass, wette unbedingt auf Mord: scheuer Blick, zitternde Hände, Zusammenzucken, wenn ihn jemand ansprach. Eine schwere Nummer! Kein Wunder, daß er desertiert sei. Die Legion liefere ja nicht aus, wenigstens wenn es sich um kleinere Sachen handle . . . Aber Mord? Das sei etwas anderes. Und es handle sich doch um einen Mord? fragte Vanagass nebenbei, in der Hoffnung, sein Begleiter werde sich verschnappen. Aber Studer war auf der Hut. Dennoch konnte er sich einen kleinen Triumph nicht verkneifen.

»Doppelmord!« sagte er mit tiefer Stimme. Und Sergeant Vanagass, ehemaliger Polizeidirektor von Odessa, wenn's stimmte!, spitzte den Mund und pfiff leise und langgezogen . . .

»Tschortowajamatj!« fluchte er, und Studer fragte: »Wie bitte?«

»Nichts, nichts.« Sergeant Vanagass ließ es sich nicht nehmen, auch eine Runde zu zahlen, eigentlich nur, um die Hundertfrankennote zu wechseln, die Studer ihm unter dem Tisch zugeschoben hatte. Dann stand er auf, machte zwei Schritte zur Tür, schlug sich demonstrativ mit der flachen Hand auf die Stirn – und kehrte um. Ganz nahe rückte er an Studer heran, gebrauchte die Hand noch, als Schirm vor dem Mund, und flüsterte: »Ich höre viel, Inspektor. Sie hätten keinen Orientierteren finden können als mich. Ist in Paris von dem Verschwinden eines Korporals Collani die Rede gewesen? Collani, ja, er stand mit dem 2. Bataillon in Géryville. Soll Hellseher gewesen sein, der Mann. Und ist im September verschwunden, entführt worden, besser gesagt. Von einem Fremden, im Auto.« Ganz abgehackt sprach Vanagass. Das Thema schien ihn arg zu beschäftigen. »Nun, wir haben das genaue Signalement des Fremden erhalten. Der Wirt des Hotels in Géryville hat es uns gegeben, dann ein Mulatte, bei dem der Collani verkehrt hat. Und der Besitzer einer Garage in Oran hat es bestätigt, das Signalement. Leider sind wir überall zu spät gekommen – das heißt, auch das ist nicht richtig. Das Auto ist in Tunis aufgegeben worden und richtig an den Garagenbesitzer zurückgelangt. Von dem Fremden aber und von dem Korporal Collani – keine Spur. Was ich sagen wollte... noch einen Wermut? Nein? Ohne Kompliment? Patron! Zwei Cinzano! ... Was ich sagen wollte ... Gesundheit, Inspektor! Ja ... Was ich ...«

»Sagen wollte!« unterbrach Studer. »Sagen sie es endlich, glauben Sie, ich habe meine Zeit gestohlen?« Der Wachtmeister sprach scharf und übertrieb seinen Zorn.

»Zu Befehl!« sagte Sergeant Vanagass, dessen Augen zu einem Schlitz zusammengeschrumpft waren. »Zu Befehl! Daite mne papirossu! Geben Sie mir eine Zigarette!« Der Sekretär des Colonel Boulet-Ducarreau war zweifellos betrunken. Aber nachdem ihm Studer den Tabaksbeutel hingeschoben hatte, drehte sich der Sergeant eilig eine Zigarette. Und dann sprach er in einem Zug:

»Das Signalement des Fremden von Géryville stimmt mit dem Signalement des Despine überein. Gehen Sie nach Géryville, Inspektor! Zu Befehl, ich habe die Ehre, auf Wiedersehen!« und schritt zur Tür hinaus, wie ein Seiltänzer, die Unterarme waagrecht vorgestreckt, die Handflächen nach oben, als trüge er eine unsichtbare Balancierstange ...

»Das ist also die Fremdenlegion!« murmelte Studer. Dann aß er zu Mittag, fuhr am Nachmittag nach Oran zurück, übernachtete dort und nahm am nächsten Morgen den Zug, der Oran mit Colom-Béchar verbindet. Bouk-Toub, die Eisenbahnstation, von der aus Géryville am leichtesten zu erreichen ist, liegt an dieser Linie. Ein Auto hätte ein Vermögen gekostet. Autos durften sich nur Privatdetektive in Romanen leisten. Ein Berner Fahnderwachtmeister mußte rechnen ...

Das Dorf Bouk-Toub bestand aus genau fünfundzwanzig Häusern, und Studer nahm sich die Mühe, sie zu zählen, als er nach einem Transportmittel fahndete, das ihn nach Géryville bringen sollte. Eine öde Gegend. Es war nicht recht ersichtlich, warum sich fünfundzwanzig Feuer in dieser Mondlandschaft entzündet hatten.

Vor einem Pferd hatte Studer eingefleischtes Mißtrauen, noch mehr vor dem merkwürdigen Sattel, der ihm angeboten wurde: ein Brett vorne, ein Brett hinten, Steigbügel an einem kurzen Riemen, Steigbügel, breit und lang wie seine Finken am grünen Kachelofen in der Wohnung auf dem Kirchenfeld. Das Kirchenfeld war weit, und weit das Café mit dem grünen Billardtisch ... Was tat wohl das Hedy? Lachte es? Weinte es? ... Und der Notar Münch, sein Partner im Billardspiel? ...

Endlich fand Wachtmeister Studer ein Maultier. Aber auch dann brauchte es endlose Verhandlungen, bei denen weder die Polizeimarke noch die Empfehlung des Kriegsministers etwas nützte, bis endlich Inspektor Joseph Fouché das Tier besteigen durfte. Auch ein Sattel wurde aufgetrieben und ein Paar lederne Gamaschen, die so uralt waren, daß sich der Kauf von vier Lederriemen als notwendig erwies; denn die Hüllen, die Studers Waden schützen sollten, waren morsch ...

Das Maultier war ein Spaßvogel. Wenn es die Lippen aufstülpte, sah es aus, als habe es soeben einen ausgezeichneten Witz erzählt und warte nur auf das Lachen der andern, um selbst einzustimmen. Seine Lippen waren grau, mit einem talergroßen Fleck und weich wie feinste Seidenmousseline. Studer schenkte dem Tier sogleich sein Vertrauen, und um es günstig zu stimmen, steckte er ihm drei Stück Zucker ins Maul. Der Esel grinste ...

»Nach sechzig Kilometern«, sagte der Besitzer, »werden Sie eine Farm erreichen. Sie liegt gerade halbwegs. Dort übernachten Sie. Dann sind Sie am nächsten Abend in Géryville.«

So ließ Studer am nächsten Morgen die fünfundzwanzig Häuser Bouk-Toubs hinter sich. Im Anfang ging es ganz gut. Das Maultier benahm sich gesittet. Es ging seinen klappernden Gang, schnaufte von Zeit zu Zeit, schüttelte den Kopf, als müsse es windige Gedanken verscheuchen. Aber nach vierzig Kilometern war Studer wundgeritten. Er hielt tapfer aus bis zum sechzigsten Kilometer, fand auch die Farm, die in einer kleinen Mulde lag. Abends pflegte er seinen Körper mit Talkpuder und seine Seele mit Rotwein. Der Rotwein war dick und erzeugte Sodbrennen – das Schafsragoût jedoch, das man ihm vorsetzte, brannte genau so auf der Zunge wie das Ragoût im chinesischen Restaurant in Paris ... Die Abenddämmerung war flaschengrün, dann kam die Nacht – und fremd war der Himmel: durchsichtig war seine Schwärze und später, viel später erst, blinzelten die Sterne. Studer lag in der Küche auf einem Lager aus Alfagras, Schafe bähten, und das feuchte Weinen eines Lammes klang wie Kinderklage ... »Das junge Jakobli läßt den alten Jakob grüßen ...« Strickte das Hedy immer noch an den weißen Babyhosen? Vor dem Einschlafen rauchte es wohl eine Zigarette und fragte sich, was wohl der alte Jakob, der alte, spinnende Jakob tat ...

Der Trott eines Maulesels kann einschläfernd wirken. Aber wenn es kalt ist und immer kälter wird, je näher man dem Hochplateau kommt, dann verdunstet die Schläfrigkeit wie Tau im Heuet ... Und die Gedanken beginnen zu hüpfen – das ist unangenehm, denn es erzeugt einen schwindelerregenden Wirbel ... Das Band der Straße ist immer gleichförmig gelb, an den Rändern raschelt das trokkene Alfagras, die schwarzen Wolken am Himmel erinnern an Tod und Trauer ... Ist es ein Wunder, wenn man der alten Frauen gedenkt in ihren Lehnstühlen, der verstorbenen alten Frauen? ... Und weiter reitet man durch den fremden Tag ...

Der Pater ... Der Hellseherkorporal ... Der Geologe ... Der Sekretär – Der Pater – der Geologe. Zwei Brüder.

Was hinderte den Koller, den Börsenmakler, der als Despine in die Fremdenlegion eingetreten war, ein Bruder dieser beiden zu sein? Drei Brüder: Pater Matthias, Cleman-Koller, Victor Alois, Koller-Despine, Jakob... Zwei Schwestern: Sophie und Josepha, beide Kartenschlägerinnen... Kartenschlägerinnen.... Halt! Es gab da noch einen Hellseherkorporal namens Collani, der spiritistische Séancen veranstaltete. Aber es gab auch noch einen Börsenmakler, der sich mit dem gleichen Unsinn beschäftigte! Wie hatte der Bäcker in der Rue Daguerre gesagt? Der Bäcker, dessen Haare rot wie Pfälzerrüben waren? »Er beschäftigt sich mit den letzten Dingen!« Herr Koller hatte ein Stellenvermittlungsbureau für Abgeschiedene eröffnet. Sie klopften in den Tischen! Nochmals halt! Nicht spotten! Es blieb immerhin die Tatsache, daß dieser Fall ein Fall mit vielen Geschwistern war: die Brüder Mannesmann, die Brüder Koller, die Schwestern Hornuss. Wo zum Tüüfu sollte man den Hellseherkorporal Collani unterbringen? Ein vierter Bruder Koller? Stimmte das, dann ging die Gleichung auf...

Chabis! Was meinte Dr. Malapelle vom Gerichtsmedizinischen? »Fantasmagoria!« Und wie sagte der Murmann im Amtshaus z'Bärn, und mit ihm alle Kollegen, vom Hauptmann bis herab zum Gemeinen? »Dr Köbu spinnt!«

Und dem Polizeidirektor sollte man ein Paar marokkanische Sennenhunde mitbringen, mit Pedigree, wohlverstanden! Der Herr Direktor würde anders luege, wenn er wüßte, daß sein Wachtmeister Studer plötzlich zum Inspektor Fouché avanciert war. Aber schließlich paßte dies auch zu dem Fall. Die Leute, die darin vorkamen, hießen immer anders als man meinte. Cleman hieß Koller und Koller hieß Despine, wenn er sich nicht den Namen eines Heiligen zulegte und sich Pater Matthias nannte... Was würde der Herr Polizeidirektor für Augen machen, wenn man ihm zwei weibliche oder zwei männliche Sennenhunde mitbrachte? ... Auch das würde zu dem Fall passen! Geschwister! Geschwister! Hehehehe...

Es war schwierig zu lachen bei dieser Kälte, es zerriß einem die Lippen, die ohnehin schon gesprungen waren. Nach alter Gewohnheit griff Studer an die Stelle, an die er gewohnt war, die weichen Haare seines Schnurrbartes zu finden... Die Stelle war kahl...

»Ööööööh!« rief Studer und das Maultier stand. Der Wachtmeister stieg ab, es war Mittag, er gedachte etwas zu essen. So setzte er sich auf einen Stein am Wegrand, und während er zähes Schaffleisch verschlang, blickte er um sich.

Ebenen, Ebenen, Ebenen und dann, ganz in der Ferne, Berge, weiße Schneeberge... Sie erinnerten gar nicht an die Schweiz. Dort gab es auch am Fuße der Schneeberge Hotels mit Zentralheizung und warmem Wasser, sogar Skihütten gab es dort, heizbare Skihütten! Hier gab es nichts. Weit und breit kein Haus, kein Baum... Am Ende der Ebenen glänzten die Salzseen, giftig wie Chemikalien in Glasschalen.

Geschwisterpaare... Es gab doch auch Sterne, die paarweise am Himmel standen. Dann war Marie ein Komet. Stimmte auch nicht! Marie war kein Komet. Kometen sind Vaganten in der Sternenwelt. Und Marie war keine Landstörzerin, keine Zigeunerin ... Sicher war sie mit dem Koller verheiratet gewesen, mit dem Börsenmakler, der sich in afrikanischen Minenpapieren die Auszehrung geholt hatte ...

»Los einisch, Fridu!« wandte sich Studer an das Maultier – er hatte beschlossen, es Friedel zu nennen, Fridu, wie sie daheim sagten »los einisch!« Aber das Maultier wollte nicht lose, es fraß weiter und riß von Zeit zu Zeit an den Zügeln, in deren Schlaufe Studers Handgelenk hing. Da zog der Wachtmeister ein paar Stück Zucker aus der Tasche: »Sä!« sagte er. Das Maultier kam näher, reckte den Hals, blies Studer seinen warmen Atem über die Hände, das war wohltuend, nahm mit viel Anstand den Zucker mit den weichen Lippen, kaute andächtig, rollte sittsam die Augen und stieß dann einen Laut aus, der dem Wachtmeister in des Ausdrucks wahrster Bedeutung durch die Gebeine hindurch bis ins Knochenmark fuhr ... Ein Zwitterding war dieser Laut, halb Eselsgeschrei, halb Pferdegewieher – aber das arme Tier konnte nichts dafür ... Es sang, wie es konnte ... Studer stand auf ... Die Glieder schmerzten ihn, er sehnte sich nach seinem Bureau, in dem es nach Bodenöl und Staub roch, in dem der Dampf in den Röhren knackte – in dem es warm war, *warm* ...

»Los einisch, Fridu«, begann Studer von neuem. »Die Marie ... Äbe ... Nei, nid Gras fresse, das isch ug'sund, i gyb dr denn es Stückli Brot! Sssä! Weischt, d'Marie ... Wenn, äbe, wenn ... denn seyt d'Marie: Märci, Vetter Jakob! U denn isch alls guett ... Ja – du bisch en Guete, Fridu! Chumm ietz ...«

Noch eine Pfeife, das Béret über die Ohren gezogen, dann aufgesessen. Hinten am Sattel war ein gerollter Schlafsack aufgeschnallt. Darin steckten: ein Pyjama, zwei Hemden, zwei Paar Socken, Toilettenzeug... Man war mit neunundfünfzig Jahren bereit, es den Legionären gleichzutun...

Gott sei Dank setzte der Schneesturm erst ein, als Géryville schon in Sicht war. Das Maultier verstand sein Handwerk, denn der Galopp, in den es überging, war so sanft wie das Fahren auf einer Achterbahn. Dann blieb es vor einem Hause stehen, das offenbar das Hotel von Géryville war; Studer stieg ab, er sah einem verschneiten Weihnachtsmann ähnlich, der sich aus Versehen rasiert hat. Und müde war er! Beim Nachtessen schlief er fast ein, wachte halb auf, nachdem er ein einziges Glas Wein getrunken hatte. Aber dann begann es in seinen Ohren zu brausen. Der Besitzer des Hotels schien an dergleichen Gäste gewöhnt zu sein; denn er führte den schweren Mann in ein Zimmer im oberen Stockwerk, zog ihm den nassen Mantel aus, deckte ihn zu... Am nächsten Morgen, als Studer angekleidet erwachte, fand er, der Besitzer habe sehr menschlich gehandelt. Die Wanzen hatten dem Wachtmeister nur die Hände verstechen können und ganz wenig die Stirne...

Der Hellseherkorporal nimmt Gestalt an

Es war merkwürdig, aber doch eine Tatsache: alle höheren Offiziere der Fremdenlegion schienen sich einer behäbigen Körperfülle zu erfreuen. Kommandant Borotra, der das 2. Bataillon des 1. Regimentes befehligte und vier goldene Borten rund um sein Képi trug, hatte mit dem Tennis-Champion nur den Namen gemeinsam. Er war ein gemütlicher Fettwanst mit spärlichen, blonden Härchen über der Oberlippe.

»Collani?« fragte er. »Sie suchen nach Collani? Wie kommt es, daß sich ein Polizist aus Lyon für meinen Korporal interessiert? Meinen Hellseherkorporal?«

Studer schnitt ein geheimnisvolles Gesicht, deutete auf die gefälschte Unterschrift des Kriegsministers. Borotra wurde rot. Die Unterschrift besaß magische Eigenschaften... »Gehen Sie zu unserem Arzt«, sagte der dicke Kommandant. »Dr. Cantacuzène wird Ihnen Auskunft geben können. Und dann hoffe ich, werden Sie uns die Freude machen und Ihr Mittagessen bei uns in der Offiziersmesse einnehmen. Wir sind natürlich...« Räuspern »...soweit es in unserer Kraft steht, immer gerne bereit, dem Herrn...«, längeres Räuspern, »...Kriegsminister zu Diensten zu sein, hoffen aber, daß Sie nicht versäumen werden, seiner Exzellenz in Ihrem Rapport...« Räuspern, Räuspern, das nicht aufhören wollte.

»Darüber wollen wir kein Wort verlieren«, sagte Studer trocken und kam sich vor wie ein Marschall des großen Kaisers, der einem Präfekten das Kreuz der Ehrenlegion verspricht. War Joseph Fouché nicht Herzog von Otranto gewesen? Studer konnte auch herzoglich tun. Manchmal ist die Demokratie die beste Schule für aristokratisches Benehmen.

Dr. Cantacuzène sah aus wie ein durchtriebener Feuilleton-Redaktor, dem es schwerfallen würde, seine arische Abstammung glaubhaft zu machen. Er trug einen Zwicker mit dicken Gläsern, der ihm ständig vom Nasensattel rutschte und den er, wie ein Jongleur, bald am Bügel über einem Finger, bald auf dem Handrücken, sogar einmal auf der Stiefelspitze auffing.

»Hysteriker«, sagte Dr. Cantacuzène, der griechischer Abstammung war, was er zuerst betonte. »Ihr Collani war ein typischer Fall männlicher Hysterie. Was nicht ausschließt, daß vielleicht doch okkulte Fähigkeiten in ihm schlummerten. Die Experimente, die ich mit ihm angestellt habe, lassen sich fast alle auf natürliche Art erklären, immerhin ...«, er hob im richtigen Moment das linke Knie, um dem Zwicker dort einen Augenblick Ruhe zu gönnen, »... und auf alle Fälle hatte der Mann eine schwer belastete Vergangenheit. Und in dieser Vergangenheit gab es sicher *einen* Vorfall, der Collani schwer bedrückte. Mit mir hat er nie über dieses Thema gesprochen. Aber er hat sich eine Zeitlang sehr an einen gewissen Pater angeschlossen. Ich, für mein Teil, habe es abgelehnt, mich in Beichtstuhlgeheimnisse zu mischen ...« Der Zwicker fiel auf den Teppich.

»Er rauchte Kif«, fuhr der Arzt fort, »und das war ungesund für ihn, denn er war nicht kräftig. Sie wissen, was Kif ist? Haschisch. Cannabis indica ... Collani ist, wenigstens spricht vieles dafür, von einem Fremden entführt worden. Ich, für mein Teil, glaube, daß der Mann eine kleine Spritzfahrt unternommen und irgendwo zuviel geraucht hat. Ein kleiner Collaps würde sein Verschwinden erklären ...«

Nein, sein Verschwinden ließ sich nicht so erklären, denn am Mittagstisch in der Offiziersmesse verkündete Kommandant Borotra freudig, Collani sei wohlbehalten in Gurama bei der berittenen Kompagnie des 3. Regimentes eingetroffen. Er habe diesen Morgen vom Befehlshaber des dortigen Postens, dem Capitaine Lartigue, Bericht erhalten. Collani behaupte, er wisse nicht, wo er die letzten Monate zugebracht habe und Lartigue glaube ihm dies. Er werde veranlassen, daß ein Arzt den Hellseherkorporal untersuche – und dann werde ihm die Entlassung winken. Auf Pension habe der Mann ohnehin Anspruch.

»Existiert kein Bild von diesem Collani?«

»Ich glaube nicht, Inspektor Fouché«, sagte Borotra. »Aber wir können ein gutes Signalement von ihm geben. Nicht wahr, meine Herren?«

Drei Capitaines, zwei Leutnants und sechs Unterleutnants sagten im Chor:

»Ja, mein Kommandant!«

Und dann ging es zu wie bei einem Gesellschaftsspiel, in dem jeder Mitspieler ein Wort zu sagen hat – reihum.

»Klein.« – »Mager.« – »Brustumfang 65.« – »Graue Haare.« – »Glattrasiert.« – »Abstehende Ohren.« –

»Flach.« - »Rand fehlte.« – »Dünne Beine.« – »Haut olivenfarben.« – »Augen blau.«

»Danke«, sagte Studer. »Das genügt. Wenn ich recht verstanden habe, so sind die Ohren abstehend, flach, ohne Rand? ... Ja? ... Danke nochmals. Und wie groß war Collani?«

Ein kleiner Leutnant hob die Hand, wie in der Schule.

»Mein Leutnant?«

»1 Meter 61 ...«

Im Winter schien nicht viel los zu sein in Géryville. Die Offiziere blieben bis halb vier Uhr sitzen. Sie ließen Studer nicht gehen. Er wurde als Fremdling gefeiert und mußte mittrinken. Er dankte Gott, daß keiner der Offiziere aus Lyon stammte. Aber schließlich, der Berner Fahnderwachtmeister, der unerlaubterweise den Namen eines französischen Polizeiministers des 1. Kaiserreiches führte, hätte sich vielleicht doch aus der Klemme gezogen ...

Endlich konnte Studer sich empfehlen. Er wollte den Mulatten Achmed besuchen, bei dem der Hellseherkorporal nach der Erzählung des Arztes allabendlich Kif geraucht hatte.

Achmed, der Mulatte, war ein Riese, der sich ohne Scheu auf jedem Jahrmarkt für Geld hätte zeigen können. Seine Hautfarbe erinnerte an eine mit aller Sorgfalt zubereitete Jubiläumsschokolade schweizerischen Ursprungs ...

Er rauchte aus einer Pfeife, deren roter Tonkopf nur fingerhutgroß war, ein Kraut, dessen Rauch an den Geruch von Asthmazigaretten erinnerte. Er empfing Studer sitzend; wie ein morgenländischer König saß er auf einem Teppich, mit gekreuzten Beinen. Man vergaß das leere ärmliche Gemach und das grelle Licht, das eine Azetylenlampe im Raume verspritzte.

Kein Mißtrauen dem fremden Besucher gegenüber... Eine stille, verhaltene Heiterkeit...

Der Korporal Collani? Ein guter Freund. Sehr still, sehr schweigsam. Hatte sich an niemanden angeschlossen, darum kam er immer am Abend zu ihm, Achmed. Rauchte zwei Pfeifen Kif. »Nein, Inspektor, von diesem Quantum gibt es noch keinen Rausch! Was denken Sie!« Achmed sprach ein gewöhnliches Französisch und Studer hätte den Mann gern gefragt, wo er sich seine Bildung angeeignet habe. »Man schläft gut nach zwei Pfeifen«, erklärte Achmed. »Und der Korporal litt an Schlaflosigkeit. Er seufzte oft – nicht wie einer, den etwas bedrückt, sondern wie ein Mensch, der eine kostbare Perle verloren hat und sie überall sucht... Diesen Sommer war es besonders arg. Einmal hat er geweint, richtig geweint, wie ein kleines Kind, dem seine liebste Glaskugel gestohlen worden ist...«

Ein Mulatte! Ein einfacher Mensch und ein armer dazu! Aber welch Verständnis und wie gut sprach er von den Regungen der Seele!

»Ich hab' ihn zu trösten versucht«, fuhr Achmed fort, »hab' ihn gebeten, sich mir anzuvertrauen... Umsonst. Er wiederholte immer wieder: ›Wenn ich den Brief öffne, diesen Brief da!...‹ und zeigte ihn mir, ›dann überfällt mich die Vergangenheit – und er kommt mich holen!‹ – ›Wer kommt dich holen, Korporal?‹ wollte ich wissen. – ›Der Teufel, Achmed! Der alte Teufel! Ich hab' ihn getötet, den Teufel, aber der Teufel ist unsterblich, nie können wir wissen, wann er wieder aufwacht!...‹ Und so hat er den Brief fortgeschickt, am 20. Juli vorigen Jahres. ›Ich hatte noch eine Kopie dieses Briefes‹, erzählte er mir am nächsten Tage. ›Aber ich weiß nicht, wo diese Kopie ist. Ich habe meine Sachen durchsucht, aber sie ist nirgends zu finden ... Es ist auch besser so!‹ Zwei Monate später, am 28. September, ist ein Fremder zu mir gekommen und hat nach dem Korporal Collani gefragt. Er hat gewartet – aber an diesem Abend ist der Korporal spät gekommen. Er hat den Fremden nicht beachtet, sondern nur zu mir gesagt: ›Jetzt weiß ich, wo die Kopie ist. Ich hatte sie in das Futter einer alten Wollweste eingenäht. Ganz deutlich sah ich's gerade.‹ – ›Wo warst du bist jetzt, Korporal?‹ fragte ich. – ›Beim Priester‹, antwortete er. Und dann erblickte er den Fremden ...« Achmed schwieg. Er blickte mit seinen braunen Augen, so dunkel waren sie, daß sie fast schwarz wirkten, treuherzig zu Studer auf, der neben der pfeifenden Azetylenlampe an der Wand lehnte ...

Es gab also eine Kopie der Fieberkurve! ... Wo war diese Kopie zu suchen? Und wenn sie in den Händen der »Widersacher«, um den rätselhaften Leuten, mit denen man es zu tun hatte, einen Namen zu geben, wenn sie also in den Händen der Widersacher war – wo mußte man sie suchen? Und wenn die Widersacher die Kurve hatten, warum hatten sie dann zwei Berner Gangster auf den Wachtmeister gehetzt, um ihm das Dokument zu stehlen?

Plötzlich war es Studer, als schnappe in seinem Kopfe etwas ein – es war ein merkwürdiges Gefühl. Ein Zahnrad dreht sich neben einem anderen, das still steht. Ein Hebel wird umgestellt – die Zähne des rotierenden Rades greifen in die Zähne des ruhenden – nun drehen beide sich ... Dieses Einschnappen vollzog sich, weil der Berner Wachtmeister plötzlich die beiden Karten sah, die in Bern sowohl als auch in Basel in der obersten Reihe des ausgelegten Spieles lagen: der Schaufelbauer! der Pique-Bube! Schaufeln – die Unglücksfarbe. Der Schaufelbauer – der Tod. Merkwürdig, dachte Studer, wie unser Gedächtnis manchmal funktioniert: wir speichern Bilder auf und vergessen sie wieder – und plötzlich taucht solch ein vergessenes Bild aus der Versenkung auf, ist entwickelt, kopiert – ganz scharf...

Mit gekreuzten Beinen saß Achmed in seiner Ecke und stieß Rauchwolken aus. Und so vertieft war Wachtmeister Studer in seine Gedanken, daß er gar nicht merkte, wie er selbst sich zu Boden gleiten ließ, – aber es gelang ihm nicht, kunstgerecht auf seine eigenen Absätze zu hocken. Er streckte die Hand aus – denn er war zu sehr mit seinen Überlegungen beschäftigt, um selbst eine Pfeife zu stopfen – er streckte die Hand aus und dann zog er träumend an einem Mundstück, atmete den Rauch tief in die Lungen ein und stieß ihn wieder von sich. »Noch eine«, murmelte er.

»Bruder«, belehrte ihn Achmed, »du mußt sagen: Amr sbsi – das heißt: füll mir die Pfeife...«

Und gehorsam wiederholte Studer: »Amr sbsi!«

Der Rauch kratzte ein wenig im Schlund, aber im Kopfe begann es farbig auszusehen.

»Amr sbsi...« Achmed lächelte. Er hatte breite Zähne. Weiß war das Licht der Azetylenlampe im gekalkten Zimmer. Aber wenn man durch die Wimpern blinzelte, dann tanzten alle Regenbogenfarben Gavotte.

»Mlech?« fragte Achmed. Studer nickte. Es kam ihm vor, als spreche er ausgezeichnet Arabisch. »Mlech« – das hieß natürlich: »Gut.« Eifrig nickte der Wachtmeister und wiederholte: »Mlech, mlech!«

Einen Augenblick wurde er wieder nüchtern und versuchte sich auf das Datum des heutigen Tages zu besinnen. Er wollte diese Frage auf arabisch stellen, aber da war ihm der heimatliche Dialekt im Wege; doch auch dieser wollte nicht über seine Lippen. Es wurde ein brummendes Gestammel aus der Frage, obwohl Studer überzeugt war, sie sehr klar gestellt zu haben.

Achmeds Gesicht drückte lächelndes Erstaunen aus. Und dann machte Achmed drei Gesten, die Studers westeuropäische Einstellung zur Zeit in ihren Grundfesten erschütterte. Ein Vorstrecken der flachen Hände, ein Heben der Arme und die Hände fielen zurück auf die Knie, dann hob sich die Rechte mit aufgerecktem Zeigefinger, während die übrigen Finger sich zur Faust schlossen; der aufgereckte Zeigefinger aber legte sich auf den Mund und nachher deutete er gen Himmel...

Und so ausdrucksvoll waren diese Bewegungen, daß Studer sie mühelos übersetzte:

»Mensch! Bruder! Wie willst du die Zeit halten in deinen offenen Händen, verzweifeln mußt du, wenn du an die Ewigkeit denkst... Er aber, der dort oben thront, der Ewig-Schweigende, was kümmert Er sich um die Zeit, Er, dem die Ewigkeit gehört?«

Der Wachtmeister dachte dunkel, nun, da er diese Bewegungen gesehen und verstanden hatte, würde er unfähig sein, jemals wieder seine Tätigkeit an der Berner Fahndungspolizei aufzunehmen. Er sah sich am Morgen aufstehen, sich rasieren... In der Wohnung duftete es nach

Kaffee. Schon halb acht. Um acht mußte er im Amtshaus sein, auf seinem Bureau ... Aber was ist das? Zwei Hände breiten sich flach aus, ein Zeigefinger reckt sich gen Himmel ... Ins Bureau? Wozu? Das Amtshaus, der Dienst, die Segnungen der westlichen Kultur: Betriebsamkeit, Arbeit nach der Uhr, Dienstzeit, der Lohn am Monatsende, wo waren sie geblieben? Wozu dies alles? Um Allahs willen, wozu? ... Man versank im Meere der Ewigkeit, man starb. Was nützte alles Tun? Warum nahm man sich so wichtig, reiste mit falschen Pässen, suchte nach verschwundenen Leuten, wollte einen Schatz heben? Nur ein winziger Tropfen war man doch im Nebelschwaden der Menschheit – und verdunstete ...

Immer noch saß der Mulatte dem Wachtmeister gegenüber, und sein Gesicht sah aus wie das ewig junge Antlitz eines fremden Gottes ...

»Amr sbsi! ... Füll mir die Pfeife!«

Die Pfeife, die winzige, fingerhutgroße Tonpfeife wurde gefüllt, und neben dem Wachtmeister stand plötzlich eine Tasse, der edle Wohlgerüche entströmten. Aber Studer war nicht mehr fähig, festzustellen, daß dieser himmlische Trank ganz einfacher Tee war, in dem ein paar Minzenblätter schwammen. Er trank, trank ...

Woher kam die Musik? Ein toller Tanz stampfte vor seinen Ohren, und er sah Frauen, die ihre Fußspitzen weit über ihren Kopf schleuderten. Dann roch es nach Rosen, nach vielen gelben Rosen, der Wachtmeister legte sich ins feuchte Moos, rings um ihn breitete ein Garten sich aus – der duftete nach Erde und Gewitterregen. Noch einmal wurde ihm die Pfeife in die Hand gedrückt; nun drehten sich Sterne vor seinen Augen und beschrieben riesige Kreise... Und die Musik? Die Musik, die ertönte?

Sie klang, als werde der Bernermarsch von himmlischen Heerscharen gespielt...

... Später sollte Studer noch oft, etwa beim Billardspielen dem Notar Münch, die Wonnen des Haschischrausches schildern; aber meist gingen ihm nach einiger Zeit die Eigenschaftswörter aus und er endete dann mit dem stärksten Superlativ, der ihm zur Verfügung stand:

»Suber!« sagte er. »Cheibe suber isch es gsy!«...

Achmed, der Mulatte, lächelte. Er breitete zwei Pferdedecken auf dem Boden aus, nahm Studer auf die Arme – die achtundneunzig Kilo des Wachtmeisters störten ihn wenig – bettete ihn sorgfältig auf die warme Unterlage und deckte ihn zu. So schlief denn der Berner Fahnder in einem ärmlichen Raum, weit weg von der Bundeshauptstadt, in einem verlorenen Kaff, das vielleicht gar nicht auf der Karte zu finden war, den schönsten Schlaf seines Lebens, den buntesten auch, der angefüllt war bis zum Rand mit Tönen und Düften...

Aber er mußte dieses Geschenk mit einem Katzenjammer bezahlen, der ihn am Tage seines Rückrittes nach Bouk-Toub viel Dankbarkeit empfinden ließ für das Verständnis seines Maultieres Friedel. Dieses setzte seine winzigen Hufe mit aller gebotenen Vorsicht auf den gefrorenen Boden, so, als wisse es um die schauerliche Migräne, die seinen Reiter plagte... Man mußte es eben bezahlen, wenn einem die Engel »Träm, träm, träm deridi...« vorspielten...

Da redet man so viel von der Wüste, von ihrer Unendlichkeit, von dem Schauer, der von ihr ausgeht... Studer wurde in Colom-Béchar schwer enttäuscht. Viel gelber Sand, jawohl, aber in dem Sand wuchsen merkwürdige Pflanzen: Blechbüchsen, die Sardinen, Thon, Corned-Beef enthalten hatten und mit ihren gezackten Deckeln an unwahrscheinliche Kakteen erinnerten. Der Horizont war verhangen, die Dattelpalmen gemahnten mit ihrer giftiggrünen Farbe an schlecht kolorierte Postkarten – und außerdem war es kalt, ganz unverschämt kalt. Studer fühlte sich betrogen... Natürlich war sein Zimmer ungeheizt, man stellte ihm ein offenes Kohlenbecken hinein, was gegen alle Verordnungen der Sanitätsdirektion verstieß. Denn glühende Kohlen sondern bekanntlich Kohlenoxyd ab und das ist ein giftiges Gas.

Zum Glück erteilte der Platzkommandant von Colom-Béchar dem Herrn Inspektor Fouché die Erlaubnis zur Weiterreise – am nächsten Tag. Richtiger in der übernächsten Nacht. Fünf Saurer-Camions fuhren über Bou-Denib, Gurama nach Midelt. Und dann fragte der Wachtmeister den Platzkommandanten, es war ein Kommandant und genau so dick wie Borotra, in Géryville, ob ein gewisser Korporal Collani sich auf der Durchreise hier gemeldet habe.

»Denken Sie, Inspektor«, sagte der Offizier, »der Korporal hat sich wirklich hier gemeldet. Er hat diese Frechheit besessen. Wenn man bedenkt, daß er sich drei Monate, ohne Urlaub, von der Truppe entfernt hat, wäre es eigentlich meine Pflicht gewesen, den Deserteur einzusperren. Aber der Mann war so krank, er bat mich so dringend, ihn nach Gurama weiterfahren zu lassen, daß ich schließlich einwilligte.«

»War er in Uniform?«

»Ja. Aber nach seiner Abreise hat mir ein Araber erzählt, er habe sich bei ihm umgezogen. Ich wollte die Zivilkleidung sehen, aber die war schon längst weiterverkauft worden...«

»Wie sah der Korporal aus?«

»Klein, kleiner als Sie, Inspektor. Sagen Sie, ist der Mann während seiner Abwesenheit in Europa gewesen? Hat er dort etwas ausgefressen, daß Sie ihn suchen?«

Studer legte den Finger auf die Lippen. Dies war immer die bequemste Antwort.

Und um Mitternacht fuhr er ab. Er klammerte sich an das Bild des Mädchens Marie, es war die einzige Wirklichkeit, an der er sich halten konnte, als er, eingeklemmt zwischen bewaffneten Legionären, über Straßen fuhr, die eigentlich gelbe Lehmflüsse waren... Die Nacht war klar, bis in den grauen Morgen hinein schien der Mond, und dann kam die Sonne und wärmte ein wenig. Der Wachtmeister saß auf einem Weinfaß, seine Beine schliefen abwechselnd ein, er rauchte seine Pfeife und verhielt sich schweigend. Seine Begleiter trugen jene resedagrünen Capottes, die in den amerikanischen Filmen über die Fremdenlegion nicht malerisch genug wirken würden und daher durch Phantasieuniformen ersetzt werden. Die Gewehre seiner Begleiter waren rostig, und es fragte sich, ob man überhaupt mit ihnen schießen konnte. Richtiggehende französische Unordnung!... Wachtmeister Studer dachte an die ferne Rekrutenschule und war froh, daß er sich ärgern konnte; es verdrängte ein wenig das Bild des Mulatten Achmed, der mit ein paar simplen Bewegungen die Sinnlosigkeit jeglichen Tuns demonstriert hatte.

Es kamen kahle Berge zu beiden Seiten der breiten Ebene, es kamen Dörfer inmitten von Olivenwäldern und Hühnerskelette scharrten im Mist. Kleine Kinder mit glattrasierten Köpfen bohrten in der Nase, die Mütter standen daneben und sagten nicht: »Pfui!« Es zogen kleine Esel vorbei, die ihre Haut auf den bloßen Knochen trugen und die Weiber, die sie antrieben, waren nicht verschleiert. Darum sah man die blauen Punkte auf den Stirnen, die kreuzförmig angeordnet waren.

Und dann kam Gurama ...

Capitaine Lartigue

Der Posten war viereckig; eine Mauer umgab ihn und drei Reihen Stacheldraht. An der einen Ecke ragte das Rohr einer 7,5-cm-Kanone über die Mauer. Den Eingang ließ der Stacheldraht frei. Und am Torpfeiler lehnte ein Mann in verknitterter Khakiuniform, auf seinem runden Kopf saß schief eine verwaschene Polizeimütze, seine Hosen waren zu kurz und ließen über offenen Sandalen graue Wollsocken sehen.

»Ist Capitaine Lartigue zu sprechen?« fragte Studer, während die Camions, schon weit entfernt, Salven abschossen und Staub aufwirbelten.

Der Mann rührte sich nicht, er hob nur den Blick vom Boden, starrte den Fragenden an und musterte ihn dann eingehend. Er fragte: »Wozu?« und schnalzte mit der Zunge. Eine Gazelle kam hinter der Mauer hervor, lugte zuerst schüchtern, tänzelte näher und rieb ihre Schnauze an der Hüfte des Mannes in Khaki.

Studer räusperte sich. Der Empfang mißfiel ihm – keine Disziplin! – und der Mann ging ihm auf die Nerven. Vierzehn Stunden Fahrt auf einem Lastcamion wirken nicht wie Brom. Der Wachtmeister zeigte seine französische Polizeimarke: »Police!« sagte er barsch. Der Mann in Khaki zuckte mit den Achseln und kraulte den Kopf der Gazelle. Studer holte seinen Paß hervor, wies auf die Empfehlung des Kriegsministeriums – der Mann verzog die Lippen zu einem unverschämten Grinsen.

»Führen Sie mich zum Capitaine!« schnauzte Studer.

»Und wenn ich selber der Capitaine bin?«

»Dann sind Sie verdammt unhöflich!«

»Wollen Sie mich Höflichkeit lehren?«

»Ich glaube, das würde nichts schaden! Sie sind ein Flegel, mein Herr!«

»Und Sie ein Spion!«

»Wiederholen Sie das!«

»Sie sind ein Spion!«

»Und Sie ein Schwachsinniger!«

»Hören Sie, das ist ein Wort, das man nur gebrauchen darf, wenn man boxen kann. Können Sie boxen, Sie Fettwanst?«

Das traf den Wachtmeister an der empfindlichsten Stelle. Sein dunkler Überzieher flog durch die Luft, daß er am Stacheldraht hängen blieb, kümmerte ihn wenig, die Kutte nahm den gleichen Weg. Und dann tat Wachtmeister Studer – alias Inspektor Fouché – etwas, was er seit den Knabentagen nicht mehr getan hatte. Er begann seine Hemdärmel aufzukrempeln.

Und nahm Kampfstellung an.

Er war untrainiert, das wußte er. Aber er hatte schon andere Leute gebodigt als solch einen kleinen französischen Offizier, der nicht einmal die Abzeichen seines Grades trug.

Plötzlich lachte der Mann; es war ein angenehmes Lachen.

»Verzeihen Sie, Inspektor. Ich bin heute schlechter

Laune. Sie haben mir Ihren Paß gezeigt. Inspektor Fouché, nicht wahr? Von der Sûreté in Lyon? Ich bin selbst aus Lyon. Ich erinnere mich gut an Ihren Namen, er wurde zu meiner Zeit oft genannt. Aber man hat Sie doch tot gesagt? Sind Sie nicht in einer Rafle erschossen worden? Scheint nicht, da Sie heut vor mir stehen. Vorwärts, vorwärts, ziehen Sie Ihren Rock wieder an, den Mantel auch. Sonst erwischen Sie eine Lungenentzündung. Und ich habe schon genug Kranke im Posten. Kommen Sie lieber etwas trinken.«

Eine richtige schottische Dusche! Eiskalt war es Studer geworden, als der Mann erklärt hatte, er stamme aus Lyon. Und siedendheiß, gleich darauf, als er zu einem Trunke eingeladen worden war. Aber sein Gesicht blieb ausdruckslos, als er sagte:

»Soso? Aus Lyon? Man hatte mir gesagt, Sie stammten aus dem Jura und seien ein Lands-hmhm... ein halber Schweizer... Aus Lyon, soso?«

»Teils – teils«, sagte Capitaine Lartigue. »Meine Eltern stammten aus St. Immer, aber mein Vater hat in Lyon eine Uhrenfabrik gegründet. Doch ich war manchmal in der Schweiz. Und jetzt bin ich hier... Aber Sie werden hungrig sein. Kommen Sie mit!«

Höfe, die von Baracken umsäumt waren... Wellblechdächer, die so glatt waren, daß sie die Sonnenstrahlen zurückwarfen, wie riesige Spiegel. Männer in blauen Leinenanzügen schlichen herum, führten lässig eine Hand an die Stirn – man wußte nicht, war es ein militärischer Gruß oder ein freundschaftliches Winken.

Einer dieser Männer trat dem Capitaine in den Weg und

sagte, ohne Achtungstellung anzunehmen: »Ich hab' nämlich Fieber!«

Studers Begleiter blieb stehen, ergriff das Handgelenk des Mannes, ließ es nach einer Weile los, dachte nach und klopfte dann dem Wartenden auf die Schulter:

»Leg dich nieder, mein Kleiner, ich schick' dir dann die Schwester...«

Dem Wachtmeister Studer gab das Wort »Schwester« einen Ruck. Sollte... sollte... Aber er vertrieb den Gedanken mit jener Bewegung, die ihm eigen war: seine Hand verscheuchte unsichtbare Mücken von seinem Gesicht.

Capitaine Lartigue ging weiter. Studer starrte ihn von der Seite an; was war das für ein Mann? Seine Stimme konnte sanft sein, wie die einer Mutter.

»Wir haben viel Sumpffieber im Posten«, sagte der Capitaine traurig. »Die Gegend ist ungesund. Manchmal liegt die halbe Kompagnie auf dem Rücken... Es ist nicht die gewöhnliche Form der Malaria... Chinin wirkt kaum... Es ist ein Elend. Wenn wir nicht eine Pflegerin vom Roten Kreuz hätten, die uns der Resident aus Fez geschickt hat...«

Studer atmete auf. Marie war keine Pflegerin, sie war Stenotypistin. Aber... Es gab ein Aber. Wenn es einem Berner Fahnder gelungen war, die Persönlichkeit eines französischen Polizeiinspektors anzunehmen, warum hätte es Marie nicht gelingen sollen, sich in eine Rot-Kreuz-Schwester zu verwandeln?«

»Ist die Schwester«, fragte Studer, und er konnte es nicht verhindern, daß seine Stimme ein wenig zitterte,

»ist die Schwester, die Sie sich verschrieben haben, mein Capitaine, auch tüchtig?«

Ein Blick streifte Studer – und der Blick war ungemütlich.

»Sehr tüchtig«, sagte Capitaine Lartigue trocken. »Aber was führt Sie eigentlich in meinen verlassenen Posten, Herr Inspektor Fouché?«

Der Blick … Die Betonung seines falschen Namens … Nur gut, daß das Béret die Stirn bedeckte, so sah man die Schweißtropfen nicht! …

»Es ist eine lange Geschichte«, sagte der Berner Wachtmeister.

»Das sind nicht immer die schönsten«, meinte der Capitaine. »Ich ziehe Kurzgeschichten vor.«

Schweigend gingen sie weiter. Mitten im Posten erhob sich ein Gebäude, das aussah wie ein sehr breiter Turm. An seiner Außenmauer klebte eine Hühnerleiter.

»Ich zeige Ihnen den Weg, Herr Inspektor Fouché, Herr Inspektor Jakob Fouché, nicht wahr?«

»Nein, Joseph, Joseph Fouché.«

»Ganz richtig, Joseph. Ein kleiner Irrtum. Ich gehe also voraus, Herr Inspektor Joseph Fouché. So ist der Name richtig, nicht wahr?«

»Ja, ganz richtig.« Schnell, während der Ungemütliche den Rücken zeigte, schnell, schnell das Nastuch. Das Leder innen im Béret war pflätschnaß. Und das Nastuch! Das hatte man davon, wenn man eine fleißige Frau hatte, die selber Monogramme stickte. Ganz deutlich in einer Ecke: J. S. – Jakob Studer … Man konnte eben nicht an alles denken.

Die Stiege hatte kein Geländer und so wurde es ein unangenehmer Aufstieg... Droben traten die beiden in ein sehr hohes und sehr helles Zimmer. Quadratisch. Weißgekalkt... Wie jener Wohnraum im Hause auf dem Spalenberg... Der Eingangstüre gegenüber öffnete sich eine riesige Glastür, die auf eine geländerlose Terrasse ging. Die Glastüre stand offen und Sonnenlicht überschwemmte den Raum. An den Wänden hingen marokkanische Teppiche, rot, schwarz, weiß... Und über diesen Teppichen Gestelle, auf denen Bücher standen...

»Setzen Sie sich, Herr Inspektor Joseph – so ist's doch richtig? – Herr Inspektor Fouché. Ich freue mich, einen Lyoner begrüßen zu dürfen. Wie geht es Locard?«

Nun ist Dr. Locard eine Leuchte der Kriminalistik – und so konnte Studer Bescheid geben. Er hatte Locard vor einem Jahre gesprochen.

»Danke, gut, er ist immer noch der gleiche...« Und begann eine Geschichte, die er von Dr. Locard hatte.

»Sie haben aber gar nicht unsere Aussprache«, sagte Lartigue, ohne aufzusehen. Er schenkte die Gläser voll.

»Ja... ganz richtig...«, stotterte Studer. »Ich war ja auch nur abkommandiert nach Lyon. Ursprünglich stamme ich aus Bellegarde. – Ja...«

»Ah, dann sind Sie auch an der Schweizer Grenze daheim«, stellte der Capitaine fest.

»Jaja, gewiß...« Die Bestätigung kam zu eilig.

»Gut, gut. Und was möchte Seine Exzellenz der Herr Kriegsminister gerne erfahren? Sie müssen nämlich wissen, daß ich sehr schlechte Noten habe, darum hat man mich auch in diesen Posten versetzt. Aber natürlich, wenn ich mich nützlich erweisen kann...«

»Es handelt sich ...«, sagte Studer und stockte. Das Schweigen dauerte lange. Schließlich hatte der Capitaine Mitleid mit seinem Gast. »Sie werden müde sein, Inspektor«, meinte er und ließ den höhnischen Ton fallen. »Wissen Sie, das beste wird sein, Sie legen sich ein wenig hin. Mein Bett steht Ihnen zur Verfügung, bis wir ein anderes für Sie aufgetrieben haben. Ich habe zu tun und will Sie jetzt allein lassen. Schlafen Sie gut.«

... Es gab keinen andern Ausdruck: Man hatte sich in die Nesseln gesetzt. Das Ganze war widerlich. Es war widerlich, unter falschem Namen auftreten zu müssen, man fühlte sich bedrückt, unfrei, auch gehemmt in all seinen Bewegungen. Und es war auch widerlich, diesen Capitaine Lartigue anzuschwindeln. Denn dieser Capitaine war ein feiner Kerl ... Studers Menschenkenntnis war nicht aus Büchern erlernt, sie stützte sich nicht auf Körperformen, Schriftbilder, Typenlehren oder Phrenologien. Er hatte sich angewöhnt, die Menschen einfach auf sich wirken zu lassen – und dann verließ er sich auf seinen Instinkt.

Dieser Lartigue! Nur die Art, wie er zu dem Legionär gesprochen hatte: »Mein Kleiner ...« hatte er ihn genannt. Und an der Tür des Postens die Aufforderung zum Boxkampf! ...

Er hatte einen runden Schädel mit kurzen blonden Haaren, dieser Lartigue, dazu blaue Augen in einem breiten Gesicht. Das Kinn sprang vor.

In der Stille tönte von draußen der langgezogene Ruf eines Horns. Drei tiefe Töne, dann, eine große Terz höher, noch einmal vier lange Töne, und der letzte wurde ausgehalten und verhallte traurig ...

Studer erhob sich, trat hinaus auf die Terrasse und einen Augenblick schwindelte ihn, denn er vermißte das Geländer. Aber dann nahm ihn das Schauspiel gefangen, das im großen Hofe aufgeführt wurde.

Die Kompagnie war im Carré angetreten. Ein Mann mit gekräuseltem Bart, der in der Mitte des Vierecks stand, rief ein Kommando, als er den Capitaine um die Ecke einer der Baracken kommen sah. Reglos wie Mauern standen die Fremdenlegionäre. Blaue Leinenanzüge, um die Hüften graue Flanellbinden. Capitaine Lartigue winkte mit der Hand ab, sagte ein paar Worte, die der Wind, der von den roten Bergen im Norden kam, sogleich verwehte. Die Mauern lockerten sich. Da schlüpfte durch einen Zwischenraum die Gazelle, stellte sich neben den Capitaine und ließ sich streicheln. Plötzlich lachte die ganze Kompagnie. Eine schwarze Walze rollte mit rasender Geschwindigkeit heran, Staub wirbelte auf, die Walze kläffte, sprang dann am Capitaine hoch, beschnüffelte die Gazelle und wedelte. Und dann nieste er laut – der schottische Terrier …

Der Capitaine schritt die Reihen entlang und Studer begriff zuerst nicht, was er tat. Sobald er vor einem Mann stand, öffnete dieser den Mund, der Capitaine steckte ihm eine kleine weiße Pille in den Mund – ging zum nächsten …

Ein kurzes Kommando. Die Mauern standen wieder unbeweglich. Ein Wink – sie zerbröckelten.

»Was haben Sie den Leuten in den Mund gesteckt, Capitaine?« fragte Studer, als Lartigue wieder im Turmzimmer erschien. Unter dem Arm hielt der Capitaine den strampelnden Terrier.

»Chinin … Ich füttere meine Leute mit Chinin, täglich

zwei Gramm ... sie haben alle Ohrensausen, es nützt aber nichts ...«

»Chinin«, wiederholte Studer. Und plötzlich schlug er sich klatschend gegen die Stirn.

»Was ist los, Inspektor?«

»Nichts, nichts«, sagte Studer gedankenabwesend. Und er sah die Fieberkurve. Was stand vermerkt am Datum des 20. Juli?

»Sulfate de quinine 2 km.«

Seit wann gab man Chinin kilometerweise? Aber stand diese Bemerkung nicht gerade vor oder gerade nach SSO? Also! Der Schatz lag vergraben in der Nähe einer Korkeiche bei einem roten Felsen, der die Gestalt eines Mannes hatte, 2 Kilometer südsüdöstlich von Gurama ...

»Haben Sie einen Kompaß?« fragte Studer und merkte gar nicht, daß er in diesem fremden Zimmer aufgeregt hin und her lief ... Als ihm dies zum Bewußtsein kam, sah er auf und begegnete den Augen des Capitaine, deren Ausdruck nicht recht zu deuten war. Spott? Mitleid? ...

»Sie wollen einen Kompaß, Inspektor Jakob ... pardon: Joseph Fouché?«

Was hatte der Mann nur immer mit seinem Jakob? Wußte er etwas?

»Ja gern«, sagte Studer ein wenig gepreßt.

»Hier. Ich denke, Sie möchten einen Spaziergang machen. Nehmen Sie keine Rücksicht auf mich. Jeder Mann im Posten kann Ihnen die Kantine zeigen. Dort holen Sie sich etwas zu essen. Und heut abend speisen Sie bei mir. Ich muß jetzt schlafen. Auf Wiedersehen!«

Und Studer war entlassen. Er stieg die Hühnerleiter

hinab, trat in die erste Baracke und verlangte eine Grabschaufel. Dann ließ er sich den Weg zum Ksar zeigen.

Die Grabschaufel hatte einen kurzen Stiel, ihr Metallteil steckte in einem Lederfutteral. Das war praktisch.

Der Ksar war das Eingeborenendorf, turmförmig aus Lehmziegeln errichtet und etwa einen Kilometer vom Posten entfernt. Hinter dem Ksar nahm der Wachtmeister die Richtung Südsüdost und marschierte los. Sein Schritt maß ungefähr achtzig Zentimeter. Machte für zwei Kilometer etwa zweitausendfünfhundert Schritte. Aber schon nach tausend Schritten konnte Studer das Zählen aufgeben. Die Korkeiche war deutlich zu sehen und neben ihr ragte ein roter Stein auf, der von ferne einem aufrechtstehenden Mann ähnelte.

Aber der Wachtmeister fand keine Verwendung für die Schaufel. Denn neben dem Felsen gähnte ein Loch – und das Loch war leer.

Schlußfolgerung? Jemand war ihm zuvorgekommen. Diese Schlußfolgerung war dermaßen selbstverständlich, daß man darüber die Achseln zucken konnte. Wer war dieser Jemand? Das war vorderhand gleichgültig. Wichtiger war, daß Capitaine Lartigue augenscheinlich alles wußte. Deutlich genug hatte er es gezeigt mit seinen anzüglichen Betonungen. »Herr Inspektor Jakob ... pardon: Joseph Fouché ...« Gut! Man hieß Jakob! Was war weiter dabei? Man segelte unter falscher Flagge ... Das war nicht mehr so gleichgültig. Aber: die Suppe, die man sich eingebrockt hatte, mußte man auslöffeln. Es war, wollte man den Fall unvoreingenommen betrachten, immerhin eine ganz neue Situation: In der Schweiz konnte man, wohin immer man auch kam, auf Beistand zählen. Man hatte Freunde bei der Polizei und die Behörde als Rückendeckung. Hier? ... Hier war man ganz allein, ganz auf sich selbst angewiesen. Von nirgends hatte man Hilfe zu erwarten. Der sympathische Capitaine Lartigue konnte einen beispielsweise ohne weiteres verhaften und unter Bedeckung nach Fez transportieren lassen, wenn er es nicht vorzog, kurzen Prozeß zu machen und einen an die Wand zu stellen... Kam man hingegen vor Kriegsgericht, so winkte Cayenne, das Land, wo der Pfeffer wuchs. Erfreulich war es immerhin, sich die Notizen auszudenken, die in den Schweizer Zeitungen erscheinen würden: »Zu unserem Bedauern erfahren wir, daß ein um das Polizeiwesen des Kantons Bern wohlverdienter Fahnder von der französischen Regierung wegen einer schweren Verfehlung gegen das internationale Recht... Die Schritte, die unser Gesandter in Paris im Auftrag unserer hohen Bundesbehörde unternommen hat, sind leider erfolglos geblieben. Der Bundesrat hat in seiner Sitzung vom 2. Februar beschlossen, eine Kommission zu wählen, die die Schritte untersuchen wird, die in dieser betrüblichen Angelegenheit getan werden können. Die Kommission wird sich in den nächsten Wochen konstituieren und vorerst einen Ausschuß wählen, der einen bekannten Kenner des Internationalen Rechtes beauftragen wird, diesen traurigen Fall auf all seine Möglichkeiten hin zu prüfen. Wie wir in letzter Stunde vernehmen, ist die Kommission bereit, eine Subkommission mit den ersten Ermittlungen zu betrauen. Man hofft, daß die leidige Angelegenheit noch im nächsten Jahre eine Erledigung finden wird...«

So ging es – und gegen Kommissionen konnte man nichts unternehmen. Aber vielleicht war eine Kommission gar nicht nötig? Vielleicht war eine Rettung gar nicht ferne?

Ganz hinten am Horizont tauchte ein Punkt auf. Winzig klein war er. Studer zog seinen Feldstecher aus der Tasche. Ein Maultier! Und auf dem Maultier ein weißer Fleck. Vielleicht brachte der weiße Fleck Rettung.

Unter diesen Gedanken war Studer im Posten angelangt. Still lag er da, unter den Sonnenstrahlen, die ihn schief trafen. Der Abend war nahe. Neben dem Wachtposten sah der Wachtmeister zwei dicke Bohlentüren – offenbar die beiden Gefängniszellen. Vielleicht schlief diese Nacht ein Berner Fahnder hinter einer dieser Türen?

Studer gab den Spaten zurück. Dann stieg er wieder die Hühnerleiter hinauf, klopfte. Da keine Antwort erfolgte, trat er ein. Auf einem Diwan, in einer Ecke des Raumes, lag Capitaine Lartigue und schlief. Zwischen der Wand und seinem Körper lagen die Gazelle und der schottische Terrier friedlich nebeneinander. Beide blinzelten den Wachtmeister verschlafen an – der Hund hob einen Augenblick den Kopf und legte ihn dann wieder zurück auf seine gestreckten Vorderpfoten. Studer schlich sich zu einem Lehnsessel, setzte sich, nahm ein aufgeschlagenes Buch, das auf dem Tischchen lag und begann zu lesen. Es waren Verse, französische Verse von traurigem Wohllaut. Und sie paßten zu Studers Stimmung. Wahrscheinlich hatte sie ein Gefangener geschrieben …

Der Himmel überm Dach
ist still und leise.

Ein Baum überm Dach
zieht seine Kreise ...

Dem Wachtmeister Studer gingen die Augen über und er schlief ein ...

Der gemeinsame Schlaf aber legte um diese vier Geschöpfe ein unsichtbares Band. Als sie nach einigen Stunden erwachten, schienen sie erfreut, beieinander zu sein.

Der Capitaine sagte: »Auch ein Schläfchen getan, Inspektor?« – »Wie wäre es mit einem Wermut, mein Capitaine?« fragte Studer zurück. Die Gazelle und der Hund spielten Fangis im Zimmer, immer rund um den Lehnstuhl des Wachtmeisters; dann blieben die Tiere plötzlich stehen und blickten Studer freundlich an. Die Gazelle hatte feuchte Augen, wie ein verliebtes Frauenzimmer, und der Hund ähnelte einem uralten Neger. Es war sehr gemütlich in dem Turmzimmer.

Und draußen war der Abend kühl und rot wie Himbeereis. Durch die offene Terrassentür wehte ein kleiner Wind. Zwischen Wolken, die aussahen wie Klumpen von Brombeergelee, standen ein paar Sterne, rund und weiß und glänzend wie geschälte Haselnüsse. Ein wenig später kam der Mond, der dieser Zuckerbäckerherrlichkeit ein Ende bereitete. Er kam und war weiß und groß; das Licht, das er über die Baracken und Höfe legte, gemahnte an riesige Leintücher, die von der Bleiche kommen. Ein Horn klagte wieder, es war ein Signal, mit Trillern, Koloraturen – und wie ein großer italienischer Sänger hielt es die vorletzte Note lange aus, so lange, daß man mit Bangen die Rückkehr zum Grundton erwartete ... Und kaum war der Grundton verhallt, begann gedämpft ein Lied ... Es paßte zum Abend, zu der Ebene und zum klaren Lichte des Mondes. Manchmal hob sich eine hohe Männerstimme ab vom Chore, der im Basse die Begleitung brummte ...

»Die Russen singen«, sagte der Capitaine leise. Studer hörte andächtig zu. Dies alles war auf eine noch nie erlebte Art ergreifend, so etwas gab es nicht daheim ... Das also war die Legion, die Fremdenlegion: ein Lied vom großen Traum, dem Traum von Pferden, Bergen, Ebenen und Meer ...

Immer noch lag Lartigue auf dem Diwan, die Hände im Nacken verschränkt, und atmete die Lieder ein wie einen starken Duft ... Plötzlich brach der Gesang ab. Der Capitaine sprang auf.

»Sie suchen nach dem Hellseherkorporal Collani, Inspektor ... Nein, leugnen Sie's nicht ab!« ... Lartigue ging zur kleinen Tür, die auf die Holzstiege führte, und pfiff. Drunten klapperten Schritte. Der Capitaine gab einen leisen Befehl, dann schloß er die Tür, ging zum offenen Kamin und hielt ein brennendes Zündholz unter das aufgeschichtete Holz. Ein Duft von Thymian breitete sich aus im Raum.

»Soll ich Licht anzünden? Oder genügt Ihnen der Mond?«

Studer nickte. Er konnte nicht sprechen. Der Capitaine schien die Stimmung seines Gastes zu verstehen, denn er füllte schweigend zwei Gläser mit einer wasserklaren Flüssigkeit. Studer trank. Es war verdammt stark, reizte zum Husten, aber gab warm ...

»Dattelschnaps«, erklärte der Capitaine. »Der Jude, der mir die Schafherden liefert, hat mich mit drei Flaschen bestochen. Er hat recht daran getan, sonst hätte ich ihn zwei Monate lang Ziegel formen lassen, weil er mich mit seinen Schafen hineinlegen wollte. Sie hatten nur zwölf Kilo Lebendgewicht und das ist zu wenig ... Aber das interessiert Sie wohl nicht, Herr Inspektor Jakob ... pardon ... Joseph Fouché ...«

Doch! ... Gerade diese Dinge interessierten den Berner Wachtmeister sehr. Was doch solch ein Postenchef alles können mußte! Er mußte Arzt sein, Viehhändler, Veterinär, Stratege, Bürgermeister, Postenchef, Hausvater ...

»Wer ist eigentlich Ihr direkter Vorgesetzter, Capitaine?« fragte er. »Wem unterstehen Sie?«

»Ich?« Capitaine Lartigue schmunzelte – und hätte man das Schmunzeln gutmütig genannt, so wäre es eine Übertreibung gewesen. »Ich?« wiederholte er. »Ich bin ein kleiner König. Mir hat niemand etwas zu sagen, außer dem Residenten in Fez. Offiziell gehört meine Kompagnie dem dritten Regiment an – aber sie gilt als Bataillon. Und der Oberst des dritten Regimentes ist viel zu weit weg ... In Rabat, denken Sie ... Vierhundert Kilometer Luftlinie. Ich bin also Bataillonschef, Platzkommandant, und auch das Land, das uns umgibt, ist mir untertan. Sie sehen also, lieber Inspektor – – Fouché, ganz richtig – – Sie sehen also, lieber Inspektor Joseph Fouché, merkwürdig übrigens, daß Sie wie der Polizeiminister des großen Kaisers heißen, daß mich nichts hindern könnte, kurzen Prozeß mit Ihnen zu machen.«

Das Schmunzeln – gutmütig oder nicht – war von den Lippen des Capitaines verschwunden. Der Mund war schmal, gerade, die Lippen ein wenig bleich.

»Wenn ich den Herrn, der den Namen eines französischen Ministers des Kaiserreichs trägt – mit Recht, wollen wir einmal annehmen, mit vollem Recht – wenn ich diesen Mann ganz einfach an die Wand stellte, niemand würde mich an dieser Säuberungsaktion hindern. Denn Sie werden zugeben, daß das Beiseitebringen eines Spiones sich Säuberungsaktion nennen darf... Um der Form Genüge zu tun, würde ich vielleicht ein kleines Kriegsgericht versammeln, bestehend aus einem Leutnant, zwei Sergeanten und zwei Korporalen. Fünf Mann – und einer mehr: Ich, Auditor und Gerichtspräsident in einer Person. Verteidigen dürften Sie sich selbst. Ich, Auditor und Präsident, würde also sprechen: ›Vor euch steht ein Mann, der in besetztem Gebiet mit einem falschen Passe reist. Ich verdächtige ihn der Spionage. Wir können augenblicklich niemanden entbehren, der ihn mit einer Eskorte nach Fez bringen könnte. Also müssen wir selbst das Urteil fällen. Und wir sind dazu befugt. Da es sich um Spionage handelt und ich die Beweise in öffentlicher Sitzung nicht beibringen darf – die Interessen Frankreichs stehen auf dem Spiel –, gibt es nur eins: den Tod.‹ Was würden Sie darauf antworten, Herr Inspektor Jakob – pardon – Joseph Fouché?«

»Darf ich mir eine Pfeife stopfen?« fragte Studer gelassen; sprach's, zog den Beutel aus der Tasche und begann ruhig den Tabak in den Kopf einzufüllen. Er drückte ihn gewissenhaft mit dem Daumen fest, stand auf, stand da, eine Weile, groß und schwer und breit, und ging mit gewichtigen Schritten zum Kamin, beugte sich nieder, nahm Reisig, an dem ein gelbes Flämmchen klebte, zündete das Kraut an, kehrte an seinen Platz zurück und blies Lartigue Rauchwolken ins Gesicht. »Hätte das Gericht dann meine erste Frage beantwortet, so würde ich fortfahren: ›Meine Herren! Es ist wahr, daß ich mit einem falschen Paß reise – aber ich habe nie Spionage getrieben. Ich bin ein Schweizer Polizist, der beauftragt worden ist, einen zweifachen Mord zu ... zu ...‹« Studer suchte nach dem passenden Wort, es fiel ihm keins ein, so beendete er seinen Satz mit: »›... enträtseln. Ja.‹«

Er schwieg und fingerte über die Oberlippe nach dem Schnurrbart, dessen Trüllen in schwierigen Unterredungen stets sein Beruhigungsmittel gewesen war, fand ihn nicht und nahm zu einem langanhaltenden Räuspern seine Zuflucht. Dann: »Außerdem – und ich will ganz offen mit Ihnen sprechen, mon Capitaine – habe ich nicht nur die Interessen meines Staates zu vertreten, sondern auch die Interessen eines jungen Mädchens, dessen Vater hier in der Nähe ... Doch ich glaube, dies würde wieder Ihr Gericht nicht interessieren. Und um auf besagtes Gericht zurückzukommen: Erstens würde ich also verlangen, als Vertreter meines Landes behandelt zu werden. Da dies wahrscheinlich nicht geschehen wird, so würde ich mir erlauben, den Notwehrparagraphen zu meinen Gunsten auszulegen. Zwei Browningpistolen enthalten sechzehn Schuß – falls ich noch rechnen kann.«

»Bravo«, sagte Capitaine Lartigue. »Marie hat Sie richtig geschildert.«

»Mar...«, begann Studer, aber da wurde er von einer Frauenstimme unterbrochen:

»Gueten Abig, Vetter Jakob!«

Studer ergriff die Flasche mit dem Dattelschnaps. Er schenkte sein Glas voll, leerte es, stellte es wieder ab.

»Grüeß di, Meitschi!« Seine Stimme war ruhig.

Ein Morgen im Posten Gurama

»Vetter Jakob«, fragte Marie, »hast du die Fieberkurve?« Studer nickte, nickte lange. Sein Kopf konnte nicht zur Ruhe kommen. Marie hatte sich auf das Ruhebett gesetzt, auf dem, vor gar nicht langer Zeit, der Capitaine, der Hund und die Gazelle in tiefem Schlaf gelegen waren. Und Studer hockte auf dem Stuhl, dessen bequemer Bau auch ihm Ruhe geschenkt und die Augen zugedrückt hatte. Auf dem Tischlein lag immer noch das Buch mit dem Vers:

Der Himmel überm Dach
Ist still und leise ...

Aber die Anwesenheit Maries hatte die Stimmung im Zimmer verändert. Das Mädchen trug einen weißen Leinenschurz, wie er zur Uniform einer Krankenpflegerin gehört, ihre Haare waren eingehüllt in einen dünnen Schleier, dessen Leinenband ihre Stirn umspannte. Und mitten auf dem Leinenbande prangte ein rotes Kreuz. Sehr sittsam saß Marie auf dem Ruhebett, hatte die Hände gefaltet und die Ellbogen auf die Knie gestützt. Neben ihr hockte Capitaine Lartigue in seiner verrumpfelten Khakiuniform, so weit nach hinten gelehnt, daß nur ein dunkelblaues Kissen seine Schulterblätter von der Wand trennte. Ihm zu Füßen waren der Hund und die Gazelle, ein braunschwarzes Wolleknäuel.

Ja, die Fieberkurve habe er, sagte Studer und starrte auf den Boden ... Das heißt, um ganz genau zu sein, er habe nur die Hälfte der Fieberkurve, die andere Hälfte liege wohlverwahrt in einem Notariatsbureau z'Bärn.

Jetzt war es an Marie, zu nicken. Und sie tat dies auch. Ausgiebig und lange. Schließlich erkundigte sie sich, ob es in diesem Zimmer eigentlich gar keine Zigaretten gäbe? Der Vetter Jakob – l'oncle Jacques, sagte sie – rauche Pfeife, und sie? ... Studer seufzte. Wie viele Namen mußte man sich in diesem verkachelten Fall gefallen lassen! Für Madelin war man »Stüdère«, für die Tanzlehrerin »Stiudaa«, für den Murmann »der Köbu«, auf dem Paß hieß man Joseph Fouché, und fürs Hedy war man der »Vatti«. Marie hatte einen »Vetter Jakob« getauft. Das ging noch an. Aber »Oncle Jacques«! Das war zuviel! Und während Capitaine Lartigue ein blaues Päckli, ähnlich dem, das im Schnellzug Paris–Basel neben dem damals noch unbekannten Meitschi gelegen hatte, aus einer seiner Taschen hervorzog und Marie von den Zigaretten anbot, kleidete Wachtmeister Studer von der Fahndungspolizei seinen stillen Protest in laute Worte. Und die Worte waren aus bernischem Stoff.

Der Protest verhallte. Studer hatte den Eindruck, als spräche er zu zwei Puppen. Das gab einen kleinen schmerzhaften Stich. Lartigue sah Marie an und das Meitschi hatte nur Augen für den Capitaine. Und man war der »Oncle Jacques« ... Es gab eine Redewendung im Französischen, die hieß: »faire le Jacques«, was sich am besten mit: »dr Löli sy« übersetzen ließ. Und der Wachtmeister kam von diesem dummen Wortspiel nicht los.

Was ging diese beiden, dort auf dem Ruhebett, die Fieberkurve an! Was ging sie der Schatz bei der Korkeiche, am roten Mannfelsen an! Was kümmerte den Capitaine Lartigue, den Viehhändler, Postenchef, Hausvater, Strategen und Arzt, die Tragödie von zwei alten Frauen, die in ihren Küchen ein trostloses Ende gefunden hatten? Dachten etwa zwei Verliebte an Dinge, bei denen jedem Kriminalisten das Herz höher schlägt, an den »Großen Fall« zum Beispiel? Studer seufzte, und da er, zugleich mit dem Seufzer, seine Pfeife auf dem Rande eines porzellanenen Aschenbechers ausklopfte, so blickten die beiden endlich doch zu ihm herüber. Es war Zeit.

»Wir wollen«, sagte Capitaine Lartigue, »die ernsten Geschäfte auf morgen verschieben. Sie sind müde heute, Herr Inspektor, wir werden zu Nacht essen, dann schlafen Sie einmal ordentlich aus und morgen werden wir sehen, wie wir am besten unsere Angelegenheiten regeln können.«

»Unsere Angelegenheiten«, hatte der junge welsche Schnuufer gesagt. Mira! Unsere Angelegenheiten! ... Es war nur gut, daß zu diesen »unseren« Angelegenheiten das Nachtessen gehörte. Es war üppig, und gemütlich wurde es auch. Die Ordonnanz des Capitaine, ein Ungar mit einem Rübezahlbart, servierte.

Lammkoteletts. Risotto mit Hühnerleber garniert. Artischocken mit Mayonnaise. Salat. Käse. Dazu gab es einen Weißwein, der den Namen »Kébir« trug. Kebir, erklärte der Capitaine, heiße »Der Große«. Der Wein verdiente den Übernamen.

Das Feldbett war in einem leeren Offizierszimmer aufgeschlagen worden. Es war schmal. Aber das schadete nichts. Wachtmeister Studer schlief ein und er schlief tief. Als er erwachte und auf die Uhr blickte, die auf einem Stuhle neben seinem Bette tickte, war es fünf Uhr. Er stand auf und verließ sein Zimmer. Der Himmel war ein riesiges Tuch aus Rohseide, sehr hell, hie und da gefältelt – die Falten waren dunkler …

Zuerst schien es dem Wachtmeister, als sei der Posten so still wie ein Kirchhof. Fensterlos waren die niederen Baracken, über die sich, fast in der Mitte des Postens, der einstöckige Turm erhob. Fast lautlos ging Studer über den sandigen Boden, er hatte Lederpantoffeln angelegt, deren weiche Sohlen seine Schritte fast unhörbar machten. Er versuchte sich zu orientieren. Dort mußte der Ausgang liegen. Auf ihn ging er zu, er hatte im Sinn, den Posten zu verlassen und noch einmal nachzusehen bei der Korkeiche, ob wirklich nichts zu finden sei.

Da war der Ausgang. Auf einem Prellstein saß ein Legionär, hatte das Gewehr mit aufgepflanztem Bajonett neben sich an die Mauer gelehnt, den Kopf in beide Hände vergraben – und schlief. Rechts vom Eingang kauerte eine Baracke, sie glich so gar nicht den andern Baracken, obwohl sie eigentlich gebaut war wie die andern auch: weißgekalkt die Wände, das Dach aus Wellblech … Aber da waren zuerst zwei Türen, aus schweren Bohlen zusammengefügt, und starke eiserne Riegel waren daran angebracht. Die Enden der Riegel steckten in der Mauer. Und dann – das war das Auffällige! – die Baracke hatte Fenster. Zwei Fenster! Und die Fenster waren vergittert …

Die Wache am Tor schlief. Studer schlich sich an eins der Fenster. Es war etwas hoch angebracht, er mußte sich auf die Zehenspitzen stellen, dann konnte er das Innere überschauen …

Eine Zelle … Schätzungsweise zwei Meter auf anderthalb. In der Ecke ein Zementblock in der Form eines Bettes. Auf dem Block saß ein Mann. Es war dunkel in der Zelle und darum ein wenig schwer zu erkennen, was der Mann tat. Studer beugte sich weiter vor, er gab sich Mühe, mit seinem Kopf keinen Schatten in die Zelle zu werfen. Er wußte selbst nicht, warum es ihm so notwendig schien, daß ihn der Mann nicht erblickte. Jetzt sah man es deutlich: der Mann hielt schmutzige Karten in der Hand, mischte sie, legte sie in einem Päckli neben sich, hob ab – und dann begann er sie reihenweise auszulegen …

Vier Reihen legte er, das war deutlich zu sehen. Vier Reihen zu neun Karten. Dann schüttelte der Mann den Kopf, schob die Karten zusammen, mischte wieder, hob ab – mit der linken Hand – und spielte sein einsames Spiel anders:

Er zog drei Karten ab, sonderte eine aus, warf zwei beiseite. Nahm wieder drei Karten, blickte sie an, warf sie alle drei beiseite. Nahm wieder drei, behielt von *diesen* dreien eine und warf zwei zum begonnenen Haufen. So fuhr er fort, bis seine Hand leer war. Dann nahm er die beiseitegeworfenen Karten, mischte sie, hob ab und begann das Spiel von neuem. Die ausgesonderten Karten bildeten eine merkwürdige Zeichnung – ein Kreuz, hätte man meinen können.

Immer noch schlief die sitzende Wache am Eingangstor. Aber der Posten war nicht mehr stumm. Aus der Ferne dröhnten Pfannen, die gegeneinandergeschlagen wurden. Unsichtbare Hände zogen den Rohseidevorhang vom Himmel. Und nun war er blau wie gefärbtes Glas.

Da fuhr der Wachtmeister zusammen. Ein Horn gellte seinen Morgengesang durch den Posten, keine fünf Schritte von Studer entfernt... Hinter jener Mauerecke? Der Wachtmeister schlich sich davon. Richtig, da stand einer in resedagrüner Uniform, der Trichter seines Instrumentes war gegen die Sonne gerichtet, die müde und glanzlos hinter den roten Bergen hervorgekrochen kam – und der Mann blies der müden Sonne sein Morgenlied mitten ins Gesicht...

Da zerbröckelte das Schweigen in den Baracken, Husten, Fluchen, Schimpfen... Plötzlich war es, als sei die Luft gesättigt mit Kaffeedampf. Gestalten schlichen vorbei – sie trugen Eimer, die mit einer braunen Brühe gefüllt waren, und ihre Gesichter waren staubig – staubig und mager. Ein paarmal wurde der Wachtmeister unsanft beiseitegeschupft – es war, als seien die Kaffeeträger blind. Aber Studer merkte nichts von diesen unsanften Berührungen. Er sah, und er wurde das Bild nicht los: den einsamen Mann in der Zelle, der sich selbst die Karten legte nach einer Nacht, die er sicher schlaflos verbracht hatte auf dem Zementblock, ohne Decken, in der kalten Zelle – und der nun die erste Morgendämmerung benutzte, um einen Blick zu tun hinter den Vorhang, der ihm die Zukunft verbarg.

...Ein ausgelegtes Kartenspiel in Basel, ein ausgelegtes Kartenspiel in Bern. Wie war es mit dem Hellseherkorporal? Mit dem Giovanni Collani, der am 28. September aus Géryville desertiert war, um dann wohlbehalten am 15. Januar bei seiner berittenen Kompagnie in Gurama einzutreffen? War dieser Schatten, der das erste blasse Licht eines beginnenden Tages dazu benutzte, Karten zu schlagen – ja, wer war der Schatten in der Zelle? Ein unerlaubtes Fernbleiben von dreieinhalb Monaten wird wohl in jeder Armee bestraft – das nannte man Desertion. Gewiß, man würde den Herrn Hellseherkorporal als Kranken behandeln – es gab ja einen wunderbar klingenden wissenschaftlichen Namen für jenen Zustand, von dem Korporal Collani heimgesucht – mira! heimgesucht! – worden war: man nannte das Amnesie. Und wenn man auch nur ein simpler Fahnderwachtmeister war, so konnte es vorkommen, daß man wissenschaftlich auf der Höhe war...

Amnesie! ... Gut und recht. Aber man hatte doch feststellen können, daß der Hellseherkorporal hinter Schloß und Riegel saß! Wie war es da möglich, daß besagter Collani, auch wenn er mit dem Cleman, Victor Alois, alias Koller, Mörder der Ulrike Neumann, identisch war, zu dem Mannfelsen bei der Korkeiche hatte gehen können, um den Schatz zu heben? Wie war das möglich? Ganz einfach.

Der Mann hatte einen Komplizen gehabt.

Wie aber – neue Frage – wie aber gedachte der Komplize zusammen mit seinem Auftraggeber den Schatz zu verwerten? Deutlicher gesagt: ihn zu Geld zu machen?

Auf der einen Seite der Geologe Cleman, mochte er nun der Hellseherkorporal sein oder nicht, zusammen mit seinem Komplizen ... Gut! ... Auf der anderen Seite der Kanton Bern und Marie Cleman, vertreten durch Fahnderwachtmeister Jakob Studer. Zwei Parteien. Sehr sauber. Aber die Rechnung ging nicht auf. Damit sie aufging, brauchte es einen Mittelsmann. Mittelsmann! Schlechtes Wort! Besser: einen Dritten ... Damit das Sprichwort nicht log: Wenn zwei sich streiten, freut sich der Dritte.

Wer war der Dritte?...

Studer hatte es gar nicht gemerkt, daß er schon siebenmal um die gleiche Baracke geschritten war, daß es oft, sehr oft Zusammenstöße gegeben hatte mit unzufriedenen Leuten... Mochten sie fluchen! Fluchen hatte den Wachtmeister noch nie beim Denken gestört.

Beim achten Kehr stieß er mit einem Menschen zusammen, der nicht fluchte, und dies weckte den Wachtmeister aus seinem Grübeln. Der Mensch war weiß gekleidet, er trug einen Schleier. Der Mensch sagte: »Vetter Jakob, seid Ihr schon früh auf?«

Dumme Fragen konnte Studer nicht leiden. Darum antwortete er brummend, wenn er auf seinen beiden Beinen spazierengehe, so sei wohl anzunehmen, daß er aufgestanden sei. – Das sei eine Manier, Damen zu begrüßen! – Damen hin oder her. Soviel er sehe, sei keine Dame umewäg, höchstens es frechs Meitschi; und übrigens wolle er es ein für allemal gesagt haben: er heiße nicht »Oncle Jacques«. Das heiße ja Löli auf französisch. Und wenn er bei sich manchmal finde, er sei ein Löli, so brauche ihm dies nicht von jungen Göfli bestätigt zu werden... Und der Wachtmeister wollte auf seinen lautlosen Sohlen weiterstampfen. Marie hielt ihn am Ärmel fest: er möge entschuldigen, sie habe es nicht bös gemeint. Es sei überhaupt alles anders gekommen als sie gedacht habe. Sie habe gemeint, erst viel später nach Gurama kommen zu können, sie habe gehofft, ihren Onkel Matthias, den »Weißen Vater«, schon hier anzutreffen – aber, wie es eben immer gehe auf dieser Welt, Pater Matthias sei erst diese Nacht angekommen. Sehr spät übrigens, gegen ein Uhr. Darum habe sie den

Capitaine gebeten, den Vetter Jakob nicht im Schlaf zu stören...

Marie verstummte, ganz erschreckt. Studer hatte sie an beiden Oberarmen gepackt, er hielt sie fest, starrte ihr ins Gesicht, und als Marie ängstlich fragte, was denn los sei, stand sie in einem Kreuzfeuer von Fragen, von leise, aber so zwingend gestellten Fragen, daß ihr ganz schwindelig wurde.

»Denk nach! Denk genau nach! Wie oft ist Pater Matthias deinen Vater besuchen kommen?«

»Aber nie, niemals!«

»Warum?«

»Weil der Onkel Matthias zur katholischen Religion übergetreten ist.«

»Das ist kein Grund.«

»Ich weiß keinen anderen!«

»Wie alt warst du damals, als der Briefträger den Chargébrief gebracht hat?«

»Acht Jahre.«

»Bischt sicher?«

»Ja doch!«

»Wann bist du geboren?«

»Neunzehnhundertneun!«

»Sicher?«

»Eh ja!«

Schweigen, ganz kurz nur. Studer sah die Küche in der Gerechtigkeitsgasse, sah den Pater sein Scheschiaspiel spielen. Er hörte sich fragen: »Wann hat sich Ihr Bruder scheiden lassen? – Antwort: »1908. Im nächsten Jahr hat er wieder geheiratet. 1910 ist Marie geboren worden...«

Neunzehnhundertzehn! Da brauchte man nicht das neue Ringbuch vom Hedy, das stand eingegraben im Schädel: Neunzehnhundertzehn! Und was sagte Marie, die es doch wissen mußte? Marie sagte: 1909. – Irrtum des Paters? Versprechen? So arg verspricht man sich nicht.

»Gut. Neunzehnhundertneun. Wann hast du deinen Onkel zum erstenmal gesehen?«

»Nach Vaters Tod.«

»Im gleichen Jahr?«

»Ich glaub'.«

»Sicher bist nicht?«

»Nei . . . ein.«

»Einmal, zweimal, öfters?«

»Alle Jahre einmal.«

»Regelmäßig, bis in die letzte Zeit?«

»Nein. Vor fünf Jahren haben die Besuche aufgehört. Dann sind noch Briefe gekommen.«

»Ist der Mutter an den Briefen nichts aufgefallen?«

»Doch. Sie hat einmal gemeint, man merke es, daß der Matthias alt werde. Seine Schrift werde so zittrig.«

Die Eintragung im Gästebuch vom Hotel zum Wilden Mann war gar nicht zittrig! Item . . . Weiter . . .

»Und du hast den Onkel wiedererkannt, gleich wiedererkannt, als er dich in Paris aufgesucht hat?«

»Er . . . er . . . ist . . .«

»So red doch, Meitschi!«

»Er ist mir nicht recht bekannt vorgekommen. Der Onkel Matthias, den ich in der Erinnerung gehabt hab', der war größer. Und auch sein Gesicht war ein wenig anders . . .«

»Wo hat die Mutter die Briefe vom Onkel Matthias aufbewahrt?«

»Bei den Andenken vom Vater.«

Studer ließ Marie so plötzlich los, daß das Mädchen ein wenig schwankte. Aber dann stand es wieder fest auf den Füßen und blickte erstaunt den Wachtmeister an. Sein Gesicht hatte sich verändert, und die Veränderung hatte folgenden Grund: Es soll einmal jemand versuchen, mit lächelndem Munde zu pfeifen und sich dann die Grimasse im Spiegel zu beschauen, die bei einem derartigen Versuch herauskommt. Die Grimasse wirkte auch auf Marie. Sie begann zu lachen.

»Lach du nur, Meitschi! Im Amtshaus z'Bärn sagen sie alle, dr Köbu spinnt. Wir wollen ihnen zeigen, ob der Köbu spinnt! Wie ist es mit dem Capitaine? Seid ihr versprochen? Ja? Und er mag dich? Dumme Frag'«, antwortete sich Studer selber. »Wer soll dich nicht gern haben, Meitschi!«

Marie wurde nicht rot, sie spielte nicht verschämt mit ihrem Schürzenzipfel, sie brauchte auch nicht den Schleier. Sie sagte:

»Wenn Ihr mich gern mögt, Vetter Jakob, und der Louis mag mich, was brauch' ich da mehr? Die anderen? ...« Sie zuckte die Achseln. Und Studer meinte trocken, das sei schön, daß Marie ihn noch vor dem Verlobten genannt habe... Es werde schon gut kommen. Nur keinen Kummer!...

Kummer habe sie keinen, sagte Marie. Wenigstens für sich nicht. Aber ob der Vetter Jakob nichts riskiere? Er solle bedenken, daß er allein in fremdem Lande sei, sie habe da etwas vernommen von einem Schatz, ob es nicht besser sei, das alles sein zu lassen. Schließlich, wenn sie den Louis heirate, dann lange dem sein Sold schon für sie beide... Und allzuviel Geld? Das schade nur. Das mache nur böse und schlecht!

Studer hörte zerstreut zu. Dann meinte er bissig: Wenn nur sie, die Marie, allein im Spiele wäre, nicht den kleinen Finger tät' er mehr rühren. Aber es stünden Staatsinteressen auf dem Spiel. Staatsinteressen! wiederholte er und fuhr dem Meitschi mit dem Zeigefinger vor der Nase hin und her.

Marie lief davon. Der Wachtmeister aber blieb an derselben Stelle stehen, seine Hände lagen gefaltet auf dem Rükken und er schüttelte den Kopf, schüttelte ihn lange und ausgiebig, wie ein Roß, das die Bremen plagen...

Es war eine Schande. Und eine Schande war's, sich so übers Ohr hauen zu lassen! Eine Entschuldigung hatte man. Es war das erstemal, daß man mit einem solchen Gegner zu kämpfen hatte. Und glatt wäre man unterlegen – wenn nicht, wenn nicht im letzten Moment etwas Unwägbares, etwas, das zu den Imponderabilien gehörte – Imponderabilien! Das Lieblingswort eines Mannes, von dem man einmal viel gelernt hatte – ja, wenn nicht etwas Unwägbares eingetroffen wäre. Etwas ganz Einfaches: daß der Beherrscher des Postens Gurama sich in ein Mädchen verliebt hatte...

Noch lange wäre der Wachtmeister am gleichen Platz stehengeblieben, aber Lartigues Stimme weckte ihn.

»Was ist los, Inspektor? Machen Sie Morgengymnastik? Finden Sie, Ihr Hals werde zu dick? Wackeln Sie deswegen mit dem Kopf?«

Studer blickte auf – nein, er blickte nicht, er glotzte. Er hatte den gleichen stumpfen Blick wie schon einmal.

»Eine Frage, Capitaine«, sagte er. »Wie haben Sie – wenn ich nicht indiskret bin – Maries Bekanntschaft gemacht?«

»Wir haben uns in Paris kennengelernt, einmal, als ich Urlaub hatte. Kennen Sie Bullier?« Studer nickte. Er kannte den Ballsaal im Montparnasse-Quartier. »Dort haben wir zusammen getanzt. Und auch die nächsten Tage haben wir uns öfters getroffen, bis mein Urlaub zu Ende war...«

»Gut. Aber wie ist Marie nach Gurama gekommen?«

»Am 2. Januar«, sagte Capitaine Lartigue, »habe ich von Marie ein Telegramm erhalten...« Er zog eine Brieftasche aus der Tasche, entnahm ihr ein zusammengefaltetes Papier und reichte es dem Wachtmeister. Außer der Adresse standen nur drei Worte darauf:

»Brauche fünftausend Marie.«

»Suumeitschi!« murmelte Studer, und Lartigue erkundigte sich, was der Herr Inspektor gesagt habe.

»Ein gutes Mädchen«, übersetzte der Wachtmeister das Dialektwort.

»Ja«, meinte Lartigue trocken. »Übrigens hätte ich gern dem Gespräch zugehört, das Marie in Fez mit dem Direktor des Sanitätswesens für Marokko gehabt hat. Es stimmt ja, ich habe schon einige Male eine Krankenschwester verlangt... Aber der Direktor hat Generalsrang und ist als Weiberfeind bekannt...«

Studer lachte, lachte lange und laut, schlug sich klatschend auf die Schenkel, so daß ihn der Capitaine erstaunt von der Seite betrachtete. Mit einem Schlag verstummte das Lachen, Studer wandte sich um und sagte mit einer Stimme, die ihm der Capitaine nie zugetraut hätte – sie triefte von süßer Höflichkeit wie ein Ankenbrot, das man zu dick mit Hung bestrichen hatte:

»Sie hier, mon père? Wie geht es Ihnen? Haben Sie Ihr Sorgenkind schon gesehen?«

»Ah, Inspektor, wie freue ich mich!« Ganz wenig nur zitterte das Schneiderbärtchen. »Sie müssen verzeihen, wenn ich Ihnen damals in Bern durchgebrannt bin, aber ich habe meine Schulden bezahlt, niemand hat meinetwegen Schaden erlitten. Und ich wußte, daß man mich notwendig in Marokko brauchte... All meine verlorenen Schäflein, Inspektor, sie riefen nach mir. Konnte ich da meine Ohren verschließen?«

»Aber, mein lieber Vater! Wer hätte dies von Ihnen verlangt? Habe ich es Ihnen nicht deutlich zu verstehen gegeben, daß wir in der Schweiz immer bestrebt sind...«

Weiter kam Studer nicht. Pater Matthias unterbrach ihn mit einer Handbewegung.

»Wie freue ich mich, Sie hier gefunden zu haben. So werden wir gemeinsam den Capitaine aufklären können über die Rolle, die in dieser Affäre ein unglücklicher Mensch gespielt hat, der sich vor der Strafe in die Legion geflüchtet hat. Aber nicht wahr, Capitaine Lartigue, *Mörder* muß auch die Legion ausliefern...«

Es war ein Triumph für den Berner Wachtmeister, den Mann, der ihm als Willkommensgruß einen Boxkampf angeboten hatte, unsicher und verlegen zu sehen.

»Einen Mörder? In meiner Kompagnie?« fragte er.

Pater Matthias' Augen standen voll Tränen.

»Leider«, sagte er. »Leider ist es so. Und ich bin sicher,

unser Schweizer Inspektor hat die lange Reise nur darum gemacht, um das langwierige Auslieferungsverfahren ein wenig abzukürzen – den Mörder womöglich gleich mitzunehmen, sobald die Bewilligung vom Ministerium in Paris angekommen ist. Nicht wahr?«

Studers Gesicht drückte Trauer aus. Er nickte.

Capitaine Lartigue aber begann:

»Und ich dachte, Inspektor, Sie seien gekommen, um nach ...«

Die übrigen Worte waren nicht zu verstehen. Ein derart heftiger Hustenanfall zerriß Wachtmeister Studers Brust, immer wieder begann er von neuem – nichts nützte es, daß freundliche Hände ihm den Rücken beklopften, stöhnend konnte er schließlich hervorwürgen:

»Ca ... pi ... taine ... Sie ... ha .. ben ... wohl in Ihrer Apo ... the ... ke ... ein Mi ... mi ... ttel ...«

»Aber natürlich, Inspektor, kommen Sie mit!«

Pater Matthias blieb ziemlich erstaunt allein im Hofe stehen. Immer noch hustend warf Studer einen Blick zurück. Und da beneidete der Wachtmeister den Pater Matthias: der Weiße Vater besaß ein Bärtlein und einen Schnurrbart – zwei unentbehrliche Beruhigungsmittel bei eintretender Ratlosigkeit ...

Im Krankenzimmer verschluckte Studer schnell die Pille, die ihm der Capitaine gegeben hatte. Dann sagte er, leise und schnell:

»Sagen Sie dem Pater nichts von der Fieberkurve! ... Nichts von dem Schatz ...« Studer blickte mißtrauisch zum kleinen Fenster hinaus, das mit einem feinmaschigen Drahtnetz überzogen war – er sah, daß Pater Matthias eilig näherkam, in zwei Sekunden schätzungsweise würde er den Raum betreten...

»Sie haben gestern von einem Gericht gesprochen, das Sie einberufen könnten. Guter Gedanke. Tun Sie es heut nachmittag, klagen Sie mich der Spionage an...« Draußen hielt ein Mann den Pater an und obwohl Studer den Mann nicht kannte, war er ihm dankbar und versprach ihm in Gedanken einen Liter Wein... »Hören Sie zu! Capitaine! Kommen Sie näher!« Und Studer flüsterte eifrig und aufgeregt in Lartigues Ohr. Der Capitaine zeigte zuerst Erstaunen, dann nickte er, nickte eifrig... Die Tür wurde aufgestoßen, Pater Matthias betrat den Raum.

Der Wachtmeister spielte seine Rolle ausgezeichnet. Er hielt den Atem an und preßte die Luft in seine Lungen, sein Kopf war rot. Keuchend schnappte er nach Luft.

»Ich weiß«, sagte Pater Matthias, »ein ausgezeichnetes Mittel gegen solch chronische Hustenanfälle. Ich erinnere mich, daß Sie schon einmal in Bern einen derart heftigen Anfall gehabt haben. Sie müssen etwas dagegen tun. Was haben Sie unserem Inspektor verschrieben, Capitaine?«

»Ich hab ihm ein Dowersches Pulver gegeben«, brummte der Capitaine und spielte den Mißmutigen. »Aber ich habe jetzt zu tun. Rapport, verstehen Sie? Um halb zwölf ist Mittagessen in der Offiziersmesse. Sie sind alle eingeladen...«

Lartigue führte zwei Finger an seine Polizeimütze und verließ den Raum. Kaum aber hatte er das Krankenzimmer verlassen, fühlte auch der Wachtmeister das Bedürfnis, ins Freie zu gelangen.

»Auf Wiedersehen, mon père«, sagte er. Er fühlte des Paters Blick auf seinem gerundeten Rücken, und das Gefühl war genau so unangenehm wie damals, als der Brigadier Beugnot ihn verfolgt hatte …

Die Verhaftung

Es war genau wie gestern. Im größten der Höfe di Kompagnie im Viereck ... Die Baracken schienen e zu genießen, endlich einmal ausruhen zu dürfen von dem Lärm, der sonst stets in ihrem Innern tobte. Faul streckten sie sich in der Sonne, die hoch stand. Heiß waren ihre Strahlen, wie die einer schweizerischen Julisonne. An irgend etwas mußte man es fühlen, daß man in Afrika war...

Studer durchstreifte die leeren Baracken. Rechts und links von einem Mittelgang lagen Matratzen nebeneinander, flach waren sie und gefüllt mit Alfagras. Die Luft roch streng nach kaltem Rauch und schmutziger Wäsche. Eine Baracke, zwei Baracken ... Da war die Küche. Hier roch es nach Linsen und Schafragoût.

Und dann war man glücklich wieder vor der Baracke angelangt, die so gar nicht den anderen Baracken glich. Da war das vergitterte Fenster. Studer stellte sich auf die Fußspitzen...

Es war hell im Raum und der Mann, der auf dem Zementbett hockte, war gut zu erkennen: das war also der Hellseherkorporal, mit dessen Geschichte der ganze verkachelte Fall begonnen hatte. Ein gebeugter Mann, die Haare grau, das Gesicht scharf.

Giovanni Collani oder Cleman Alois Victor?

Bald, bald würde man Gewißheit haben.

Und wieder, wie schon einmal, fuhr der Wachtmeister zusammen. Ganz in seiner Nähe bäkte ein Horn. Denn »blasen« konnte man diese Töne nicht nennen... Noch einen Blick warf der Wachtmeister in die Zelle und er sah, daß der Mann wieder ein Päcklein Karten in der Hand hielt. Er mischte, hob ab – mit der linken Hand – nahm drei Karten, warf zwei beiseite, nahm wieder drei Karten, sonderte eine ab... Studer ließ sich auf die Fersen plumpsen und schlich davon. Er trat aus dem Tor. Weit breitete sich die Ebene aus, rechts senkte sie sich und dort standen Bäume – keine Palmen. Ihr Laub schimmerte silbern.

Jemand stieß ihn in die Seite. Und wieder erschrak der Wachtmeister... Aber es war nur die Gazelle des Capitaine, die spielen wollte. Studer streichelte den winzigen Kopf, die Schnauze des Tieres war feucht und kühl. Warum werd ich so schreckhaft? fragte er sich. Sonst bin ich's doch nie gewesen. Warum jetzt? Weil ich allein bin? Weil eigentlich auf niemanden Verlaß ist?

Einen Augenblick dachte er daran, den Posten ohne Abschied zu verlassen. Mochten sie da drinnen sehen, wie sie z'Schlag kamen... Er hatte sein Möglichstes getan. Schließlich war er nicht verpflichtet, mit falschen Pässen in der Welt herumzureisen und sich die unmöglichsten Namen anhängen zu lassen, nur um dem Heimatkanton ein paar Millionen zuzuschanzen. Würde man ihm Dank wissen? B'hüetis! Dank würde der »Alte« einheimsen! Den würde man feiern, weil er die Wichtigkeit des Falles erkannt und seine Dispositionen getroffen hatte!

Dispositionen getroffen! Aber äbe äbe... Ein Wachtmeister war weiter nichts als ein »ausführendes Organ!« –

Und wenn er hundertmal die ganze Arbeit getan hatte – er war und blieb ein »ausführendes Organ«, das seine Pflicht erfüllt hatte. Weiter nichts. Für sechshundert Franken im Monat – und die Spesen wurden auf den Rappen nachkalkuliert! Wehe, wenn man zuviel berechnet hatte, wehe, wenn man hätte sparen können und es nicht getan hatte!... Studer hatte es erlebt, daß ihm einmal ein Schnellzugszuschlag Basel – Bern nicht ausbezahlt worden war. »Ein Personenzug hätte es auch getan!« hatte es damals geheißen. Item... Es gab schöne Büchli, die hießen: »Ohne Kampf kein Sieg«. Die Schreiber hatten es gut: sie erfochten ihre Siege am Schreibtisch. Und jetzt mußte man in der Offiziersmesse zu Mittag essen. Und nachher...

Capitaine Lartigue stellte vor: Leutnant Mauriot, Leutnant Verdier. Marie saß zwischen dem Capitaine und Pater Matthias. Der Inspektor Joseph Fouché, so war er vorgestellt worden, hockte zwischen den beiden Leutnants.

Die Messe war ein langer Raum und lag in der Baracke, in der Studer geschlafen hatte. Schweigend wurde die Suppe ausgelöffelt. Dann gab es Oliven und Schnaps. Auf einer großen Platte wurde ein ganzes Lamm aufgetragen, garniert mit Pfefferfrüchten und Tomaten – die Ordonnanz mit dem Rübezahlbart servierte. Dann schenkte der Langbärtige die Gläser voll. Capitaine Lartigue stand auf und ließ die Krankenschwester hochleben, deren Anwesenheit wie Arznei auf die Mannschaft wirke. Alle standen auf, leise klingelten die Gläser... Und in das Klingeln hinein stampften näherkommende Tritte. Ein kurzes Kommando. Die Tür wurde aufgestoßen: ein Korporal, gefolgt von vier Mann, betrat den Raum. Die fünf Mann kamen näher – nur schweres Atmen war zu hören. Plötzlich knallten zwei Schüsse, ein Handgemenge, der Tisch fiel um, drei Körper wälzten sich am Boden ...

Pater Matthias war in eine Ecke geflohen. Er stand dort und versteckte sein Gesicht in den Händen. Dann war Maries Stimme zu hören: »Louis ... Gib mir eine Zigarette ...«

Die drei, die auf dem Boden herumturnten, standen auf. Capitaine Lartigue sagte:

»Abführen!«

Und Wachtmeister Studer, die Hände auf dem Rücken gefesselt, wurde zur Tür hinausgetragen. Leutnant Mauriot bückte sich und hob zwei Browningpistolen auf. »Ein gefährlicher Mann«, sagte er.

»Ja«, meinte Capitaine Lartigue und ließ sein Feuerzeug aufschnappen, um Maries Zigarette anzuzünden. »Ich hatte gehofft, die Überraschung werde am besten während des Essens gelingen. Aber der Mann war auf seiner Hut. Nur gut, daß ich die Geschicktesten ausgesucht habe ... Ist niemand verletzt? Auch Sie nicht, mein Vater?«

»Nein! Nein!« sagte eine Stimme aus der Ecke.

»Siehst du Onkel Matthias, daß ich recht gehabt habe«, meinte Marie, als der Pater wieder neben ihr saß. »Ich habe dir immer gesagt, du solltest dem Manne nicht trauen. Er ist ein Spion und reist mit einem falschen Paß.«

»Ich ...«, antwortete der Pater, »ich ... habe es gemerkt, als man mir den Mann vorstellte. Aber ich wollte nichts sagen. Ich mag mich nicht in fremde Angelegenheiten mischen!«

»Es ist nur gut, daß ich Louis gewarnt habe. Aber nun machst du kurzen Prozeß mit ihm, nicht wahr, Louis? Ein

Kriegsgericht – und dann an die Wand. Ich werde als Zeugin erscheinen. Und Onkel Matthias auch.«

»Ja. Mauriot, Sie können den Gerichtsschreiber machen. Wir nehmen noch die Adjutanten Cattaneo, den Sergeanten Schützendorf und zwei Korporäle...«

Die Verhandlung

Der Mann schwieg. Er hockte auf dem Zementblock, der ihm als Bett diente, rutschte ein wenig gegen die Hintermauer und lud Studer mit einer Handbewegung zum Sitzen ein. Dann musterte er ihn genauer, spitzte die Lippen, pfiff, spuckte aus und meinte:

»Ein Zivilist! Was willst du hier?«

Studer zucke mit den Achseln. Der Mann sprach ein gutes Französisch, aber man merkte es der Sprache dennoch an, daß der Mann Ausländer war.

»Vo wo bisch?« fragte Studer. Der Mann zog die Augenbrauen in die Stirn. »Vo Bärn«, antwortete er kurz.

»Ig au ...«

»Soso ... Du au ...« Schweigen. Zwischen zwei Bohlen der Türe war eine Ritze und ein Sonnenstrahl drang in die Zelle. Er ließ viel Staubkörnchen tanzen ...

Das vergitterte Fenster aber lag im Schatten, denn das Wellblechdach sprang vor. Der Mann zog ein Kartenspiel aus der Seitentasche seines Uniformrockes und begann auf dem schmalen Streifen des Zementblockes, der zwischen seinem Körper und der Mauer war, die Karten auszulegen.

Was er da mache? fragte der Wachtmeister. – Eh, Kartenschlagen. Aber es kämen immer schlechte Karten. Immer der Schaufelbauer ... – Wie damals z'Basel und z'Bärn, meinte Studer nebenbei.

Der Mann zeigte kein Erstaunen. Er nickte nur, verträumt.

»Exakt«, murmelte er. Damals habe es angefangen.

Und was denn der Schaufelbauer bedeute? Den Tod?

Der Mann schüttelte müde den Kopf.

»Den Tod? Dumms Züüg! I selber bin dr Schuufelbuur...«

Der Mann mischte wieder die Karten. Es war ein seltsames Geräusch in der Stille. Und dann fragte er, ob der Kamerad aufs Maul hocken könne.

»Sowieso«, erwiderte Studer. Er saß auf dem Zementblock in seiner Lieblingsstellung, die Unterarme auf den Schenkeln, die Hände gefaltet, und starrte zu Boden.

Klatschen der Karten, Stille, wieder das Klatschen. Ein paar Worte, Schweigen, Klatschen... Ein paar Worte, Schweigen. Studer blicke nicht auf, obwohl dieses Stillsitzen ihm Qualen verursachte. Da saß neben ihm ein alter Mann – und der Mensch litt. Es war heillos schwer, sich zu beherrschen, nicht aufzustehen, dem Mann die Hand auf die Schulter zu legen und ihm zu sagen: »Du bist ein armer Kerl, schlecht haben sie es dir gemacht, sie haben dich aufgeweckt aus deinem sechzehnjährigen Schlaf – du hattest vergessen, sie haben dich gezwungen, die Vergangenheit neu zu erleben, nur damit ein Konzern Ölquellen erschließen kann. Und jetzt? Wird man dich jetzt in Ruhe lassen? Nein. Man wird dich weiter quälen, quälen... Es ist doch besser, daß ich den Zahnarzt mache, bei mir geht's schmerzloser...«

»Willst du mir einmal die Karten schlagen?« fragte Studer.

»Gärn!« sagte der Mann. Bis jetzt hatte er dem Wacht-
meister den Rücken zugewandt, nun drehte er sich um. Ein
Gesicht voll Falten ... Der Pater hatte es nicht schlecht be-
chrieben, damals in der kleinen Beize bei den Pariser Hal-
en. Ein Gesicht, wie man es manchmal an verkrüppelten
Kindern sieht, traurig und alt. Stoppeln am Kinn, einige
Borsten über der Oberlippe ... Und ganz verschwommen
nur, wie bei einer Aufnahme, auf die durch Zufall Licht ge-
allen ist, schimmerte durch die vergrämten Züge ein ande-
res Gesicht hindurch – das Gesicht, dessen vergrößertes
Abbild über dem Bette der Sophie Hornuss in der Woh-
nung an der Gerechtigkeitsgasse gehangen hatte ...

Und der Mann mischte die Karten. Seltsam dünn und wie
zerfasert drangen die Geräusche des Postens durch die
Ritze zwischen den beiden Bohlen der Tür: Klappern von
Mauleselhufen – und Studer dachte an seinen Friedel, mit
dem er tiefsinnige Gespräche geführt hatte auf der Straße
zwischen Bouk-Toub und Géryville; Schleifen genagelter
Schuhe auf der harten Erde – und Studer sah den Weißen
Vater auf dem Ruhebett liegen, in der Wohnung auf dem
Kirchenfeld, und die offenen Sandalen hatten Sohlen, die
sich nach oben bogen ... »Wie weit die haben wandern
müssen, gell Vatti!« sagte Frau Studer – in der Ferne knall-
ten Schüsse, wahrscheinlich war die Kompagnie ausge-
rückt, und Studer dachte, daß es manchmal viel schwerer
sei, ein Ziel willkürlich zu verfehlen, als einen Menschen zu
treffen ... Die Schießerei in der Offiziersmesse sollte eine
Täuschung sein, und doch war es nicht leicht gewesen, im
gegebenen Augenblick in die Luft zu schießen, während
man doch so gerne jemanden getroffen hätte ...

Da wurde Studer aus seinen Träumen aufgeschreckt, denn der Mann sprach, und sein Schweizerdeutsch klang so merkwürdig verschollen und fremd, es war so kindlich in seiner Ausdrucksweise, daß der Wachtmeister am liebsten zu dem Mann gesagt hätte: »Schweig! Ruh dich aus! Und wenn du auch früher einmal, vor dreißig Jahren, gesündigt hast, so hast du bezahlt, teuer bezahlt!«

»Kreuz-Nell«, murmelte der Alte und strich mit dem Rücken der Finger über die Bartstoppeln. Das gab ein unangenehm kratzendes Geräusch. »Kreuz-Nell – Geld, viel Geld. Und das Kreuz-As. Wieder Geld, noch mehr Geld. Da, der Ecken-König – das bist du und die Ecken-Dame, das ist deine Frau. Ein Brief ist unterwegs. Der Brief geht verloren. Aber du wirst deine Frau bald wiedersehen. Sie kommt grad nach dir – im Päckli ... Heb ab! Schaufel-Dame, Treff-Dame und das Schaufel-Nell. Es sind zwei Frauen gestorben. Das geht dich etwas an, der Tod der zwei alten Frauen ... Aber schau, da ist wieder Geld, die Kreuz-Acht. Glück, viel Glück. Du hast gute Karten. Aber ich hab' immer schlechte Karten. Bei mir kommt immer der Schaufel-Bauer heraus und gleich neben ihm die Schaufel-Zehn. Das bedeutet Tod ...« Die alte Hand fuhr über die Zementplatte – da waren die Karten wieder ein Päckli. Der Mann hielt das Päckli in der linken Hand und strich mit dem Daumen und Mittelfinger der Rechten über deren Ränder.

»Du siehst gescheit aus«, sagte der Mann mit eintöniger Stimme. »Ich will dir etwas erzählen ... Du bist nicht der einzige, der es gern hört, wenn man ihm aus den Karten erzählt. Weißt, ich war einmal verheiratet, das erstemal war das, da hat die Sophie immer gesagt: ›Vicki‹, hat sie gesagt –

denn sie hat mich immer Vicki genannt –, ›Vicki, schlag mir die Karten!‹ – Ich hab's getan schließlich, weil die Frau immer gekärrt hat … Und dann war's ein Fehler. Denn weißt du, bei mir ist's so, wenn ich Karten schlag', dann muß ich die Wahrheit sagen. Und ich hab' der Sophie die Geschichte erzählt, die Geschichte, die in Freiburg passiert ist … Weißt, die Freiburgerin ist immer wieder aufgetaucht in den Karten – jetzt weiß ich nicht mehr so genau, wie das damals alles zugegangen ist … Ich war verliebt, wir haben uns getroffen, in Bern, im Hotel. Wir haben uns heiraten wollen und ich hab' immer gesagt: ›Meitschi, du mußt warten, ich bin ja nur Student.‹ – ›Ich will nicht warten‹, hat sie gesagt. Sie war immer so aufgeregt. Chemie hab' ich studiert damals. Sie hat immer alles von den Giften wissen wollen. Was es für starke Gifte gibt. ›Cyankalium‹, hab' ich gesagt. Ob ich ihr nicht eine Pille verschaffen könnte. Zuerst hab' ich nicht gewollt. Und dann hab' ich mich doch überreden lassen …«

Drei Karten vom Päckli abgehoben, zwei beiseite geworfen, eine aufgelegt. Wieder drei Karten, zwei beiseite geworfen … Das eintönige Klatschen der Karten in der winzigen Zelle! …

»Schau, da ist sie wieder, die Freiburgerin! Die Schaufel-Dame … Und daneben der Schaufel-Bauer … Das bin ich … Wir können nicht auseinanderkommen. Immer kommen wir zusammen aus dem Päckli heraus. Untrennbar … Und das alles hab' ich der Sophie erzählt. Dir muß ich es auch erzählen … Wenn ich Karten schlage, muß ich die Wahrheit sagen … Wie heißt du eigentlich?«

»Jakob«, sagte Studer kurz.

»Jakob? ... So! Merkwürdig ... Wie mein Bruder .. Weißt du, wo mein Bruder ist?«

»Ja«, sagte Studer.

Ein ungeheures Erstaunen breitete sich über das alte Gesicht aus.

»Du weißt, wo der Jakob ist?«

»Ja«, sagte Studer noch einmal.

»Woher weißt du das?«

»Ich weiß es.«

Der Alte mischte wieder die Karten, um seine Lippen lag ein Lächeln, das wohl niemand verstanden hätte. Studer verstand es.

War es wirklich so schwer zu verstehen, wenn man das Telegramm gesehen hatte, das Capitaine Lartigue von Marie erhalten hatte? Das Telegramm war in Bel-Abbès aufgegeben worden. Wozu hatte Marie in Bel-Abbès fünftausend Franken gebraucht? ... Mit der Hälfte der »Prime«, die Despine, alias Koller Jakob, eingesackt hatte, mit den 250 Franken, kam man nicht weit. Sie war ein tapferes Meitschi, die Marie. Sie hatte sehr gut vorgearbeitet ...

»Gell«, sagte Studer. »Du hast der Sophie die ganze Geschichte mit der Ulrike erzählt und dann hast du ihr Geld geben müssen, damit sie geschwiegen hat ... Obwohl du die Ulrike ...«

»Richtig, Jakob«, sagte der alte Mann, »Ulrike hat sie geheißen ... Ulrike Neumann. Jetzt besinn' ich mich ... Und du hast recht, ich hab' sie nicht umgebracht. Sie war ein wenig verrückt, die Ulrike. Wie sie die Pille gehabt hat, ist sie abgereist, mit dem nächsten Zug ... Nach Freiburg. Da hab' ich Angst bekommen. Und bin ihr nachgefahren ...

Aber ich bin zu spät gekommen. Niemand hat mich ins Haus gehen sehen. Sie ist auf ihrem Bett gelegen – ein Glas ist auf dem Nachttischli gestanden, ich hab's in die Hand genommen, daran gerochen ... Dann hab' ich Bescheid gewußt ...«

»Zeig einmal deinen Daumen!«

Schade, daß der Altfürsprech Rosenzweig nicht anwesend war ... Er hätte sich gefreut, den Besitzer des Daumens kennenzulernen, des Daumens, dessen Abdruck eine Rarität war.

Da ging die Türe auf. Ein Korporal – zwei winzige rote Borten trug er auf seinem Ärmel – rief:

»Beide zum Capitaine!«

Der Alte stand auf. Er war klein, kleiner als Pater Matthias, und neben Studer sah er aus wie ein Zwerg.

Vier Mann mit aufgepflanztem Bajonett umgaben die beiden. Einer vorn, einer hinten, einer links, einer rechts. Der Korporal führte die Gruppe an. Der Wachtmeister war nicht gefesselt.

Als der Alte aus der Zelle trat, blinzelte er wie eine Eule. Das harte Nachmittagslicht blendete ihn ...

... Eine Baracke war ausgeräumt worden. Vor der Türe lagen die dünnen Matratzen übereinandergeschichtet. Im Hintergrund des Raumes saßen fünf Männer:

Capitaine Lartigue in der Mitte, ein Adjutant zu seiner Rechten, ein Sergeant zu seiner Linken. Neben dem Sergeanten zwei Korporale und der kleine Leutnant Mauriot rechts am Ende. Vor ihm stand ein Tischchen, auf dem weiße Blätter lagen.

Im Raum war es so dunkel, daß Studer erst nach einiger

Zeit Marie bemerkte, die in einem Lehnstuhl neben dem Capitaine saß. Und ganz in eine Ecke gezwängt, saß Pater Matthias auf einer Matratze, mit untergeschlagenen Beinen, die Hände in den Ärmeln seiner Kutte versteckt.

Studer und der Alte mußten stehen. Der Capitaine begann das Verhör.

Er wandte sich an seine vier Beisitzer und erklärte ihnen der große Mann, der da vor ihnen stehe, reise mit einem falschen Paß. Er habe sich ausgegeben als französischer Polizeiinspektor. Dann wandte er sich an Studer und forderte diesem die Papiere ab. Studer gab gutwillig den Paß des Inspektors Joseph Fouché ab. Das Papier wurde herumgereicht. Kopfschütteln.

Was er zu seiner Verteidigung zu sagen habe, wollte der Capitaine wissen.

»Viel«, sagte der Wachtmeister nur.

Dann solle er erzählen!

Und Studer begann – merkwürdigerweise mit einer Frage. Er wandte sich an den alten Mann, der neben ihm stand und fragte, indem er auf den Weißen Vater deutete:

»Kennst du den da?«

Der Alte fuhr sich mit der Hand über die Wangen, erkundigte sich dann schüchtern, ob es erlaubt sei, den Mann näher zu betrachten? Der Wunsch wurde ihm vom Capitaine gewährt.

So trat der Alte näher vor den Pater, blickte ihn lange an, und der Pater hielt dem Blick stand. Der Alte sagte:

»Ich kenn' ihn von Géryville her. Ich hab' ihm gebeichtet.«

»Von früher her kennst du ihn nicht?« fragte Studer.

Der Alte schüttelte den Kopf.

»Hör einmal, mein Alter«, sagte Studer freundlich. »Du kannst jetzt die Wahrheit sagen. Wie heißest du in Wirklichkeit?«

»Ich hab' viele Namen gehabt. Zuerst hieß ich Koller, dann nannte ich mich Cleman und da war ich reich. Schließlich hat mich das Reichsein gelangweilt, da hab' ich einem andern die Papiere abgekauft und bin als Giovanni Collani in die Legion eingetreten. Aber ursprünglich hab' ich Koller geheißen. Victor Alois Koller. Das ist mein richtiger Name.«

»Also hör einmal, Koller«, sagte Studer. »Der Mann, vor dem du stehst, behauptet, daß er dein Bruder ist, daß er Max Koller heißt ...«

Der Alte schüttelte den Kopf, schüttelte ihn lange und nachdrücklich.

»Es stimmt schon«, sagte er nach einer Weile, »daß der Max unter die Pfaffen gegangen ist – die Eltern haben ihm das nie verziehen. Aber der da ist nicht Max ... Dem da hab' ich gebeichtet in Géryville, das heißt, das stimmt auch nicht. Er hat mich ausgefragt und dann hab' ich ihm die Geschichte erzählt vom Kartenschlagen, daß ich beim Kartenschlagen nämlich immer die Wahrheit sagen muß – was ich dir erzählt hab', grad vorhin, Jakob. Und da hab' ich auch ihm die Karten schlagen müssen. Das war Anfang September vorigen Jahres. Da hatt' ich den Brief schon abgeschickt an die Josepha. Fünfzehn Jahre nach meinem Tod. Nach fünfzehn Jahren konnte die Sophie, die Hex' in Bern, nichts mehr unternehmen und da wollt' ich der Josepha endlich meine Dankbarkeit zeigen. Das hab' ich dem da erzählt. Ich weiß nicht, was er getan hat, aber eines Abends war plötzlich mein Bruder Jakob da und der hat mich gezwungen, mit ihm zu fahren. Ich hätt' bei der Josepha sollen die Fieberkurve holen ... Die Fieberkurve, die angegeben hat, wo der Schatz liegt ...«

»Wart jetzt«, unterbrach ihn Studer. »Ich verlange, daß das Gepäck jenes Herrn durchsucht wird!« Und der Wachtmeister deutete auf Pater Matthias.

Der Pater sprang auf. Er protestierte laut, seine Stimme überschlug sich, manchmal klangen die Worte nach verhaltenem Weinen. Da wurde Studer grob:

»Sie haben oft genug versucht, uns mit Ihrem Weinen hineinzulegen«, sagte er barsch. »Ich verlange, daß Ihr Gepäck untersucht wird.«

Der Capitaine gab mit ruhiger Stimme den Befehl weiter.

Zwei Koffer wurden in den Raum geschleppt. Capitaine Lartigue forderte die Schlüssel. Widerwillig gab sie der Pater. Der eine Koffer enthielt Meßgewänder, Kultgegenstände. Im andern wurde unter einer Kutte und verschiedenen Wäschestücken eine Kassette gefunden. Sie war verrostet. Der Capitaine öffnete sie und schüttete ihren Inhalt über den Tisch.

Papiere, Papiere ... An manchen hingen Siegel. Andere waren in fremdartiger Schrift geschrieben. Eines von diesen griff der Capitaine heraus:

»Vollgültige Kaufverträge«, sagte er, während er las. »Landkäufe ... Vom arabischen Bureau beglaubigt ... Ohne Zweifel rechtsgültig. Verkauft an einen gewissen Cleman Alois Victor ...«

»Der bin ich«, sagte der Alte. »Und ich habe die Ländereien meiner Tochter Maria vermacht, die meinen zweiten Namen trägt, und meinem Heimatkanton Bern ... Jawohl ... Der dort hat sie stehlen wollen!« Und der Alte wies mit dem Finger auf Pater Matthias.

Der Weiße Vater trat vor.

»Das Land«, sagte er, »ist mit gestohlenem Geld gekauft worden. Unser Orden hat durch den Kriegsminister den Auftrag erhalten, nach den Papieren zu forschen. Die Mission ist mir übertragen worden, weil ich den Fall zum Teil kannte. Max Koller, der schon jung in unseren Orden eingetreten ist, war mein Freund. Er hat mir viel erzählt. Darum ist es mir auch gestattet worden, mich seiner Papiere zu bedienen. Ich mußte die Fieberkurve, das echte Dokument, auftreiben. Denn dieser Mann da«, Pater Matthias wies auf den Alten, »hat mir erzählt, daß die richtige Fieberkurve zugleich sein Testament enthalte. Mir hat er nur die Kopie geben können. Die Kopie ohne das Testament.«

»Schweigen Sie!« sagte Studer streng und es war, als ob er, der Angeklagte, plötzlich der Leiter des Prozesses geworden wäre. »Es handelt sich nicht um gestohlenes Geld. Das Geld ist von den Gebrüdern Mannesmann dem Geologen Cleman übergeben worden ... Hast du die beiden verraten?« wandte er sich an den Alten.

Der Mann, der so viele Namen getragen hatte, schüttelte den Kopf. »Sie haben sich selbst verraten«, sagte er.

»Und die beiden Frauen haben sich wohl selbst umgebracht?« fragte Pater Matthias boshaft. »Und du bist kein Mörder, Collani?«

Es ging alles so schnell, daß niemand dazwischenspringen konnte. Vielleicht war Studer der einzige, der etwas

Derartiges erwartet hatte – aber auch er tat keinen Wank, bis alles fertig war.

Der alte Mann, der so zerbrechlich aussah, hatte dem Legionär, der neben ihm stand, das Gewehr aus der Hand gerissen, das Gewehr, das oben am Lauf das Bajonett trug. Und zugeben mußte man, daß der Alte sich noch gut an die Lektionen des Bajonettfechtens erinnerte. Denn das Gewehr schwang vor, allein von seiner Rechten am Kolben gehalten, schwang vor – und zurück. Das schwärzliche Eisen war mit einer dünnen Blutschicht überzogen und Pater Matthias lag auf dem Boden. Vorn an der Kutte wurde ein roter Fleck langsam größer und größer ...

»Jetzt bin ich ein Mörder«, sagte der Alte. »Jetzt könnt ihr machen mit mir, was ihr wollt.«

Aber Capitaine Lartigue zuckte nur mit den Achseln.

»Es ist wohl die beste Lösung«, sagte er. Und seine vier Beisitzer, die sich ebensowenig wie er gerührt hatten, nickten. Nur Marie, auf ihrem Lehnsessel, hatte die gefalteten Hände vors Gesicht gelegt ...

Der Alte schien auf etwas zu warten. Da ihn aber niemand anrührte, ging er mit kleinen, unsicheren Schritten – richtigen Greisenschritten – auf das Mädchen zu. Sehr sanft legte sich seine Hand auf die verkrampften Hände des Mädchens.

»Weißt du Marie«, sagte er. »Ich hab' deine Mutter nicht umgebracht.«

Marie antwortete leise:

»Das weiß ich schon lange, Vater. Das hast du mir doch schon erzählt. Damals, im Auto, wie wir mit deinem Bruder nach Bern gefahren sind. Du hast doch nichts dafür gekonnt, daß die Mutter so Angst gehabt hat vor dem Gas ...«

Studer stand ganz einsam inmitten des Raumes. Nicht weit von ihm lag der Pater am Boden. Und der Wachtmeister erinnerte sich an seine Wohnung auf dem Kirchenfeld: Da war das Männlein, das dem Schneider Meckmeck glich, auch so still auf dem Ruhebett gelegen, und neben ihm hatte eine Tasse voll Lindenblusttee gestanden – Tee, den 's Hedy bereitet hatte ...

Es war kein großer Fall gewesen, dachte Studer. Man hat wieder einmal danebengegriffen ... An allem waren die Karten schuld. Man sollte nicht Karten schlagen, dachte er dunkel ... Man sollte vieles nicht tun! dachte er weiter. Beispielsweise betriebsam sein, eine Hauptrolle spielen wollen, für ein Meitschi ein Vermögen retten ... Für seinen fernen Heimatkanton Millionen erobern ...

Der Mann, der so viele Namen getragen hatte, hockte auf der Armlehne und hatte sich an Maries Schulter gelehnt; ganz gebückt saß er dort und flüsterte vor sich hin. Aber so tief war die Stille in der ausgedehnten Baracke, daß jedes Wort zu verstehen war:

»Weißt du, Marie, ich hab' mit deiner Mutter Neujahr feiern wollen. Sie hat mich gebeten, bei ihr Wache zu halten, bis sie eingeschlafen ist. Ich hab' ihre Hand gehalten. Sie hat dann wollen, ich soll ihr Karten schlagen ... Da ist der Schaufelbauer als erster herausgekommen ... Dann haben wir uns einen Kaffee gekocht – und sie hat ihr Schlafmittel nehmen wollen. Ich hab's ihr gegeben. Sie hat gesagt, sie will nicht ins Bett, sie will im Lehnstuhl schlafen. Ich soll ihr die Hand halten, bis sie eingeschlafen ist. Und dann soll ich den Gashahnen zudrehen. Aber dazu hätt' ich sollen auf einen Stuhl steigen. Da hat sie gesagt, ich könne ein Schnürli anbinden an den Hebel und das Schnürli durchs Schlüsselloch führen. Dann brauch' ich nur zu ziehen, hat sie gesagt, und dann schließt es den Hahnen. Und ich weck' sie nicht. Ich hab' mich nicht ausgekannt. Ich hab' an den Hahnen probiert – hab' ich vergessen, einen zu schließen? Draußen vor der Tür hab' ich dann am Schnürli gezogen. Und dann hast du sterben müssen, Josepha! Ich hab's nicht gewußt...«

Schweigen. Der alte Mann war ganz zusammengesunken.

»Sie hat so auf dich gewartet, die Mutter. Warum bist du nicht gekommen? Und der Jakob hat immer die Fieberkurve haben wollen. Ich hab' sie gesucht und hab' sie nicht gefunden. Die Mutter hat mich nicht erwartet. Sie hat schon die Schuhe angehabt, sie hat mit einer Freundin Silvester feiern wollen. Und da bin ich gekommen. Sie hat gelacht und erzählt, sie hätt' gerade heut' ihre Schlüssel verloren... Sie hat mir zeigen wollen, daß sie noch alle Andenken an mich hat – aber die Schublade war verschlossen, da hab' ich sie aufgesprengt...«

Studer nickte, nickte... Da hatte man gemeint, einen weiß Gott wie raffiniert ausgeführten Mord entdeckt zu haben... Und dabei war alles Zufall gewesen... Ein Zufall, den sich der Pater zunutze gemacht hatte. Schuldig! Wenn man von Schuld reden wollte, so war einzig der Pater schuld, der Theater gespielt hatte, von Anfang bis zu Ende! Aber war es nicht unverantwortlich, daß man sich so hatte beschwindeln lassen von seinem Theaterspiel? Natürlich, ein Doppelmord paßte in das Spiel des Paters. Wenn man an einen Doppelmord glaubt, dann sucht man einen Täter – wie raffiniert ist das gespielt, wenn man den Verdacht auf sich selbst lenkt! Man weiß dabei ganz genau, daß man ein Alibi hat! Wie hat der Mann über den »Inspektor«, wie er ihn nannte, lachen müssen!

»Wissen Sie, Capitaine«, sagte Studer, »die Tante der Marie, die Tante, die in Bern gewohnt hat, hat gewußt, daß der Mann, von dem sie sich hat scheiden lassen, nicht tot war. Ihre Schwester in Basel hat ihr von der Fieberkurve geschrieben … Hab' ich recht, Alter?«

Der Mann nicke. Dann sagte er:

»Mein Bruder, der Jakob, hat gewollt, ich soll sie besuchen, die Sophie. Denn er hat die Fieberkurve haben wollen …«

Der Alte stand auf, kam nach vorne. Er stellte sich neben Studer. Und dann sprach er:

»Hohes Gericht! Ich muß mich verantworten … Der Mann, den ich getötet habe, er trägt die Schuld. Er hat alles wieder aufgeweckt, er hat meinen Bruder in Paris benachrichtigt. Sie haben den Schatz finden wollen – und der Mann, der Priester, hat meinem Bruder die Hälfte versprochen von dem Vermögen. Es gibt viel Petroleum hier herum … Und bald, sehr bald, wird es sehr viel wert sein, das Öl. Der Mann, der da liegt, ist zum Kriegsminister gegangen, er hat es mir selbst erzählt … Er hat das Testament, mein Testament, vernichten wollen … Darum hat er mich aufgeweckt aus dem fünfzehnjährigen Schlaf … Mit den Karten! … Er hat mich nicht in Ruhe gelassen, in Géryville

– er hat mich als Hellseher ausgegeben ... Verzeihung, hohes Gericht, ich bringe alles durcheinander. Aber ich bin ein alter Mann und mein Schicksal war schwer. Ich habe nur gewollt, daß meine Tochter und meine Heimat meinen Reichtum erben. Ich hab' weiterschlafen wollen. Er hat alles aufgeweckt. Er hat die Sophie besucht und ihr erzählt, daß ich noch lebe ... Und er hat den Jakob, meinen Bruder Jakob gezwungen, mich nach Bern zu führen, im Auto. Sie hat mir gedroht, die Sophie, sie hat gesagt, sie will alles der Polizei erzählen, mich verhaften lassen ... Aber geweint hat sie auch, die Sophie. Ich habe mit ihr sprechen wollen, sie überzeugen wollen. Ich hab' mich erinnert, wie es in Basel gegangen ist mit der Schnur und dem Gashebel. Auch die Sophie hat Angst gehabt vor dem Gas. Da hab' ich ihr den Lehnstuhl in die Küche geschleift, habe Kaffee gekocht – aber das Fläschchen mit den Schlaftropfen der Josepha hab' ich noch in der Tasche gehabt ... Ich hab' in den Kaffee geschüttet, viel, sehr viel ... Sie hat nichts gemerkt, denn ich hab' auch Kirsch dazugegossen ... Und dann bin ich zum Spaß – ich hab' gesagt, es sei Spaß – auf den Stuhl geklettert und hab' das Schnürli befestigt am Hahnen – wie in Basel. Und die Sophie hab' ich getötet. Sie war eine böse Frau ... Sie hat mich ausgesogen ... Sie hat der Josepha nichts gegönnt ... Sie hat mich verraten wollen. Hohes Gericht! Mon Capitaine! Ich habe nicht lange mehr zu leben. Ich weiß, daß Sie die Marie lieb haben ... Und auch du, Jakob«, er wandte sich an Studer, »du bist ein besserer Jakob als mein Bruder ... Machet ihr beide, daß die Marie zu ihrem Recht kommt, und meine Heimat auch ... Ich habe geschlossen.«

Es blieb lange still im Raum. Dann stand Marie auf, ging auf ihren Vater zu und führte ihn zum Stuhl, in dem sie gesessen hatte. »Hock ab, Vatter«, sagte sie auf deutsch. Der Alte ging zum Stuhl, setzte sich, lehnte sich zurück.

»Inspektor Stüdère«, fragte der Capitaine. »Warum habe ich Sie eigentlich verhaften müssen?«

Studer räusperte sich. Dann erwiderte er:

»Aus zwei Gründen: Der Pater wäre geflohen oder hätte wenigstens die Kassette versteckt. Denn er hat gemerkt, daß ich Verdacht geschöpft hatte. Und zweitens wollte ich ungestört mit dem alten Mann in der Zelle reden können.«

»Ja«, sagte Capitaine Lartigue. »Einleuchtend. Aber Sie müssen zugeben, daß Sie Glück gehabt haben. Wäre ich nicht mit Marie verlobt gewesen . . .«

»Dann«, sagte Studer, »wäre es mir schlecht gegangen. Aber man muß manchmal auch mit den Imponderabilien rechnen.«

»Imponderabilien!« sagte Capitaine Lartigue. »Wie gelehrt Sie sprechen!«

Marie aber ging auf den Wachtmeister zu.

»Märci, Vetter Jakob!« sagte sie.

Der kleine Leutnant, der noch immer vor seinen weißen Blättern saß, fragte laut:

»Was soll ich ins Protokoll schreiben?«

»Schreiben Sie«, sagte der Capitaine Lartigue, »was Sie wollen. Meinetwegen, daß der Pater schwerverwundet den Posten erreicht hat und hier gestorben ist. Sind alle damit einverstanden?«

Die vier Beisitzer, der Korporal der Wache und seine vier Mann nickten schweigend.

»Wo soll er begraben werden?« fragte der Korporal der Wache. Da sagte Wachtmeister Studer:

»Er hat sich ja sein Grab selbst geschaufelt; bei der Korkeiche, wissen Sie, neben dem roten Mannfelsen ...«

Der Capitaine nickte. Dann fragte er:

»Eines möchte ich noch wissen. Wo ist Maries Onkel? Der Börsenmakler, bei dem das Mädchen in Paris als Sekretärin angestellt war?«

Sie schritten auf und ab im freien Raum zwischen den Baracken; die Sonne stand tief und der kalte Wind, der von den Bergen kam, erinnerte die Männer daran, daß es noch Winter war.

»Ich weiß nicht«, sagte Studer. »Ich habe nur Vermutungen. Sie sollten Ihre zukünftige Frau fragen; Sie erzählten mir doch, Marie habe Ihnen von Bel-Abbès aus telegraphiert und Geld verlangt? Die Reise von Bel-Abbès bis Gurama kostet nicht fünftausend Franken, auch wenn man den Umweg über Fez nimmt.«

Die beiden kehrten um, traten in die Baracke, in der die merkwürdige Verhandlung geführt worden war. Die Mitglieder des Gerichts hatten sich entfernt. Im Lehnstuhl saß der Alte und auf der Armlehne, an ihren Vater gelehnt, Marie.

»Marie«, fragte der Capitaine, »wo ist dein Onkel Jakob?«

»Deine Frage klingt, mein lieber Louis«, sagte Marie bedächtig, »wie jene andere, schwerwiegendere: ›Kain, wo ist dein Bruder Abel?‹ ... Du mußt nicht so mißtrauisch sein, Louis. Du hast mir Geld nach Bel-Abbès geschickt. An einem Abend habe ich dort den Jakob Koller getroffen –

und ich bitte dich ernstlich, ihn nie mehr meinen Onkel zu nennen. Du weißt ja selbst, Vetter Jakob, daß Pater Matthias Bern fluchtartig verlassen hat. Wir hörten dann nichts mehr von ihm. Er hatte die Kopie der Fieberkurve – das genügte ihm vorläufig. Aber Jakob Koller war wütend, weil er wußte, daß er nichts mehr von dem großen Vermögen zu erwarten hatte. Er engagierte in Lyon – ich blieb bei meinem Vater. Und ich begleitete ihn bis Colom-Béchar, führte ihn zum dortigen Platzkommandanten; der sollte ihn weiter nach Gurama schicken. Und auch dich, Vetter Jakob, hatte ich ja dorthin bestellt. Uns dreien würde es schon gelingen, den falschen Priester zu überführen ...«

»Falschen Priester! Wie du redest, Marie!« sagte Capitaine Lartigue vorwurfsvoll.

»Ich rede, wie es mir paßt«, meinte Marie, und Studer dachte: ‹Im Anfang wird es in dieser Ehe nicht sehr harmonisch zugehen – aber mit der Zeit schleift sich der eine am andern ab. Vielleicht werden die beiden sogar noch glücklich?› Laut sagte er: »Lassen Sie das Mädchen sprechen, Lartigue!«

»Meinetwegen, Stüdère! Ich mache Sie darauf aufmerksam, daß ich ihr nur einen kleinen Vorwurf gemacht habe – meine zukünftige Frau soll nicht reden wie die Heldin eines Schundromanes ... Falschen Priester!« brummte er.

»Nun«, sagte Marie gereizt. »War er vielleicht ein richtiger Priester? Er war ein falscher Priester.«

»Ja – er war ein falscher Priester und ein falscher Mensch«, sagte der alte Geologe mit scheppernder Stimme.

»Gewiß, Vater. Du hast recht und sie auch.« Lartigues Stimme war versöhnlich.

›Er nennt den Alten: du und Vater!‹ dachte Studer. ›Ein merkwürdiger Mann! Kein Wunder, daß man ihm auf dem Kriegsministerium schlechte Noten gibt... Aber er ist doch ... ein Mann.‹

Marie fuhr fort:

»Ich hab' ihn auf der Straße in Bel-Abbès getroffen, als ich von Colom-Béchar zurückkam. Wißt ihr, ich habe nie gewußt, was Angst ist... Aber als ich Jakob Koller sah, da wußte ich es plötzlich... Schließlich, er war gut zu mir gewesen, hatte mich nach Paris mitgenommen, als ich es bei der Mutter nicht mehr aushielt. Und darum fühlte ich mich verpflichtet, ihm zu helfen. Ich fragte ihn, was ich für ihn tun könne. Wir saßen in einem kleinen arabischen Café – und ich erkannte ihn kaum wieder. Man hatte ihm die Haare kurzgeschoren, die Uniform flatterte um ihn, er war mager – seine Augen aber! Sie schossen hin und her... Ich hab' als Kind einmal zur Jagdzeit in einer Ackerfurche einen Hasen gesehen – dem seine Augen flitzten genau so ängstlich hin und her wie die des Jakob Koller...

Er sagte: ›Gib mir Geld, Marie. Damit ich fliehen kann.‹ – Vielleicht bin ich grausam gewesen, aber der Mann hat mich angeekelt. ›Jakob Koller‹, sagte ich, ›erstens haben Sie mich nicht zu duzen. Ich will Ihnen helfen, obwohl Sie viel auf dem Gewissen haben. Wieviel brauchen Sie?‹ – ›Zehntausend Franken.‹ Da lachte ich ihn aus. Er bekomme viertausend französische Franken, keinen Centime mehr. Morgen um die gleiche Zeit solle er hier ins Café kommen, dann wolle ich ihm das Geld geben. Und dann telegraphierte ich dir, Louis. Am nächsten Abend ist er geflohen. Ich hab' ihm noch Zivilkleider verschafft. Wohin er geflohen ist, weiß ich nicht. Aber wir haben wohl nichts von ihm zu fürchten. Ich habe ihm gesagt, daß ich dir, Vetter Jakob, die ganze Geschichte erzählen werde. Er war dann noch anständig und hat mich vor dem falschen Priester gewarnt. Vor dem falschen Priester!« wiederholte Marie und sah ihren Verlobten kampflustig an.

»Ja, Marie vor dem falschen Priester«, sagte Lartigue sanft. Er stand vor dem Tisch und begann die Dokumente zu sammeln, die dort herumlagen. »Ich habe heute Urlaub verlangt – und ich denke, in acht Tagen können wir in die Schweiz fahren. Und von dort versuchen wir dann, diese Blätter«, er klopfte auf die Papiere, »zu verwerten ...«

Schweigen. Langes Schweigen.

»Und den Vater?« fragte Marie.

»Den nehmen wir mit. Glauben Sie, daß er in der Schweiz ... Ich meine ... verstehen Sie ... ich möchte nicht, daß ...«

Studer unterbrach das mühselige Stottern.

»Man wird ihn«, flüsterte er dem Manne zu, der Postenchef, Arzt, Veterinär, Viehhändler, Stratege und Boxer war, aber trotzdem schüchtern sein konnte und unbeholfen, »man wird ihn wohl in ein Spital tun ...« Lartigue nickte. Und Studer fuhr fort: »Sie könnten mir nicht ein Paar marokkanische Sennenhunde auftreiben?«

»Marokkanische ... Sennenhunde ...?« Der Capitaine blickte den Wachtmeister an, als ob er an dessen Vernunft zweifle.

»Gibt's das nicht?«

»Nei ... nei ... ein. Soviel ich weiß ...«

»Dann bringen wir dem ›Alten‹ eben Ihren schottischen Terrier mit.«

»Dem Alten? Welchem Alten?«

»Eh«, meinte Studer ungeduldig, »unserem Polizeidirektor.«

Nach dem Nachtessen saßen die beiden Männer auf der Terrasse des Turmes.

»Glauben Sie nicht«, fragte Studer, »daß die ganze Geschichte doch einmal auskommt? Und die Rolle, die Sie dabei gespielt haben?«

Lartigue kicherte leise. Dann – und Studer traute seinen Augen nicht – streckte er die flachen Hände aus, die Handflächen nach oben, ein Heben der Arme, die Hände drehten sich und fielen klatschend auf die Schenkel zurück. Die rechte Hand löste sich, zur Faust war sie geballt und nur der Zeigefinger ragte auf, einsam und gerade. Der Finger berührte die Lippen, wies nach oben. Und Studer verstand die dumpf gemurmelten Worte:

»Was sorgst du dich, Bruder, über das, was kommen wird? Wolltest du bedenken, was die Zukunft dir bringen kann – verzweifeln müßtest du. Er aber, der Ewig-Schweigende, kümmert er sich um Vergangenheit und Gegenwart und Zukunft? Er, dem die Ewigkeit gehört?«

Auf der Ebene, die zwischen dem Posten lag und dem Ksar, bewegte sich ein kleiner Trupp langsam vorwärts. Trommeln dröhnten dumpf herüber. Pater Matthias, der »falsche Priester«, wie ihn Marie genannt hatte, wurde dort zu Grabe getragen ...

Aus dem Zimmer kam eine leise Stimme:

»Mußt nicht denken, Meitschi, daß ich dir zur Last fallen will. Mußt das nicht denken ...«

»Aber nein, Vater«, sagte Marie.

»Kommen Sie«, des Capitaines Stimme war heiser, »wir wollen den dort«, er wies auf die Ebene, »zur Korkeiche begleiten. Schließlich hat er das Geld ja nicht für sich gewollt.«

Und Studer war einverstanden. Da er zu frieren vorgab, bat er den Capitaine um einen Mantel. Er bekam eine resedagrüne Capotte aus dickem Stoff und mit weißem Leinen gefüttert; die Aufschläge am Hals trugen das Abzeichen der Fremdenlegion: die rote Granate, aus der Flammen schlagen. Studer zog den Mantel mit Befriedigung an: so konnte er einmal vor seinem Tode die Uniform tragen, von der er so oft geträumt hatte in Bern, an den Tagen, da ihm alles verleidet gewesen war...

Friedrich Glauser im Diogenes Verlag

Wachtmeister Studer

Roman

Mord? Selbstmord? Oder doch Mord? Der erste Roman Glausers mit Wachtmeister Studer.

»Glauser erfand die Figur des Wachtmeisters Studer. Nach eigener Auskunft dachte er dabei an Georges Simenons Maigret. Aber Studer wurde nicht eine Kopie. Glauser verhalf ihr zu unverkennbar helvetischer Selbständigkeit, indem er das Hintergründige in die Biederkeit steckte.« *Hugo Loetscher*

»Der Fahnder, den sogar die Sträflinge mit ›Eh, der Studer!‹ begrüßen, ist ein massiger Mann, ›schwer und hart wie einer jener Felsblöcke, die man auf Alpwiesen sieht‹. Wer je den Schauspieler Heinrich Gretler im Film als Wachtmeister Studer gesehen hat, der kann auf weitere Metaphern verzichten. Studers Lieblingsgetränk ist ›Kaffee Kirsch‹, unter seinem Schnauzer ragt eine Brissago hervor, und wenn er seine langen Verhöre beginnt, dann zieht er ein Ringbuch aus der Tasche und fordert den Verdächtigen auf: ›Hocked ab.‹ Das ist ein Ritus wie das Bier und die belegten Brote, die sein Pariser Kollege Maigret aus der Brasserie Dauphine holen läßt.« *Süddeutsche Zeitung, München*

Die Fieberkurve

Roman

Wachtmeister Studers zweiter Fall: Die Spur beginnt in Paris, über Basel und Bern gelangt Studer nach Marokko, das Glauser aus seiner Zeit als Fremdenlegionär kennt.

»Auf Mörderjagd in Marokko raucht Studer Kif, und die Haschischmusik klingt ihm, ›als werde der Berner

Marsch von himmlischen Heerscharen gespielt‹. Darüber geht ihm nichts, und um sein höchstes Wohlgefühl auszudrücken, ist schon sein stärkster Superlativ nötig: ›Suber!‹ sagte er. ›Cheibe suber isch es gsy!‹«
Süddeutsche Zeitung, München

»Friedrich Glauser mit seinem abenteuerlich umgetriebenen Leben und seiner Fähigkeit, es spontan in Sprache umzusetzen, mit seiner Unmittelbarkeit, seiner leidend und leidenschaftlich durchlebten Erfahrung ist tatsächlich eine Entdeckung.«
Bayerischer Rundfunk, München

Matto regiert

Roman

Unfall oder Mord? Wachtmeister Studer recherchiert in einer Umgebung, die Glauser aus eigener Erfahrung nur zu gut gekannt hat:
»Eine Geschichte muß irgendwo spielen. Die meine spielt im Kanton Bern, in einer Irrenanstalt. Was weiter?... Man wird wohl noch Geschichten erzählen dürfen?«
Friedrich Glauser in seiner ›Notwendigen Vorrede‹

»Offenkundig autobiographisch geprägt ist dieser Roman, der eine deprimierende Fülle hoffnungsloser Lebensläufe ganz undramatisch, als handele es sich um lauter Normalfälle, erzählt, Lebensläufe, die im Alkoholismus, in Schizophrenie und Mord enden und enden und enden.«
Bücherkommentare, Freiburg im Breisgau

»In diesem Werk Glausers ist auch ein surrealistisches, ein visionäres Element, Einfühlung für die Verrückten und ihre andere Welt: ›Ich kann mich nicht mehr über Verrückte wundern, die Stimmen hören, denn ich habe selbst Unsichtbare sprechen gehört.‹ Der Roman *Matto regiert* spielt in einem Irrenhaus, und das Irrenhaus wiederum ist hier – wie schon oft – ein Bild für die Welt.« *Die Zeit, Hamburg*

Der Chinese

Roman

»Eine Schweiz, wie sie sonst keiner kennt: Pfründisberg, ohne jeden Fremdenverkehr, ein Weiler, bestehend aus einer Armenanstalt, einer Gartenbauschule, zwei Bauernhöfen, der Schnapsbeize ›Zur Sonne‹, wo die Armenhäusler am Wochenende ihr ›Bätziwasser‹ trinken und aus dem Friedhof, wo man auf einem Grab die Leiche des ›Chinesen‹ findet, eines in seine Heimat zurückgekehrten Auslandschweizers – er ist erschossen, es ist Mord, und seine Ermordung hat der ›Chinese‹ schon vor drei Monaten dem Wachtmeister Studer vorausgesagt. *Der Chinese* ist mehr als ein Rätselspiel für den Fahnder Studer – soziale und psychische Atmosphäre: Armut und Angst, wie sie Simenon nicht besser geschildert hat.«
Süddeutsche Zeitung, München

»Glauser, den man zum Lügner gemacht hatte, stellte fest, daß alle lügen. Ihm leuchtete die Kollektivlüge ein; ansonsten wäre in einer Gesellschaft nicht möglich, was er ›Geselligkeit‹ nannte. Genau diese Geselligkeit aber zerstörte er. Er, der nicht ins Bild paßte, zeigte, wie das Bild nicht stimmt. Er führte vor, was wir alle zu vermeiden suchen: ›Als jener arme Hund dazustehen, der jeder von uns nun einmal ist.‹«
Hugo Loetscher

Krock & Co.

Roman

»Wachtmeister Studer ist kein superschlauer Meisterdetektiv mit divinatorischen Kombinationsgaben, eher der Typ des etwas schwerfälligen Dorfpolizisten, ein Mann, der den Alkohol nicht verschmäht und der sich gern aus der Enge seiner Lebensverhältnisse hinweggträumt in bessere ferne Welten, ein Mann, der aus eigener Erfahrung weiß, was es heißt, im Schatten dahinleben zu müssen.« *Hessischer Rundfunk, Frankfurt*

»Wie Maigret muß Studer eine Zeitlang im Milieu der Verdächtigen untertauchen, muß er ein Teil dieses Milieus werden, dann kann er mühelos so viele Verdächtige ausscheiden, bis der Schuldige zwangsläufig übrigbleibt. Studer freilich tut dies auf eine zurückhaltende und bedächtige Berner Art; er weiß: ›Es war nie gut, sich auf einen Fall zu stürzen wie eine hungrige Sau aufs Fressen‹; er macht systematisch Bekanntschaften und sammelt Bilder, ›eigentlich nicht anders als ein Fisel Schokoladebildli‹.«
Süddeutsche Zeitung, München

Der Tee der drei alten Damen

Roman

Das Genf der dreißiger Jahre als Schauplatz internationaler Intrigen, schwarzer Magie und rätselhafter Todesfälle.

»Glausers Kriminalromane sind nicht nur Schilderungen, angesiedelt in helvetischer Umgebung. Vorbild mußten für den Schriftsteller die ersten Maigret-Romane von Georges Simenon sein. In dem Roman *Der Tee der drei alten Damen* heißt es einmal: ›Spotten Sie nicht über Kriminalromane – sie sind heutzutage das einzige Mittel, vernünftige Ideen zu propagieren.‹ Für Glauser war die Form des Kriminalromans ein Mittel, sich für die verschiedensten Themen einzusetzen: es waren und es sind Themen, die ihm von eigenen Erfahrungen aufgedrängt wurden. Strafvollzug, Rauschgiftsüchtigkeit, Bedrängnis im Außenseitertum: es sind damit nur Andeutungen gegeben, wie Glauser versuchte, Verhaltensweisen in Situationen darzustellen.« *Tages-Anzeiger, Zürich*

Gourrama

Ein Roman aus der Fremdenlegion

In *Gourrama* hat Glauser seine Erfahrungen als Fremdenlegionär aus den Jahren 1921–1923 literarisch umgesetzt.

»Stimmungen zwischen Angst und Langeweile, zwischen fieberartiger Erregtheit und Erschlaffung, Mißtrauen, Prahlerei und gegenseitiges Werben um kleinste Zeichen von Anteilnahme bestimmen das Leben der Legionäre, einer zusammengewehten Truppe von Verlorenen und Verbannten. Abgeriegelt sind sie nicht nur von einer schuldbeladenen oder doch belastenden Vergangenheit, ausgesperrt sind sie auch von der Gegenwart der sie umgebenden Landschaft.«
Neue Zürcher Zeitung

»Ich glaube, daß *Gourrama* eines der besten Bücher ist, das in diesem Jahrhundert in der Schweiz geschrieben wurde.« *Peter Bichsel*

Hugo Loetscher im Diogenes Verlag

Abwässer

Ein Gutachten

»Nach einem politischen Umsturz ist der Inspektor der Abwässer aufgefordert worden, einen Bericht über den Zustand der Kanalisation zu verfassen. Denn die Leute, die immer ›so gewaschen tun‹, müßten einmal da hinabschauen können, was alles unter ihren Füßen dahinfließt, das Verborgene und Chaotische unter ihrer sauberen Stadt... Der Inspektor in *Abwässer* hat den ›Abwasserblick‹, der die oberflächlichen Dinge durchschaut. Ein außerordentliches Prosawerk, das ein schwieriges Thema in einer gewagten Metapher meistert –; nicht die Welt als Kloake, aber die Kloake als eine Konstante der Welt.«
Anton Krättli / Kritisches Lexikon zur deutschsprachigen Gegenwartsliteratur

»Dieses Buch ist ein explosives, destruktives und großartiges literarisches Dokument. Es ist ein totales Märchen aus der Wirklichkeit, das wenig ausläßt: weder die Liebe noch die Technik, weder die Psychologie noch die Dummheit, weder die Einsamkeit noch die Gemeinheit.« *Die Welt, Hamburg*

Die Kranzflechterin

Roman

»Jeder soll zu seinem Kranze kommen«, pflegte Anna zu sagen; sie flocht Totenkränze.

»Auch hier führt die Wahl des ungewöhnlichen Blickpunktes zu ungewöhnlichen Ansichten aus der Menschenwelt und Farbenspielen des Lebens, die um so mehr faszinieren, als vom Tode her ein leichter Schatten auf sie fällt.« *Nürnberger Zeitung*

Noah

Roman einer Konjunktur

Loetscher erzählt die Geschichte eines Mannes, der die Konjunktur anheizt mit seinem Plan, die Arche zu bauen. Niemand glaubt im Ernst an die kommende Flut, aber alle machen mit ihr Geschäfte. Aber nicht nur im Geschäftsleben, auch im Kulturbetrieb zeitigt die Konjunktur ihre unerfreulichen Begleiterscheinungen. Noahs Lage verschlimmert sich aus vielen Gründen, so daß einer zuletzt sagen kann: »Jetzt kann ihn nur noch die Sintflut retten.«

Wunderwelt

Eine brasilianische Begegnung

Die Begegnung eines Europäers mit den Mythen von Leben und Tod einer fremden Kultur: eine Hymne, aber noch mehr eine Elegie, geschrieben für ein kleines Mädchen.

»Ich würde *Wunderwelt* gerade auch besonders viele junge Leser wünschen. Nicht nur weil Loetscher die Sprache fand, um die Wirklichkeit bis in Nuancen genau so darzustellen, daß man ganz in sie hineingenommen wird. Sondern auch wegen einer Geisteshaltung, ohne die dieses Buch nicht hätte geschrieben werden können... Statt ›Wunderwelt‹ könnte dieses Buch auch ›Die Fähigkeit zu trauern‹ überschrieben sein.« *Deutsches Allgemeines Sonntagsblatt, Hamburg*

Herbst in der Großen Orange

»Hugo Loetscher ist mit *Herbst in der Großen Orange* ein großer Wurf gelungen. Der dritte Satz schon ist der erste hintergründige, denn das ›Grün‹ ist künstlich, wie fast alles in dieser Stadt. Auf 165 Seiten enttarnt Loetscher eine Scheinwelt, reiht ein sprachliches Kabinettstückchen ans andere, ist mal lyrisch, mal satirisch. Immer aber schwingt eine hei-

tere Melancholie mit, angesichts einer Menschheit, die nicht mehr so recht weiß, wo's langgeht.«
Stern, Hamburg

Der Waschküchenschlüssel
oder Was – wenn Gott Schweizer wäre

»Loetscher ist ein bedeutsamer Schweizer Erzähler und Romancier, der auch als Journalist arbeitet und zudem die Welt kennt. Er hat einen famosen Sinn fürs Anekdotische und Skurrile, einen scharfen Blick, gepaart mit einem gänzlich unhysterischen, natürlichen Ton. Zum Schluß der Lektüre meint man, den Abend mit einem Freund verbracht zu haben, dem man gern länger zugehört hätte. Wer schreibt uns so trefflich, so distanziert und aus liebevoller Nähe über die Italiener? Die Franzosen? Uns in der Bundesrepublik?«
Titel, München

Der Immune
Roman

»Noch bevor manche jüngeren Autoren und Autorinnen Literatur als Mittel zur Erforschung und Bewältigung des eigenen Lebens entdeckten, setzte Hugo Loetschers *Der Immune* einen Maßstab, vor dem nicht viele bestehen. Ein Muster und deshalb auch heute noch aktuell, weil es hier einer verstand, in der selbstkritischen Beschäftigung mit dem Ich auf geistreiche, witzige, eloquente Art den Blick freizugeben auf die Epoche, in der dieses Ich sich formte und in der es lebt.« *Tages-Anzeiger, Zürich*

Die Papiere des Immunen
Roman

»Der Immune ist ein überaus witziger und intelligenter Herr, ein weitgereister, gebildeter Gesprächspartner, elegant und originell – ein durchaus passabler Gefährte für ein Buch von 500 Seiten. Ein Buch voll von

schönen und abstrusen Geschichten, die einen wuchtigen Kosmos bilden; und obwohl der Immune vorgibt, seinen Wohnsitz im Kopf zu haben, sind diese Papiere alles andere als kopflastig.«
Westermann's, München

Die Fliege und die Suppe

und 33 andere Tiere in 33 anderen Situationen
Fabeln

Einst hatten die Tiere Charakter, dann erging es ihnen wie den Menschen, sie fingen an, sich zu verhalten.

»Ganz ohne missionarisches ›Du sollst‹ macht Loetscher einsichtig, was der Mensch nicht soll, aber tut. Ähnliches habe ich nie gelesen. Literatur pur. Da wird nichts angemerkt, reflektiert, verdeutlicht. Wörter und Sätze als Essenz.« *Die Zeit, Hamburg*

Der predigende Hahn

Das literarisch-moralische Nutztier

»Unter dem Titel *Der predigende Hahn* nimmt Loetscher gleichsam als Arche Noah von ›Aar‹ bis ›Zukunftsgeiß‹ jenes Getier auf, das Dichtern seit alters zu literarischem und moralischem Nutzen diente. Was nebenher beweisen soll, daß kaum einer der großen Autoren ohne Tiere hat auskommen können. Die Ausbeute reicht von Abraham a Sancta Clara bis Emile Zola, vom Gilgamesch-Epos bis zu Walt Disney. Eine schöne und anregende Idee.«
Harald Hartung / Frankfurter Allgemeine Zeitung

Saison

Roman

Er war berühmt, nur wußte dies niemand. Aber er hatte noch ein ganzes Leben vor sich. Philipp, zwischen Schulabschluß und Berufsausbildung stehend, von der Großen Bühne träumend, jobbt einen Sommer lang als Bademeister. Aus einer Zürcher Seebadeanstalt macht er mit unbekümmerter Phantasie ein buntes, spannend-überraschendes Badetheater. Philipps erste Saison wird zudem zur Saison einer zarten Liebe.

»*Saison*, das ist ein melancholisches Buch und zugleich ein moderner Entwicklungsroman mit erstaunlichem Tempo. Blendend formuliert, mehrfach ironisch gebrochen, mit schnellen Schnitten und überraschenden Wendungen.«
Österreichischer Rundfunk, Wien

»Hugo Loetschers Sinn für Humor, seine Phantasie – gepaart mit feinen Beobachtungen – schlagen sich auch in seinem Werk *Saison* nieder.«
Tages-Anzeiger, Zürich

Die Augen des Mandarin

Roman

Kann man mit blauen Augen sehen? Diese Frage eines chinesischen Mandarins stimuliert Past, den frisch entlassenen Angestellten einer obskuren Kulturstiftung und Spezialisten für Gedenktage und Neujahrsfeiern, zu Erinnerungen aus seinem bewegten Leben. Sie entführt ihn noch einmal in fast alle Erdteile, sie entlockt ihm pointierte Geschichten und Anekdoten – in einem verstörenden, berauschenden Nebeneinander der Kontinente, Zeiten und Bilder, in dem sich Ränder und Zentren auflösen, sich unerwartet das Vertraute im Fremden und das Fremde im Vertrauten zeigt.

»Anders als alles Gewohnte und sehr zum Staunen. *Die Augen des Mandarin* ist nicht ein Roman, eher schon zweihundert Romane in einem. Es ist ein Funkeln, Blitzen und Witzeln von Geschichten, Ideen und Pointen, wie man es eher selten trifft in dieser Welt.« *Andreas Isenschmid / Tages-Anzeiger, Zürich*

»Hugo Loetscher ist ein großes, ein schönes Werk gelungen. Was an *Die Augen des Mandarin* mehr als alles andere beglückt, ist seine Kühnheit: ohne Scheu handelt es vom Sterben und greift doch mitten ins Leben hinein.« *Roman Bucheli / Neue Zürcher Zeitung*

»Ein Feuerwerk der Fabulierkunst. Daß es Hugo Loetscher gelingt, die pulsierenden Erinnerungssplitter zu einem berauschenden Ganzen zu verbinden, macht seine ganz eigene Kunst des Erzählens aus. Dieses Buch ist ein Geschenk.« *Berner Zeitung*

Vom Erzählen erzählen

Poetikvorlesungen
Mit Einführungen von Wolfgang Frühwald
und Gonçalo Vilas-Boas

»Vom Erzählen erzählen« – diesen Titel gab Hugo Loetscher seinen Münchner Poetikvorlesungen aus dem Jahr 1988. Die erweiterte Neuausgabe dieser Texte wird ergänzt durch »Ein Schriftsteller in und außerhalb der Schweiz«, die Antrittsvorlesung an der CUNY (City University of New York), wo Loetscher 1982 der erste Inhaber des Swiss Chair war. Zudem finden sich in dem Band auch die Poetikvorlesungen, die er im Frühjahr 1999 an der Universität Porto hielt.

Der Buckel

Geschichten

In diesen neunzehn Geschichten, darunter zahlreiche unveröffentlichte, kehrt besonders ein Thema immer wieder: *Der Buckel* steht für den lädierten Menschen, den Ausgestoßenen und Benachteiligten. Sie illustrieren aufs schönste die erzählerische Spannbreite und Vielfalt Hugo Loetschers.

»Was für eine Mischung aus Ironie und Philosophie, Weltläufigkeit und Bodenständigkeit! Welch scharfen Blick der Multiperspektive und der Wechselidentität pflegt schon so lange so brillant einer der zeigemäßesten deutschsprachigen Autoren, der Schweizer Hugo Loetscher!« *Ingo Arend / Freitag, Berlin*